DEMOCRACIA RACIAL,
DO DISCURSO À REALIDADE

CAMINHOS PARA A SUPERAÇÃO
DAS DESIGUALDADES SOCIORRACIAIS BRASILEIRAS

Vinícius Rodrigues Vieira

DEMOCRACIA RACIAL, DO DISCURSO À REALIDADE

CAMINHOS PARA A SUPERAÇÃO DAS DESIGUALDADES SOCIORRACIAIS BRASILEIRAS

PAULUS

Dados Internacionais de Catalogação na Publicação (CIP)
(Câmara Brasileira do Livro, SP, Brasil)

Vieira, Vinícius Rodrigues
Democracia racial, do discurso à realidade: caminhos para a superação
das desigualdades sociorraciais brasileiras / Vinícius Rodrigues Vieira.
— São Paulo: Paulus, 2008. — (Coleção ciências sociais)

Bibliografia.
ISBN 978-85-349-2924-0

1. Cidadania - Brasil 2. Desigualdades – Brasil
3. Discriminação racial - Brasil 4. Igualdade social - Brasil
5. Mestiçagem - Brasil 6. Raças - Brasil I. Título. II. Série.

08-00862   CDD-305.800981

Índices para catálogo sistemático
1. Brasil: Questão racial: Sociologia 305.800981
2. Brasil: Relações raciais: Sociologia 305.800981

Direção editorial
Claudiano Avelino dos Santos

Editoração
PAULUS

Impressão e acabamento
PAULUS

© PAULUS – 2008
Rua Francisco Cruz, 229 • 04117-091 • São Paulo (Brasil)
Fax (11) 5579-3627 • Tel. (11) 5087-3700
www.paulus.com.br • editorial@paulus.com.br

ISBN 978-85-349-2924-0

Para Francisco e Regina

Sumário

Apresentação

Na sociedade, assim como no jornalismo, há uma infinidade de temas que apresentam particular dificuldade de tratamento. O politicamente correto, pelo menos nos nossos dias, é talvez o mais complicado deles. Se as redações conseguiram, ao longo dos anos, estabelecer códigos deontológicos que resultaram num imenso debate que se estende desde os primeiros momentos da configuração do jornalismo como atividade de responsabilidade social, sequer sinalizaram procedimentos rudimentares quando se trata de questões como a de raça, por exemplo.

E, nesse campo, claro que não basta utilizar a palavra *negro* no lugar de *preto*, por exemplo. A complexidade e as diversificações são infinitamente mais amplas. E se havia a ilusão de que as coisas estavam simplesmente nas palavras, a configuração da sociedade moderna está aí para desmentir. No caso brasileiro, os problemas já se ampliam na raiz.

É praticamente impossível enfatizar a associação da desigualdade apenas com o termo raça. Nas propostas de entendimento de nossa sociedade, houve sempre uma construção teórica que caminhou para a junção com o social. Ou seja, de certa forma, sempre entendemos desigualdade como um problema sociorracial.

Transposta para o jornalismo, a discussão de ações afirmativas para a correção de situações específicas, como, por exemplo, a política de cotas, implantada anteriormente em vários países, necessariamente cobrará de quem quer que resolva abordar o tema uma dose especial de atenção. De uma atenção que requer não apenas um cuidado na forma de tratamento, mas algo mais amplo, que implica conhecimento mais aprofundado, estudo, dedicação. E, nessa situação, nem sempre se encontra a saída mais justa. Na maioria das vezes, fica muito mais fácil engavetar a pauta ou enveredar por caminhos que não acrescentam nunca nenhuma colaboração, nenhum esclarecimento.

Porém, as coisas não são assim para inconformados. Não foi assim para Vinícius Rodrigues Vieira, que, entre 2002 e 2006, cursou Jornalismo na Escola de Comunicações e Artes da Universidade de São Paulo (ECA/USP). Munido de muita determinação, ele ousou ir fundo num tema mostrado apenas superficialmente na maioria das discussões levadas a efeito no ambiente acadêmico e nas páginas de jornais: as cotas para a entrada nas universidades. Partiu para a luta. Escreveu um projeto que aborda o tema e o apresentou à comissão do Programa Raça, Desenvolvimento e Desigualdade Social, sediado na Faculdade de Economia e Administração da USP e coordenado pelo professor Carlos Roberto Azzoni, e foi selecionado para um intercâmbio no Center for Latin American and Iberian Studies (Clais) da Vanderbilt University, em Nashville (Tennessee, EUA). Sua pesquisa, intitulada *Desigualdade Social e Racial e Políticas de Ação Afirmativa: um Estudo Comparativo entre Brasil e Estados Unidos,* recebeu financiamento da Coordenadoria de Aperfeiçoamento do Pessoal de Nível Superior (Capes). Passou o segundo semestre de 2004 nos Estados Unidos e, no final do período, em janeiro de 2005, concluiu um artigo que aborda as transformações ocorridas nos anos 1960 nos Estados Unidos, auge do movimento por direitos civis, período anterior à implantação das ações afirmativas, entre elas as cotas.

Entretanto, o trabalho de Vinícius não terminou apenas na redação de seu artigo. Munido de todo o faro de um bom jornalista, ele resolveu ampliar o tema e transformá-lo em seu Trabalho de Conclusão de Curso (TCC). E aí se propôs a um desafio maior do que o do pesquisador que ele já estava demonstrando ser. Foi se testar como repórter, como editor. Foi mais fundo em suas pesquisas bibliográficas, buscou informações mais atualizadas, utilizando, ao cruzar dados do IBGE, as modernas técnicas do *Computer Assisted Reporting* (CAR); foi em busca de outras fontes – levantadas através de entrevistas jornalísticas – e, como observador, esteve presente em *campi* de universidades brasileiras.

O resultado final de seu trabalho foi levado a uma banca bastante rigorosa em sua leitura, composta pelos professores Marshall C. Eakin, da Vanderbilt University – e orientador de Vinícius nos EUA – e Gilson Schwartz, meu colega aqui da Escola de Comunicações e Artes da USP e que foi determinante para que esse aluno desenvolvesse sua veia acadêmica durante a passagem dele pelo Projeto Cidade do Conhecimento. Presidi a banca como orientador do trabalho. Durante mais de três horas participamos de uma discussão de alto nível acadêmico. Passamos pelo Brasil Colônia, o binômio Casa Grande e Senzala, o conceito de homem cordial, a idéia de mestiçagem, o estado dos direitos civis, políticos e sociais na década de 30, e chegamos à universalização da cidadania e às ações afirmativas. Lembramos nomes como Gilberto Freyre e Darcy Ribeiro. Todos fomos unânimes na importância da monografia que tínhamos à frente. Ela não poderia ficar arquivada na biblioteca da ECA, à disposição apenas de pesquisadores interessados. Ela tinha de ter um público maior. Sugerimos sua publicação imediata. Sem dúvida, estávamos certos em nossa sugestão. E o leitor vai poder comprovar o acerto de nossa decisão nas próximas páginas. Um competente trabalho que revela já, sem que pese sua pouca idade, um pesquisador sério e competente e um jornalista capaz de tornar acessíveis temas áridos e difíceis. Um belíssimo texto.

José Luiz Proença
Professor de Jornalismo
Escola de Comunicações e Artes (ECA)
Universidade de São Paulo (USP)

Prefácio

Em 1903, o notável intelectual afro-americano, W. E. B. Du Bois escreveu que "o problema do século XX é o problema da linha da cor (color line)". Um século depois da famosa declaração, será que a frase descreve o Brasil no século XXI? Os norte-americanos de todas as cores atravessaram o século XX, atracaram-se – com palavras e, às vezes, com violência – com a complicada questão de cor e raça, enquanto os brasileiros criaram os mitos nacionais da democracia racial e da unidade racial. O racismo aberto e franco dos intelectuais, políticos e pensadores brasileiros do fim do século XIX e começo do século XX começou nos anos 30 a ceder espaço a uma nova visão – uma visão freyriana.

O racismo científico, pessimista e confuso, do começo do século XX, foi cristalizado numa das duas obras magnas do pensamento racial brasileiro do século XX – *Os sertões,* de Euclides da Cunha (1902). A visão euclidiana revelou todas as confusões e frustrações dos intelectuais e das elites da Velha República. A grande maioria das elites aceitou o racismo "científico" do *fin de siècle* europeu. A má sorte das elites brasileiras foi a de viver numa sociedade não-européia, numa sociedade em que (pelo menos) a metade da população tinha sangue africano ou indígena, e pela lógica do pensamento racial dominante, foi um povo decadente e inferior. Na famigerada lógica do racismo científico, o povo mestiço foi condenado à inferioridade e ao fracasso no mundo moderno. Gilberto Freyre liberou o pensamento brasileiro (e os brasileiros) do pessimismo euclidiano com a outra obra magna do pensamento racial brasileiro do século XX – *Casa-grande e senzala* (1933). Aproveitando-se de décadas de estudos antropológicos, etnográficos e folclóricos (Nina Rodrigues, Sílvio Romero, Roquette Pinto e muitos outros), Freyre inverteu a fórmula pessimista e racista. A mestiçagem não foi a maldição do Brasil, e sim a bendição, o que fez os brasileiros especiais, providenciais e o melhor de todos os outros povos. O brasileiro – uma fusão de três povos (indígenas, africanos e portugueses) – nasceu da colisão da conquista e da colonização, criando um povo "lusotropical". Os portugueses sobreviveram e floresceram nos trópicos misturando-se com os africanos (e com os indígenas, mas Freyre realmente tinha pouco interesse nos povos indígenas). Segundo a visão freyriana, a fusão foi relativamente benigna e deu lugar a uma sociedade sem racismo, sem discriminação racial e sem a segregação dos Estados Unidos ou o *apartheid* da África do Sul.

Com o poder do estado brasileiro (começando com Vargas) e com fortes contribuições da cultura popular, emergiu no Brasil, depois dos anos 30, os grandes mitos da identidade nacional brasileira – a democracia racial e a mestiçagem. Já nos anos 1950, os ataques começaram a desmoronar (especialmente entre as elites intelectuais) o mito freyriano da democracia racial. Florestan Fernandes e muitos outros nas décadas seguintes publicaram diversos estudos com dados empíricos sobre a existência e a persistência de racismo e discriminação racial na sociedade brasileira. A lógica freyriana foi simples demais: a mestiçagem através de séculos criou um novo povo, os brasileiros, e um povo completamente misturado é a prova definitiva da falta de racismo no Brasil.

O livro de Vinícius Rodrigues Vieira confronta diretamente "o discurso" e a "realidade" da democracia racial numa nova era de debates sobre cor e raça no Brasil. Ironicamente, no momento do triunfo da visão freyriana como a "história oficial" do estado brasileiro sob a ditadura militar, o poder da visão começa a se desmanchar – em quase todos os setores da sociedade brasileira. Fatalmente ferido nos anos 1950 e 1960, o mito da democracia racial já estava quase falido nos anos 1980, e o outro grande pilar, o da casa grande freyriana, chegou a ser alvo de duras e animadas críticas. Como Vieira mostra claramente, as frias e contundentes estatísticas demostraram, ano após ano, as desigualdades na sociedade e as correlações entre as desigualdades socioeconômicas e as desigualdades raciais. Não foi por acaso que os brasileiros de cores mais escuras foram os mais pobres e prejudicados na sociedade e que os mais ricos foram os mais brancos.

Vinícius discute com firmeza e franqueza os debates ao redor da "linha da cor" brasileira. Existe uma raça brasileira em que todos são mestiços e as diferenças de cor e raça não têm importância? A sociedade brasileira consiste de um contínuo de cores, um arco-íris, destacado (como no censo oficial) por pretos, pardos e brancos? Será que o Brasil, depois de se distinguir da situação racial nos Estados Unidos, é uma sociedade birracial com brancos e não-brancos? O que este livro ilumina é o crescimento de um debate nacional sobre o que é ser brasileiro, e esse debate reflete o fim do "consenso" freyriano. Morreu o mito da democracia racial. Está morrendo o mito da mestiçagem freyriana. Ainda que muitos continuem a insistir na unidade racial brasileira (e até na realidade de uma democracia racial), esse pilar, que por tantas décadas foi o coração da "identidade nacional brasileira", já se fragmentou totalmente.

O grande desafio sociorracial do século XXI brasileiro será o de construir um novo consenso sobre a questão da linha da cor. Não será fácil. Como este livro ilustra, as controvérsias sobre essa questão são recentes, fortes e cada vez mais profundas. O que pegou fogo nesses debates foi a política das ações afirmativas, especialmente nas universidades brasileiras – um dos grandes símbolos das desigualdades na sociedade. Ironicamente, essa política gera um debate que coincide com o debate das últimas décadas nos Estados Unidos. No momento em que a ação afirmativa entra em declínio nos Estados Unidos, o movimento começa a ter força no Brasil. No momento em que os norte-americanos começam a desmontar uma sociedade legalmente racista e birracial, e a falar sobre a "brazilianization" das relações raciais nos Estados Unidos (onde a influência de classe social chega a ter mais impacto do que a raça na sociedade), os brasileiros entram no debate em que a nova onda é o argumento que afirma que a sociedade brasileira não é composta de um contínuo de cores, mas é, em realidade, uma sociedade birracial.

Este livro oferece uma valiosa contribuição ao crescente debate sobre a natureza das relações raciais brasileiras e sobre como superar as desigualdades sociorraciais no Brasil.

O século XX começou no Brasil com o pessimismo poderoso de Euclides da Cunha, e amadureceu com o otimismo de Gilberto Freyre. O século XXI começa com um crescente pessimismo diante da visão otimista de Freyre. Tomara que amadureça com um novo otimismo, que supere as desigualdades socioeconômicas e que chegue a um novo consenso sobre as relações raciais e o que é realmente ser brasileiro.

Marshall C. Eakin
Professor de História
Vanderbilt University
Nashville, Tennessee, EUA

1 | CONCEITOS MALDITOS

Se a diversidade é o principal traço da expressão humana, ao mesmo tempo ela fundamenta o ódio e as relações de poder. Assim, o diferente transforma-se *no outro, o inferior*, em relação ao qual *o eu* constrói sua superioridade. Eis como o arrogante pensa. Mas, de todos os fatores de diferenciação entre os homens, um possui o pecado original de – por mais que as ciências humanas e biológicas provem o contrário – trazer em si uma invariável noção de hierarquia, até mesmo porque se trata de um conceito cuja acepção histórica mais corrente (e recorrente) foi criada para justificar a dominação de um grupo em relação a outro, em vez de apenas sinalizar as diferenças, ou melhor dizendo, a diversidade. "Qual é a sua raça?". Por trás dessa simples pergunta, emergem vários significados, muitos dos quais dolorosos para alguns e gloriosos para outros. "A minha raça conseguiu...". "A minha raça sofreu...".

O mais otimista poderia pensar: "sofremos todos nós, vencemos em alguns momentos. Somos todos de uma raça só, a *raça humana*". Afinal, um dos conceitos de raça é "um grupo ou categoria de pessoas conectadas por uma origem comum".[1] Como as ciências biológicas demonstram, todos os homens compõem uma única espécie, diferente das demais que habitam a Terra. Seríamos uma raça única,

---

[1] BANTON, Michael. Race: Perspective One. In: CASHMORE, Ellis (Org.). *Dictionary of Race and Ethnic Relations*. 4ª ed. Londres / Nova Iorque: Routledge, 1996. p. 264. (Todas as traduções de textos em língua estrangeira são próprias).

se não fosse a idéia, difundida sobretudo a partir do século XIX, de que há várias raças humanas, umas superiores e outras inferiores, que confeririam aos indivíduos características intrínsecas, imutáveis. Com base nisso, pessoas discriminam umas às outras, gerando conflitos, por vezes armados, os quais alimentam imagens deturpadas, ideologias e ódios que se prolongam, justificando divisões, legais ou tácitas, vistas após gerações como naturais, embora tenham sido socialmente construídas, assim como qualquer hierarquia estabelecida pelo homem.

"Raça pode significar um grupo de pessoas que é socialmente definido, numa determinada sociedade, com raízes comuns devido a *características físicas* como cor da pele, tipo de cabelo, traços faciais, estatura e gostos",[2] sintetiza Pierre van den Berghe. Talvez essa definição seja a que melhor se aplica a este trabalho, que, em hipótese alguma, considera o conceito biológico de raças humanas, pois, se ele existir – algo em que alguns cientistas vêm empenhando-se em mostrar –, não são essas supostas raças, inatas, que valem nas relações sociais ou nos estudos de ciências humanas a respeito do assunto, pois um mesmo indivíduo pode receber classificações raciais diferentes de acordo com a sociedade e o contexto no qual se encontra.

De qualquer forma, é inevitável discutir a suposta face biológica da raça, já que o conceito moderno da palavra carrega tal noção em si. Seu significado foi forjado no bojo do Imperialismo. No auge da Revolução Industrial e após a independência dos países da América, a Europa buscava novas colônias na África e na Ásia. Diferentemente do que ocorrera no século XV, quando os primeiros europeus chegaram ao Novo Mundo, a dominação dos povos africanos e asiáticos, a qual, antes de ser um ato unilateral do homem branco contra as "gentes de cor", contou com a colaboração de grupos locais, não mais se daria na base da conversão religiosa, mas sim da missão civilizadora. As luzes trazidas pelo Iluminismo e materializadas na Revolução Francesa, na segunda metade do século XIX, tornaram-se, com

[2] BERGHE, Pierre van den. "Race: Perspective Two." In: CASHMORE, Ellis (Org.). Op. cit. p. 267.

pitadas de trevas e muita deturpação, a fé dos novos exploradores, crentes no progresso e em sua superioridade inata. Esta, automaticamente, decretava a inferioridade natural alheia.

Todavia, as origens do conceito de raça remontam a dois séculos antes. Em 1684, uma publicação da Academia Francesa de Ciências trazia um artigo intitulado *A New Division of the Earth, according to the Different Species or Races of Men Who Inhabit It* (*Uma nova divisão da Terra, de acordo com as diferentes espécies ou raças de homens que a habitam*), escrito, embora não assinado, por François Bernier. Essa é considerada a primeira menção ao conceito moderno de raça. Segundo Pierre Boulle, na França, primeiramente o termo foi usado "para definir as qualidades buscadas na criação de animais para a caça e a guerra", sendo estendido aos conjuntos de "homens que compartilhassem características valorosas e herdadas", como a família real e demais famílias nobres. "Resumindo, a palavra era inicialmente associada à linhagem, em vez de descrever amplos grupos com diferenças físicas e fixas, tal como ocorre hoje",[3] afirma Boulle, ressaltando que, desde o início, o termo trazia em si a noção de diferenças naturais entre os homens. Porém, prossegue o autor, os teóricos da época não consideravam tais diferenças imutáveis. Afinal, considerava-se que um bom treinamento poderia, após algumas gerações, eliminar dos novos nobres seus traços plebeus.

No fim do século XVIII e início do XIX, com a Revolução Industrial, a pesquisa científica avança e, com ela, a busca, na natureza, por explicações sobre o mundo. A categorização das espécies animais não ignora os homem e suas diferenças físicas. "Sob a influência de Georges Cuvier, um anatomista francês, tais diferenças eram percebidas como a expressão de diferentes tipos", os quais seriam permanentes.[4] Assim, diz Michael Banton, o termo "raça passou a ser usado como sinônimo de tipo, designando espécies de homens, distintos quanto às capacidades física e mental" e, por isso, em rela-

---

[3] BOULLE, Pierre. *François Bernier and the Origins of the Modern Concept of Race*. s/d. p. 12.
[4] BANTON, Michael. Op. cit. p. 265.

ção à cultura praticada por tais espécies. "Tal concepção sobrevive até hoje e forma o núcleo da doutrina freqüentemente chamada 'racismo científico'",[5] e que, no bojo do Neocolonialismo, justificou a dominação dos povos supostamente considerados inferiores.

Mas o racismo – um fenômeno totalmente social que reúne práticas e discursos com o objetivo de justificar relações de poder com base em características supostamente inatas dos indivíduos, marcados por estigmas – não seria fruto da contemporaneidade, tampouco do conceito de raça. Já na Idade Moderna, a transformação de africanos subsaarianos (com a ajuda de seus pares) em escravos, meras mercadorias enviadas às Américas para servir de mão-de-obra nas atividades agrícolas e extrativistas, pressupunha uma inferioridade inata daqueles transformados cativos. Se não o fazia, a escravidão de pessoas com determinada aparência e cultura (negros) por outras (brancos), diferente nesses dois aspectos, acabou por demonstrar a suposta condição real de cada um, embora os lugares ocupados e seus respectivos ocupantes tivessem sido fruto de construções sociais, graças ao contexto histórico em que surgiram.

Além do que, lembra o antropólogo Kabengele Munanga, "a lei de pureza de sangue vigente em Portugal e na Espanha dos séculos XIV e XV, que deu origem ao anti-semitismo, que é uma subvariante do racismo, não precisou da raça no sentido moderno da palavra", porém, essa regra "não era tão diferente das leis de Nuremberg, durante o regime nazista".[6] Segundo o mesmo autor, também há evidências de que, na Antigüidade, gregos e romanos praticavam uma espécie de proto-racismo. Munanga afirma isso com base nos estudos de Bernard Lewis, que ampliam "o espaço geo-histórico do racismo, incluindo nele os países do Islã e desfazendo o monopólio ocidental desse fenômeno".[7] No mundo islâmico, por exemplo, havia escravidão de brancos e negros, porém, aos primeiros, raramente eram dados os tra-

---

[5] *Idem*, p. 265.
[6] MUNANGA, Kabengele. "Algumas considerações sobre "raça", ação afirmativa e identidade negra no Brasil: fundamentos antropológicos." *Revista USP*. São Paulo. n.68, p. 46-57, dez. 2005. p. 54. Alguns autores restringem o significado do termo racismo ao processo de inferiorização do negro.
[7] *Idem*, p. 54.

balhos mais árduos. A tradição religiosa muçulmana conta que "Ham, filho de Noé, e ancestral dos negros, foi condenado a ser negro".[8] Assim, conclui Munanga, "a raça não cria problema, mas sim a diferença fenotípica por ela simbolizada".[9]

A origem da raça e do racismo é "o dilema do ovo e da galinha", como diria a linguagem popular. Pensamos em raça porque o conceito foi criado e reforçado, como outros discursos, ou devido ao fato de, uma vez percebidas diferenças físicas e/ou culturais entre indivíduos numa determinada sociedade, não se pôde mais fechar os olhos a elas? Não há respostas definitivas. Como escreveu Hannah Arendt a respeito do racismo, "a persuasão não é possível sem que o seu apelo corresponda às nossas experiências ou desejos ou, em outras palavras, a necessidades imediatas (...). Toda ideologia que se preza é criada, mantida e aperfeiçoada como arma política e não como doutrina teórica".[10] De fato, há sociedades em que, indivíduos com traços físicos e/ou culturas diferentes, não são, necessariamente, vistos como sendo de raças distintas.

Um exemplo próximo ao da realidade brasileira é o da Península Ibérica, a mesma região onde havia, cinco séculos atrás, leis de pureza de sangue similares às do nazismo. Existem espanhóis e portugueses cuja tonalidade de pele não seria considerada branca em muitos locais da própria Europa. São descendentes dos povos árabes que ocuparam a região por cerca de 700 anos. Oficialmente, integram suas respectivas *nações* da mesma maneira que seus compatriotas de traços predominantemente europeus. Porém, cabe perguntar se, *tacitamente*, isto é, *na prática*, não há, nos referidos países, uma depreciação, em determinadas esferas da vida, das pessoas de pele morena e/ou traços árabes, ainda que todos se vejam como espanhóis e portugueses, salvos os regionalismos, diga-se de passagem, bastante fortes na Espanha, notadamente na Catalunha e no País Basco. Essa

---

[8] *Idem*, p. 56.
[9] *Idem*, p. 56.
[10] ARENDT, Hannah. *Origens do Totalitarismo*. São Paulo: Companhia das Letras, 1989, p. 189.

não é uma hipótese pouco provável. Afinal, como se verá no *capítulo 4*, os negros americanos de pele e traços físicos menos próximos da imagem do africano subsaariano possuem renda maior que os demais afrodescententes dos EUA, embora sejam considerados membros de uma mesma raça ou etnia.

O Brasil, como ex-colônia ibérica, acabou por herdar essa tradição *assimiladora*. Desde a abolição da escravidão, em 1888, o país reconhece todos os indivíduos que nascem em seu território como cidadãos. Não obstante, todas as estatísticas apontam para uma disparidade entre brancos e negros em vários indicadores socioeconômicos, sobretudo em termos de renda e escolaridade. *Este livro investiga, à luz dos conceitos de raça e racismo e da história brasileira, as origens das desigualdades raciais brasileiras e propõe caminhos para corrigi-las, além de discutir os já existentes.* Enfim, busca-se desbravar os caminhos para que o Brasil possa ter uma democracia racial *de fato,* que não fique apenas no *discurso,* um *mito* que por muito tempo camuflou o *dilema brasileiro,* que se resume na necessidade de conferir *cidadania de fato,* e não apenas *de jure,* a todos os filhos deste solo.

A nosso ver, isso não pode ser feito sem a desmistificação de três "conceitos malditos": *raça, racismo e democracia racial,* esta como *mito,* já que como *meta deve ser almejada e incessantemente perseguida.* Sobre os dois primeiros, já houve, por ora, introdução suficiente. Em relação à expressão democracia racial, o sociólogo Antonio Sérgio Guimarães diz que ela aparece pela primeira vez em 1941, citada pelo intelectual Arthur Ramos numa conferência nos Estados Unidos. Para Ramos, a democracia estava subdividida em vários conceitos: democracia política, social, religiosa e racial.[11] *Pelo contexto, percebe-se que ele se referia à democracia como equivalente à liberdade e à igualdade de direitos independentemente da opção feita por cada um dos indivíduos em cada uma dessas esferas da vida.*

Antes, porém, como diz Guimarães, Gilberto Freyre – a quem o senso comum atribui a origem da expressão – já havia, em 1937,

---

[11] GUIMARÃES, Antonio Sérgio. "Democracia Racial." Disponível em: <http://www.fflch.usp.br/sociologia/asag>. Acesso em: 20 abr. 2006. p. 8.

tentado separar analiticamente os diversos significados de democracia, quando "passa a enfatizar o contraste entre democracia social e democracia política. Para ele, a primeira parece imune ao racismo (...). Se o fascismo era uma imbricação peculiar do totalitarismo ao racismo, Brasil e Portugal encontrariam em sua tradição de mestiçagem racial o antídoto contra tal perigo".[12] Como Freyre mesmo escreveu, "(...) sem democracia social, sem democracia étnica, sem democracia econômica, sem democracia sociopsicológica (...), que pode ser, senão um artifício, a simples democracia política?".[13]

De fato, ele não criou a expressão democracia racial, mas foi um dos principais formuladores dos conceitos associados a ela. A julgar pelo discurso de alguns ativistas do movimento negro, o Brasil é o contrário, o país do ódio racial, com grupos separados inclusive em termos culturais. Mas os negros das estatísticas são os mesmos da vida real? Após a descrição do processo de formação racial do Brasil e da análise das desigualdades socioeconômicas do país nos *capítulos 2 e 3*, respectivamente, isso será debatido com profundidade no *capítulo 4*. Porém, para melhor entendimento do tema apresentado nas páginas a seguir, é necessário adiantar algumas conclusões dessa discussão.

A noção de raça como um grupo estanque é estranha à realidade brasileira, o que acaba por sugerir a alguns que se trata de um conceito que sequer existe nela, mas persiste ocultamente. Está nos anúncios de jornal, por trás de termos como "boa aparência". Aliás, se ainda restam dúvidas de que *raça* é uma categoria nativa no Brasil, isto é, um termo utilizado nas relações sociais, sem dúvida *aparência* é bastante corrente, assim como *cor*, o qual é objeto dos levantamentos estatísticos oficiais. Neles, entrevistadores perguntam às pessoas "a cor ou raça do [nome do indivíduo] é....?". Para a resposta, há cinco opções disponíveis: branca, preta, amarela, parda, indígena

[12] *Idem*, p. 6.
[13] FREYRE, Gilberto. *Na Bahia em 1943*. Rio de Janeiro: Companhia Brasileira de Artes Gráficas, 1944. p. 30. Apud GUIMARÃES, Antonio Sérgio. *Classes, Raças e Democracia*. São Paulo: 34, 2002. p. 150.

e, dependendo do levantamento, ignorada, para o caso de não haver resposta. Todavia, são vários os termos que os brasileiros usam para descrever a tonalidade da epiderme. Pesquisa feita pelo Instituto Brasileiro de Geografia e Estatística (IBGE) em 1998 registrou mais de 130 nomes dados à cor da pele, termos que, não obstante, podem referir-se ao *fenótipo* como um todo, o conjunto de caracteres físicos, especialmente os da face, de um indivíduo. Tais estatísticas apontam que pretos e pardos, no geral, possuem, em média, condições de vida bastante similares, estando num mesmo nível de inferioridade socioeconômica em relação aos brancos. Por isso, os pesquisadores da área decidiram agrupá-los numa mesma *categoria analítica* chamada *negros*. O movimento negro apropriou-se dessa soma e defende que, na sociedade, pretos e pardos são considerados negros ou, em outras palavras, não são considerados brancos e, por isso, estariam sujeitos ao preconceito e discriminação racial.

Mas será que todos os pretos e pardos se reconhecem como negros ou membros de uma mesma raça, não importa qual nome se dê a ela? Conforme já foi citado, raça é um grupo de indivíduos com "raízes comuns devido a *características físicas* como cor da pele, tipo de cabelo, traços faciais, estatura e gostos". Assim, conclui-se que pretos e pardos podem sim ser membros de uma mesma raça, já que compartilham alguns elementos fenótipicos. Porém, nas relações sociais, esses elementos talvez nem sempre sejam reconhecidos da mesma forma na maior parte do território nacional, na maioria das esferas da vida e contextos. Já os gostos remetem a uma cultura comum, no presente ou no passado. Na música, nas artes plásticas, na religião, são evidentes as influências indígenas e africanas, isso para não falar numa cultura *black*, materializada no hip-hop, no rap e demais manifestações culturais que emergem nas periferias das grandes cidades. Há também a questão da origem. É pouco provável que um preto ou pardo brasileiro não tenha – ainda que não saiba – um ancestral africano e, no caso dos pardos, antepassados indígenas e europeus.

Então, pretos e pardos seriam *etnias* ou *nações*, subjugadas pelos brancos, num colonialismo exercido por um grupo para com outro num mesmo país? O antropólogo Jacques D'Adesky propõe que etnia é "um grupo cujos membros possuem, segundo seus próprios olhos e ante os demais, uma identidade distinta, enraizada na consciência de uma história ou de uma origem comum, simbolizada por uma herança cultural comum que caracteriza uma contribuição ou uma corrente diferenciada da nação. A consciência desse fato é baseada em dados objetivos, tais como uma língua, raça ou religião comum, por vezes um território comum, atual ou passado, ou ainda, na ausência deste, redes de instituições e associações, embora alguns desses dados possam faltar".[14] Não, os grupos de cor da estatística também não são etnias: embora os indivíduos que escolhem um rótulo possam ter uma origem comum, não necessariamente compartilham uma mesma cultura apenas e somente entre eles. Por exemplo, do mesmo modo como há pretos católicos, brancos professam religiões de matriz africana e, considerando as diversas pequisas realizadas sobre o assunto, não se pode dizer que essas situações sejam fugas pontuais "à regra".

Então, os grupos de cor são apenas uma miragem estatística? Em termos. Afinal, prossegue D'Adesky, "os seres humanos são freqüentemente descritos utilizando-se termos que podemos traduzir como preto, branco, vermelho, verde, amarelo e por dois tons de moreno, claro e escuro. Esses termos são geralmente empregados num sentido pessoal e não étnico e correspondem mais (no sentido ocidental) a termos tais como moreno (trigueiro), loiro ou corado do que a preto ou branco. Algumas vezes são utilizados num sentido étnico, mas com conotação em valor relativo e não absoluto".[15]

Eis uma definição que mais se aproxima da realidade brasileira. Ainda que não formem um grupo, já que não se reconhecem como tal no cotidiano, mas apenas pelas estatísticas, *pretos e pardos sofrem sim preconceito e discriminação*, conforme atestam várias pesquisas, e estão, em média, em posição de desvantagem na sociedade, não

---

[14] D'ADESKY, Jacques. *Pluralismo étnico e multi-culturalismo: racismos e anti-racismos no Brasil*. Rio de Janeiro: Pallas, 2001. p. 191.
[15] MUNANGA, Kabengele. Op. cit. p. 54.

necessariamente em decorrência desses dois fatores. É o paradoxo do *racismo à brasileira*: um racismo sem raças, um racismo sem grupos, aparentemente dirigido apenas aos indivíduos.

Dizemos aparentemente porque há uma clara valorização, em muitos contextos, de modelos europeus na *ética* (conduta, valores, cultura) e, sobretudo, na *estética* (aparência, fenótipo), em detrimento dos *traços físicos e culturais* (ainda que sejam belos) que remetem a outras origens que não a ocidental. Mas, na tentativa de combater as desigualdades em ambas as esferas, econômica e cultural, setores do movimento negro lançam mão de argumentos pouco condizentes com a realidade, como o de que pretos e pardos devem se unir e reconstruir sua identidade. No passado, nunca houve uma identidade africana subsaariana única, lembrando, aliás, que *nem todo africano tem origem negra* – um exemplo são os nascidos em países árabes do Norte da África –, tampouco existiu uma única identidade indígena, às quais pretos e pardos estariam automaticamente vinculados. Além do que, essa é uma idéia perigosa, porquanto tenta vincular à ancestralidade o *ethos* (conduta, valores, cultura) que um indivíduo supostamente deve seguir e porque estimula, ainda que sem intenção, a formação de grupos estanques e rivais entre si, sem, necessariamente, corrigir as desigualdades.

Como diz Lilia Schwarcz, "(...) a polêmica, como qualquer polêmica, tem muitos lados, mas podemos resumi-los, *grosso modo*, a partir de duas posições majoritárias. De um lado estariam aqueles que, em nome de uma política mais universalista, vêm defendendo a adoção de medidas 'igualitárias' e que recuperam certa 'matriz ibérica refeita num modelo brasileiro', pautada na mestiçagem e na assimilação. Faz parte também desse argumento a desqualificação da noção biológica de raça e, como decorrência, de todas as medidas que impliquem a 'racialização do tema', entre elas as cotas. De outro lado, estariam os autores que, mesmo entendendo os limites de raça, o têm aplicado de forma mais pragmática ao demonstrar sua inserção 'eficaz', digamos assim, em nossa sociedade. Ou seja, acreditam que, a despeito das falácias do conceito de raça, sua aplicação já estaria disseminada no senso comum, o que autorizaria sua utilização política. Dessa maneira, as ações afirmativas implicariam uma política de 'equiparação' e de promoção da igualdade (...)"[16]

Assim, ativistas advogam (justamente) por reparações, que seriam dadas aos indivíduos que assumissem uma identidade, como gostam de dizer, "afro-brasileira", ignorando a miscigenção, que resultou numa diversidade cultural compartilhada pela maioria dos brasileiros, independentemente de sua aparência. Pode-se (e deve-se) criticar como a mistura de raças ocorreu, baseada sobretudo no estupro da escrava negra pelo senhor branco, na escravidão que aniquilou a humanidade de muitos homens, no assimilacionismo que buscava civilizar a nação nos moldes europeus, no branqueamento que repudiava os traços africano-subsaarianos. Mas, dizer que o Brasil é multicultural, no sentido de que vários grupos étnicos convivem em seu território, não condiz com a realidade, a não ser que esta seja confundida com projeto político. Isso seria negar a nossa história, da mesma forma que a democracia racial o fez por muito tempo, escondendo as tensões que agora emergem de maneira perigosa.

Perigosa, não porque pretende (com louvor) acabar com privilégios, mas porque acaba por criar outros indiretamente, através de políticas que põem fim à igualdade formal dos cidadãos. Sem dúvida, atualmente o Brasil está longe de prover a seus habitantes qualquer igualdade material em termos de igualdade de oportunidades. Todavia, as bases estão lançadas: basta que se cumpram os princípios e determinações de nossa Carta Magna para caminharmos rumo a essa direção, em vez de acentuarmos ainda mais as nossas divisões. Ao contrário do que preconiza o assimilacionismo, a conciliação é possível num ambiente pautado pela diversidade cultural, de idéias, de opiniões, desde que haja uma meta que reúna todos. Esse objetivo deve ser a construção de uma nação, justa e solidária, na qual o privilégio de qualquer natureza dê lugar à competição entre os indivíduos com base no mérito, na capacidade individual, sem que nos esqueçamos de que, brancos ou negros, ricos ou pobres, somos todos parte

---

[16] SCHWARCZ, Lilia. "Na boca do furacão." *Revista USP.* São Paulo. n. 68, p. 6-9, dez. 2005. p. 6-7.

de uma mesma nação e, por isso, temos obrigações de solidariedade, de uns para com os outros.

Em contraponto ao universalismo, o multiculturalismo garante direitos e deveres conforme a identidade cultural de cada um.[17] À exceção de quilombolas e grupos que vivem em reservas indígenas, além de outros povos mais isolados – e nenhum deles, ressalta-se, é objeto deste trabalho –, todos estamos integrados a uma sociedade complexa[18], ainda que apenas através da esfera pública formada pelos meios de comunicação de massa, na qual convivem diversas perspectivas que concorrem para influenciar a formação da identidade dos indivíduos.

Portanto, para satisfazer as demandas específicas de cada um, sem comprometer a estrutura da coletividade, não parece haver outro caminho senão o universalismo, desde que este respeite a diversidade. Segundo Michel Walzer, há duas perspectivas universalistas que orientam as democracias liberais – termo usado na literatura acadêmica para denominar a democracia moderna. "Uma delas pressupõe neutralidade política entre as diversas e muitas vezes conflituosas concepções de uma vida boa existentes na sociedade pluralista (...). A segunda interpretação não põe a tônica na neutralidade (...), mas permite (...) que as instituições públicas estimulem alguns valores culturais específicos" sob algumas condições, das quais se destacam o respeito aos direitos fundamentais de todos os cidadãos, como "as liberdades de expressão, pensamento, religião e associação", e ao princípio de que "ninguém deve ser manipulado (e muito menos coagido) a aceitar valores culturais (...)"[19]. Além disso, é plausível dizer que esse mesmo princípio se aplica à prática de tais valores.

Como se verá no *capítulo 4*, no qual são analisadas as possibilidades de haver uma reelaboração das identidades dos brasileiros,

---

[17] TODD, Roy. "Multiculturalism." In: CASHMORE, Ellis (Org.). Op. cit. p. 244.

[18] VELHO, Gilberto; CASTRO, Eduardo. *O Conceito de Cultura e o Estudo das Sociedades Complexas*. s/d. p. 18.

[19] GUTMANN, Amy. "Introdução." In: TAYLOR, Charles (Org.). *Multiculturalismo: examinando a política do reconhecimento*. Lisboa: Instituto Piaget, 1994. p. 29.

de modo a fundamentá-las predominantemente na ascendência ou na aparência, materializadas em raças ou etnias, nem sempre as políticas públicas respeitam tais princípios, forçando a adoção de determinadas identidades. Dessa forma, se hoje os brasileiros se identificam como parte de uma mesma nação, rapidamente esse quadro pode ser mudado. Afinal, "a identidade não está dada a priori, é um processo de construção que só pode ser compreendido na dinâmica que ordena a vida do grupo social na relação com outros segmentos", não sendo, portanto, algo fixo.[20] Por outro lado, há indícios de que as políticas de ação afirmativa para pretos, pardos e indígenas na universidade não são capazes de fomentar identidades racializadas, como registra o *capítulo 5*, o qual recupera a história de tais políticas e avalia seus resultados na Universidade Federal de São Paulo (Unifesp) e na Universidade Estadual de Campinas (Unicamp). O mesmo capítulo oferece uma visão alternativa da experiência americana, da qual apenas os bons resultados vêm sendo fartamente anunciados. Como constatou Willian Julius Wilson, no final dos anos 1970, ao analisar, no clássico *The Declining Significance of Race (A declinante significância da raça)*, os resultados do fim das barreiras legais contra os negros nos EUA e da institucionalização das ações afirmativas, enquanto a classe média negra tirava vantagem do crescimento do mercado de trabalho destinada a ela, tanto no setor privado quanto no público, os negros mais pobres pioravam sua situação.

Aliás, o debate brasileiro sobre as ações afirmativas vem sendo reduzido a duas palavras: cotas e universidades. Como se verá com mais detalhes no *capítulo 5*, ações afirmativas não são um sinônimo para cotas raciais e tampouco se referem apenas às instituições de Ensino Superior. Talvez haja argumentos mais consistentes para se defender a aplicação de tais ações em qualquer outra instituição, menos nas universidades, cujos processos seletivos, *a priori*, não selecionam

---

[20] SOARES, Reinaldo da Silva. *Negros de classe média em São Paulo: estilo de vida e identidade negra*. São Paulo, 2004. Tese (Doutorado em Antropologia Social) – Faculdade de Filosofia, Letras e Ciências Humanas (FFLCH), Universidade de São Paulo (USP). p. 187.

ninguém em virtude da raça. Ou seja, não há *discriminação* como um processo intencional, declarado ou não. Porém, antes de se conhecerem os diversos tipos de ação afirmativa, é necessário explicar o significado de dois fatores que estruturam o racismo e, conseqüentemente, a sua materialização, ou seja, a própria discriminação: o *estereótipo* e o *preconceito*. "Diferentemente do preconceito, que é uma atitude (que contém predisposição para a ação), o estereótipo seria uma imagem, vinculando-se ao campo da percepção. (...) São construções indesejáveis porque rígidas, resistentes à educação e são uma forma de raciocínio que representa um 'desvio da inteligência', tendo como veículos mais comuns a linguagem, as imagens, a publicidade, a propaganda, os livros didáticos, personagens de telenovelas etc".[21]

Assim, pode-se concluir que o estereótipo é uma percepção que fundamenta um preconceito. Este, por sua vez, "(...) tende a desconsiderar a individualidade, atribuindo aprioristicamente aos membros de determinado grupo estigmatizado características geralmente grosseiras, com as quais o grupo é caracterizado".[22] Ao nosso ver, não necessariamente o preconceito se dirige a um grupo que se reconhece como tal, mas a indivíduos que compartilham características estigmatizadas, como é o caso dos pretos e dos pardos no Brasil. Ressalta-se ainda que, como lembra Fernando Henrique Cardoso, "(...) a idéia corrente entre muitos psicólogos sociais e sociólogos de que o preconceito, enquanto estereótipo, apresenta-se como uma deformação, consciente ou inconsciente, com base parcial na realidade, das qualidades dos outros avaliadas a partir de critérios etnocêntricos, deve ser ampliada. Com efeito, a avaliação preconceituosa pode ser inteiramente 'objetiva', isto é, apoiada em dados de fato, e nem por isso deixa de ser preconceituosa".[23] Afinal, tal avaliação objetiva também constitui uma observação parcial da realidade e, por isso,

---

[21] SILVA JR, Hédio. *Direito de Igualdade Racial: Aspectos Constitucionais, Civis e Penais*. São Paulo: Juarez de Oliveira, 2002. p. 23.
[22] *Idem*. p. 22.
[23] CARDOSO, Fernando Henrique. *Capitalismo e Escravidão no Brasil Meridional: o Negro na Sociedade Escravocrata do Rio Grande do Sul*. Rio de Janeiro: Paz e Terra, 1977. p. 251.

não se aplica a todos os indivíduos estigmatizados em virtude de carregarem determinadas marcas.

A predisposição à ação que o preconceito carrega concretiza-se na discriminação, que, segundo Maria Aparecida Bento, desdobra-se em quatro tipos:[24] 1) discriminação isolada: ocorre quando um indivíduo age hostil e intencionalmente contra um ou mais membros de um "grupo subalterno, sem que seja direta e imediatamente determinada por um contexto organizacional"; 2) discriminação de um pequeno grupo: similar à discriminação isolada, mas, como o próprio nome diz, realizada em conjunto; 3) discriminação institucional direta: aquela baseada em normas, as quais podem ser tácitas, "(...) prescritas em nível organizacional ou da comunidade que têm impacto intencional diferencial e negativo nos membros de um grupo subalternizado"; e 4) discriminação instituticional indireta: estas, assim como as últimas, estão fundamentadas em "ações prescritas no nível organizacional e comunitário", mas não possuem "intenção imediata de penalização". Haveria dois registros dela: a) "(...) discriminação como efeito colateral quando práticas discriminatórias em uma esfera geram discriminações em outra. Por exemplo, história educacional gerando menor competitividade no mercado de trabalho"; e b) "discriminação que se refere a práticas aparentemente neutras, no presente, mas que refletem, ou perpetuam, o efeito de discriminação intencional praticada no passado, na mesma área organizacional ou institucional".[25]

Ambos os registros da discriminação institucional indireta representam uma concepção extrema da discriminação, sugerindo que as desigualdades raciais não ocorrem por acaso. Por exemplo, se uma empresa não tem em altos postos uma proporção de indivíduos de determinada raça ou etnia equivalente àquela encontrada na maior parte da população, considerada em nível local, regional ou nacional, isso não seria decorrência do fato de não haver pessoas suficientemente qualificadas para ocupar tais cargos, mas sim de um

[24] SILVA JR, Hédio. Op. cit. p. 27.
[25] Idem, p. 28.

acordo tácito entre Estado, sociedade e mercado. Além disso, segundo os argumentos acima apresentados, a igualdade formal, pretensamente neutra, inerentemente acaba por conservar as desigualdades. Neste livro, porém, entende-se que o problema está na maneira como tal igualdade é praticada.

Portanto, para fins de análise, pode-se considerar, a partir desses conceitos, duas formas de discriminação: *intencional* e *não-intencional*, sendo que esta última talvez não possa ser considerada discriminação, como mostra o *capítulo 5*. Tanto uma quanto outra ocorreriam em dois níveis: *macro*, representado pelas instituições, sejam elas, para usar um termo hegeliano, da superestrutura ou da infra-estrutura; ou *micro*, representado pelos indivíduos, os quais agiriam sozinhos ou em grupo, como a autora explicou. No Brasil, a compreensão da influência dessas formas de discriminação nas desigualdades sociorraciais, aquela verificada entre os grupos de cor, requer antes a descrição da formação racial do país, iniciada no capítulo a seguir.

2 | A FORMAÇÃO RACIAL DO BRASIL

Toda estrutura social é fruto de um processo histórico, um dado não natural, como mostraram os primeiros sociólogos, no final do século XIX. Sendo a raça uma dessas estruturas, a compreensão de sua origem encontra-se na História. Assim, a análise e a descrição desta são essenciais para que se possam entender as desigualdades sociorraciais brasileiras. Um paradigma que se aplica ao Brasil chama-se *formação racial*. Seus elaboradores, os americanos Michael Omi e Howard Winant, definem-na como "o processo sócio-histórico através do qual categorias raciais são criadas, habitadas, transformadas e destruídas".[1] Ainda segundo eles, sob essa perspectiva, "raça é tanto uma questão de estrutura social e representação cultural",[2] a qual ninguém poderia ignorar. "Todos aprendem alguma combinação, alguma versão das regras de classificação racial e sobre sua própria identidade racial, inclusive através de processos que não sejam explícitos".[3]

Certamente, Omi e Winant escreveram isso inspirados na experiência dos EUA, marcada pelo birracialismo, uma rígida oposição entre brancos e não-brancos. Porém, em certa medida, tal modelo pode ser aplicado ao contexto brasileiro, na medida em que reúne os determinantes econômicos, sociais, políticos e culturais que mol-

---

[1] OMI, Michael; WINANT, Howard. *Racial Formation in the United States: From the 1960s to the 1990s.* 2 ed. New York: Routledge, 1994. p. 55.

[2] *Idem*, p. 56.

[3] *Idem*, p. 60.

dam a idéia de raça. Além disso, nenhum dos três outros paradigmas análiticos citados pelos mesmos autores parece ser mais apropriado para a análise das relações raciais no Brasil. Afinal, dois deles se baseiam em categorias estanques de classificação. O outro enfoca as questões econômicas, relegando a segundo plano a marginalização de culturas por parte dos colonizadores ou do grupo de idéias dominantes. Ainda que, conforme dito, não haja grupos estanques no Brasil, é evidente a discriminação contra algumas das manifestações culturais de origem africana, embora não necessariamente elas sejam praticadas apenas por pretos e pardos.

O *paradigma da etnicidade*, que enfatiza as identidades de grupo, não encontra eco nas relações raciais brasileiras, na medida em que, no Brasil, não há etnias no sentido exato da palavra, isto é, agrupamentos de indivíduos que compartilham, além de características físicas, traços culturais comuns. Não obstante, ao longo da História do Brasil, é claro o processo de assimilacionismo a uma cultura nacional, moldada, primordialmente, à imagem e semelhança do colonizador europeu, porém, com traços fortíssimos da influência africana-subsaariana e indígena.

Já o *paradigma da nação* tampouco pode dar boas respostas. Afinal, antes da chegada dos colonizadores não existia, na *Terra Brasilis*, uma nação una que, uma vez iniciada a ocupação européia, tenha permanecido coesa. Além dos indígenas, os negros foram oprimidos. No entanto, estes também não compunham uma nação. Tal como os nativos da terra, em seu lugar de origem pertenciam a diversos agrupamentos sociopolíticos, entre os quais reinos e tribos, que não necessariamente compartilhavam uma mesma história e cultura entre si. Além do que, em território brasileiro não formaram uma nação, em parte devido ao sistema escravista que tolhia desses indivíduos parte de seu caráter humano, em parte graças às relações sociais que toleravam a mestiçagem. Entre os homens livres, sobretudo os mais pobres, havia muitos descendentes de brancos, negros e indígenas, filhos de europeus com nativas e negras, fruto de relações muitas vezes não-consentidas, baseadas na força, existentes devido à ausência de mulheres brancas na colônia e à atração do colonizador por aquelas mulheres "exóticas", sob o seu ponto de vista, mulheres que remetiam à moura do norte da África que, segundo Gilberto Freyre, habitava o imaginário dos lusitanos – muitos dos quais morenos – e, conseqüentemente, seus desejos.

Aquele que mais se aproxima da realidade brasileira é o *paradigma de classe*. As associações entre a aparência e o nível social remetem à colonização. Brancos – ainda que tivessem ancestrais não-europeus – eram os senhores; negros e índios, os escravos. Depois, o "andar de cima" da sociedade, ganha outros matizes, ainda que permaneça e se declare predominantemente branco, enquanto, da mesma forma, os mais pobres apresentam uma diversidade mais escura. Tal abordagem, porém, fica restrita às questões socioeconômicas e, embora este trabalho se concentre nelas, a cultura é necessária para se entenderem as relações raciais no Brasil, assim como em outros lugares, até mesmo para se analisar a formação de identidades associadas à aparência, isto é, à cor ou raça.

Assim, ao unir história, cultura, política, sociologia e economia, o paradigma proposto por Omi e Winant permite trabalhar com as mais diversas esferas da vida para narrar a construção de categorias raciais no país. Primeiramente, faz-se preciso analisar a inserção brasileira no sistema econômico internacional, desde a chegada dos colonizadores europeus, no final do século XV, e as relações sociais engendradas a partir das atividades necessárias a tal inserção, bem como a distribuição da população pelo território em virtude dela. Dessa forma, é possível descobrir as origens das desigualdades sociais, raciais e regionais do país. É nessa trama que se dão, em nível macro e micro, representados, respectivamente, por instituições e indivíduos, todos os processos de discriminação. No que se refere à esfera cultural, serão retomadas, de maneira bastante superficial, as contribuições de cada grupo à formação de uma identidade nacional, que, não obstante as diferenças regionais, uniu o país em torno de símbolos, ainda que desprovidos de propósitos coletivos, como o *Brazilian Creed*, análogo ao *American Creed* dos colonizadores anglo-saxões, fundadores dos EUA. Eles, em busca de liberdade religiosa, desbravaram a América do Norte e acabaram por dar origem à maior potência econômica da História, enquanto a nação brasileira, fundamentada na casa grande e senzala – com um viés claramente econômico –, patina até hoje entre desigualdades, desavenças e uma ampla riqueza cultural. Na análise, convém adotar a periodização histórica mais empregada para descrever a formação brasileira: a divisão em Colônia, Império e República, sendo esta última subdividida em períodos menores.

2.1. A gênese da civilização luso-tropical

Antes da casa grande e senzala, houve duas instituições que dizem muito sobre o caráter nacional brasileiro. Primeiramente, a *exploração* do território entre 1500 e 1532, período em que os portugueses sequer se deram ao trabalho de organizar uma estrutura administrativa no território recém-apropriado. Apesar da permanência do colonizador, que explorava as reservas de pau-brasil, ele não construiu núcleos de povoamento, vilas ou cidades. Conforme avançasse a extração desse tipo de madeira, os europeus abriam entrepostos em locais da costa até então intocados pelo homem. Uma vez esgotadas as reservas daquela área, partiam para outro ponto e assim sucessivamente. Isso caracteriza *um pensamento de curto prazo*, algo que persiste no Brasil de hoje.

A cobiça de outros povos europeus pelas terras americanas a leste do meridiano de Tordesilhas fez com que a coroa portuguesa procurasse tomar posse efetiva delas. Expedições como a de Martim Afonso de Souza, na década de 1530, fundaram vilas ao longo da costa atlântica, lançando as bases para o povoamento da colônia, que prosperou apenas anos mais tarde, com a divisão do território em *Capitanias Hereditárias*, faixas de terra concedidas a fidalgos portugueses. No Brasil, *a propriedade privada*, ainda que num formato diferente daquele contemporâneo, precede *a existência do espaço público*. Afinal, para que este iria existir, se não havia interesses do povo – que, aliás, em nenhum lugar do mundo estava organizado à época –, mas apenas de líderes, que poderiam organizar-se como bem entendessem, desde que, oficialmente, as terras permanecessem sob o domínio d'*El Rey*, então representado pelo governador-geral?

Embora não houvesse povo, os subordinados existiam. Eram eles os nativos, chamados índios, de pele escura e cabelos lisos. Relatos apontam que essa população não se adaptou ao trabalho sistemático que os engenhos de açúcar, nas capitanias onde hoje está a região Nordeste, logo viriam a demandar. Por essa razão, importou-se mão-de-obra do outro lado do Atlântico. Os africanos subsaarianos começaram a ser trazidos em meados do século XVI. Tal como ocorreu com estes, havia dúvidas a respeito da natureza humana do índio, o que foi resolvido pela Igreja, que se declarou protetora dos índios.

"Contudo, continuava-se a escravizar índios, ocorrendo verdadeiras batalha entre jesuítas e colonos. Prevalecia o interesse econômico, e D. João III, ao iniciar a colonização do Brasil, nas cartas de doação de terras fazia constar o direito aos donatários de escravizar índios e exportá-los para Portugal",[4] diz a jurista Eunice Aparecida de Jesus Prudente. Nos séculos seguintes, outros decretos proibiram ou restringiam os casos em que os indígenas poderiam ser escravizados. Foi o caso da bula papal publicada em 1537 por Paulo III, proibindo a captura e o cativeiro de índios. Porém, raramente as determinações eram cumpridas, seja pelos colonos, seja pelos religiosos. Na segunda metade do século XVIII, a escravização dos índios foi finalmente proibida pela coroa.

Por outro lado, a escravidão negra contou com o respaldo oficial, inclusive da Igreja. Historiadores apontam que a bula papal *Romanus Pontifex*, assinada por Nicolau V em 1455, outorgava poderes de captura dos negros aos navegantes portugueses. Na lógica do recém-nascido capitalismo, era interessante integrar a África ao mercado europeu. As nações colonizadoras detinham o monopólio comercial com suas respectivas colônias, e estas forneciam-lhes matérias-primas em troca de manufaturas. Estas, por sua vez, eram destinadas também aos africanos, que, em contrapartida, lhes vendiam ou facilitavam a captura de "irmãos negros", para serem escravos na Améri-

---

[4] JESUS, Eunice Aparecida de. *Preconceito Racial e Igualdade Jurídica no Brasil*. São Paulo, 1980. Dissertação (Mestrado em Direito) – Faculdade de Direito, Universidade de São Paulo (USP). p. 28.

ca, aumentando a produção de matérias-primas e, conseqüentemente, as reservas dos colonizadores, na lógica mercantilista.

Tendo passado para o domínio espanhol em 1580, com a incorporação de Portugal pelo Reino da Espanha, o Brasil permaneceu na mesma situação. No que se refere às características das instituições político-sociais, a Península Ibérica era una: as leis eram feitas para não serem seguidas, pois, inevitavelmente, acabavam sendo sobrepostas pelos laços afetivos entre os indivíduos, melhor dizendo, os laços de interesse. As origens disso estavam na formação do estado-nação em Portugal e na Espanha. Em contraste com, por exemplo, o que ocorreu nos países anglo-saxões, na Península Ibérica houve um fortalecimento da monarquia e do poder do rei sobre seus súditos, pois a coroa havia liderado a expulsão dos mouros, promovendo a unificação nacional. Além do que, os ibéricos herdaram muitas tradições latinas do Império Romano. Segundo o cientista político John Peeler, "enquanto os romanos fundamentavam a autoridade política na lei (...) e, na Idade Média, isso era feito com base na vontade divina, os contratualistas fundamentavam-na com base no consenso popular",[5] que emergiu no mundo anglo-saxão.

"O pensamento contratualista é individualista em sua essência, positivando uma sociedade constituída por um acordo entre indivíduos egoístas. Por outro lado, a tradição medieval é corporativista; os indivíduos são concebidos como inerentemente sociais, e as várias coletividades às quais eles pertencem possuem um papel muito mais importante do que no pensamento contratualista (...)",[6] argumenta Peeler. Assim, na Península Ibérica, a monarquia se sustenta com base em grupos que prevalecem sobre os indivíduos, grupos que desfrutam de benesses concedidas pela coroa e distribuídas entre seus membros, numa teia de relações em que o bem-estar particular confunde-se com o bem comum, já que não há distinção clara entre ambos.

Nenhum dos vizinhos da Península Ibérica, diz Sérgio Buarque de Holanda, "soube desenvolver a tal extremo essa cultura da perso-

---

[5] PEELER, John. *Building Democracy in Latin America*. Boudler: Lynne Rienner, 2004. p. 34.
[6] *Idem*, p. 35.

nalidade, que parece constituir o traço mais decisivo na evolução da gente hispânica, desde tempos imemoriais". Isso se deu paralelamente à manutenção de privilégios. "Os privilégios hereditários, que, a bem dizer, jamais tiveram influência muito decisiva nos países de estirpe ibérica, pelo menos tão decisiva e intensa como nas terras onde criou fundas raízes o feudalismo, não precisaram ser abolidos neles para que se firmasse o princípio das competições individuais (...)". Daí que o autor conclui que "a falta de coesão em nossa vida social não representa, assim, um fenômeno moderno", isto é, nos anos 1930, quando publicou o clássico *Raízes do Brasil*.[7]

Eis a origem do *homem cordial* e do *patrimonialismo*. Como o próprio Sérgio Buarque escreveu na mesma obra, "já se disse, numa expressão feliz, que a contribuição brasileira para a civilização será de cordialidade – daremos ao mundo o 'homem cordial'. A lhaneza no trato, a hospitalidade, a generosidade, virtudes tão gabadas por estrangeiros que nos visitam, representam, com efeito, um traço definido do caráter brasileiro, na medida, ao menos, em que permanece ativa e fecunda a influência ancestral dos padrões de convívio humano, informados no meio rural e patriarcal. Seria engano que essas virtudes possam significar 'boas maneiras', civilidade. São antes de tudo expressões legítimas de um fundo emotivo extremamente rico e transbordante. Na civilidade há qualquer coisa de coercitivo (...). Nenhum povo está mais distante dessa noção ritualista da vida do que o povo brasileiro".[8] Conclui-se, portanto, que a cordialidade não necessariamente condena o uso da violência; antes, o incentiva, desde que com o mínimo de custo para aquele que a pratica, assim como para seus pares, que não devem ser atingidos no processo repressivo.

As raízes do patrimonialismo, a penetração do privado pelo público também estão aí. "Nos domínios rurais, a autoridade do proprietário de terras não sofria réplica. Tudo se fazia consoante a sua vontade, muitas vezes caprichosa e despótica. O engenho constituía

---

[7] HOLANDA, Sérgio Buarque de. *Raízes do Brasil*. São Paulo: Companhia das Letras, 2001. p. 32.
[8] *Idem*, p. 146.

um organismo completo e que, tanto quanto possível, se bastava a si mesmo".[9] Além disso, "não era fácil aos detentores das posições públicas de responsabilidade (...) compreenderem a distinção fundamental entre os domínios do privado e do público. Assim, eles se caracterizam justamente pelo que separa o funcionário 'patrimonial' do puro burocrata conforme a definição de Max Weber. Para o funcionário 'patrimonial', a própria gestão política apresenta-se como assunto de seu interesse particular (...)".[10]

Um traço que poderia diferenciar os portugueses dos espanhóis seria a baixa predisposição que estes últimos teriam para misturar seu sangue com o dos subordinados, isto é, negros e indígenas. Pelo menos, é essa a conclusão advinda de uma análise superficial sobre a colonização da América Espanhola continental. A conjuntura política dos países andinos, em especial a Bolívia, aponta para uma clivagem entre brancos e não-brancos, predominantemente índios. Da mesma forma, como se verá no *capítulo 4*, a maioria dos negros americanos possui sangue branco correndo em suas veias, mas a regra da gota de sangue *one drop rule* não lhes permite pertencer ou reivindicar o pertencimento a qualquer outra categoria. O Caribe, porém, possui uma realidade à brasileira, com várias categorias intermediárias, fruto também da intensa miscigenação, mas, sobretudo, da construção histórica feita sobre ela.

Aliás, segundo Sérgio Buarque, na América Hispânica houve mais traços de povoamento do que em domínios portugueses, indicando, assim, uma tendência a fincar raízes. Em suas palavras, o "ladrilhador" em oposição ao "semeador". "Os grandes centros de povoação que edificaram os espanhóis no Novo Mundo estão situados precisamente nesses lugares onde a altitude permite aos europeus, mesmo na zona tórrida, desfrutar um clima semelhante ao que lhes é habitual em seu país. Ao contrário da colonização portuguesa, que foi antes de tudo litorânea e tropical, a castelhana parece fugir deliberadamente da marinha, preferindo as terras do interior e os

---

[9] *Idem*, p. 80.
[10] *Idem*, p. 145-146.

planaltos. Existem, aliás, nas ordenanças para descobrimento e povoação, recomendações específicas nesse sentido".[11]

Independentemente do valor dado à miscigenação, segundo Gilberto Freyre, no geral, ela foi fruto da ausência de mulheres brancas no Novo Mundo e da perversão sexual, inerente ao sistema escravista. No caso dos portugueses, havia um outro imperativo. Conforme diz esse mesmo autor, não havia pessoas suficientes para ocupar suas colônias. Sua prole com as mulheres de outras raças seria o contingente necessário para empreender essa tarefa. Para tal mistura, "prepararaos a íntima convivência, o intercurso social e sexual com raças de cor, invasoras ou vizinhas da península, uma delas, a de fé maometana, em condições superiores, técnicas e de cultura intelectual e artística, à dos cristãos louros".[12] Isso, de modo que "Portugal é por excelência o país europeu do louro transitório ou do meio-louro. Nas regiões mais penetradas e de sangue nórdico, muita criança nasce loura (...) para tornar-se, depois de grande, morena e de cabelo escuro"[13]. Há ainda, de acordo com o autor, os homens morenos de cabelo louro.

Para Gilberto Freyre, "esses mestiços, com duas cores de pêlo é que formam (...) a maioria dos portugueses colonizadores do Brasil, nos séculos XVI e XVII; e não nenhuma elite loura ou nórdica, branca pura; nem gente toda morena e de cabelo preto".[14] "(...) Pesquisas minuciosas sobre o assunto, como em São Paulo o estudo dos inventários e testamentos do século XVI, tendem muito a revelar que a colonização do Brasil se fez muito à portuguesa. Isto é: heterogeneamente quanto a procedências étnicas e sociais. Nela não terão predominado nem morenos e louros".[15]

De fato, Portugal, mais do que a Espanha, incorporou o mouro que ocupou a Península Ibérica por mais de oito séculos. Foi o primeiro a fazê-lo. É o que explica ter sido o primeiro estado-nação

---

[11] *Idem*, p. 99.
[12] FREYRE, Gilberto. *Casa Grande e Senzala*: Formação da Família Brasileira sob o Regime de Economia Patriarcal. vol. 1. 8. ed. Rio de Janeiro: José Olympio, 1954. p. 109.
[13] *Idem*, p. 377.
[14] *Idem*, p. 377.
[15] *Idem*, p. 399.

europeu unificado. O cimento para isso foi a religião, a ponto de a Inquisição ter perseguido aqueles que não haviam se convertido, os infiéis, em especial os judeus, considerados traidores de Cristo. "Repetiu-se na América, entre portugueses disseminados por um território vasto, o mesmo processo de unificação que na península: cristãos contra infiéis. Nossas guerras contra os índios nunca foram guerras de branco contra peles-vermelhas, mas de cristãos contra bugres. Nossa hostilidade aos ingleses, franceses, holandeses teve sempre o mesmo caráter de profilaxia religiosa: católicos contra hereges".[16]

A *profilaxia religiosa*, no entanto, não traz uma *profilaxia moral*, na medida em que o catolicismo é adaptado ao escravismo. Além do que, embora, ao longo do tempo, houvesse cada vez mais homens livres não-brancos, em sua maioria mestiços com pais brancos e mães indígenas, negras ou mestiças, seu *status* jamais seria igual ao do colonizador. Primeiramente, este detinha poder econômico e/ou político. Em segundo lugar, sua aparência era européia ou, se não fosse tão branca – é preciso lembrar que a mistura entre brancos e mouros não ficara restrita à plebe ibérica, segundo relatos históricos –, os direitos adquiridos graças a sua condição socioeconômica lhe permitia permanecer como senhor. Aos mestiços do novo mundo, livres ou escravos, não bastava converter-se ou ter nascido em meio a uma família católica. Seus traços faciais, entre os quais a cor da pele, denunciavam a origem "impura". Enfim, se *era possível alterar a ética do herege*, trazendo-o para o credo católico, *sua estética permanecia, obviamente, imutável*, embora o convívio e a mistura com os mouros tenha feito com que os portugueses tolerassem o fenótipo árabe, de pele não tão clara, cabelos pretos e lisos, indiscutivelmente mais próximo às características físicas do europeu do sul do que dos africanos subsaarianos. Assim, uma hipótese a ser considerada é que a tolerância ao índio e "índio-descendente" era e é maior, pois eles se aproximam mais do mouro pelos traços do rosto, pele parda e cabelos escorridos, ao contrário do que ocorria (e ocorre) com os negros

[16] *Idem*, p. 360.

propriamente ditos, a maioria dos quais com narinas largas, cabelos crespos e pele escura.

Esse padrão de relações sociorraciais permaneceria ainda que outros povos europeus tenham se estabelecido por pouco tempo na América Portuguesa. Os holandeses, que, na primeira metade do século XVII, dominaram boa parte da área correspondente aos estados de Ceará, Rio Grande do Norte, Paraíba, Pernambuco e Alagoas, mantiveram o sistema escravista na produção de cana-de-açúcar. No entanto, a capital do Brasil Holandês, Recife, reuniu uma série de novidades, com um progresso urbano que "era ocorrência nova na vida brasileira, a ocorrência que ajuda a melhor distinguir, um do outro, os processos colonizadores de 'flamengos' e portugueses. Ao passo que em todo o resto do Brasil as cidades continuavam simples e pobres dependências dos domínios rurais, a metrópole pernambucana 'vivia por si'".[17] Mas esse empenho "de fazer do Brasil uma extensão tropical da pátria européia sucumbiu desastrosamente ante a inaptidão que mostraram para fundar a prosperidade da terra nas bases que lhe seriam naturais, como, bem ou mal, já o tinham feito os portugueses. Segundo todas as aparências, o bom êxito destes resultou justamente de não terem sabido ou podido manter a própria distinção com o mundo que vinham povoar".[18]

Afinal, sem êxito, tentaram importar mão-de-obra da Holanda. E, fazendo eco ao pensamento de Gilberto Freyre, Sérgio Buarque afirma que, "ao contrário do que sucedeu com os holandeses, o português entrou em contato íntimo e freqüente com a população de cor. Mais do que nenhum outro povo da Europa, cedia com docilidade ao prestígio comunicativo dos costumes, da linguagem e das seitas dos indígenas e negros. Americanizava-se ou africanizava-se, conforme fosse preciso. *Tornava-se negro*, segundo expressão consagrada da costa da África".[19] Mas, atualmente, há um número alto de brancos, comparado à população dos outros três estados nordestinos, a Bahia e o Sergipe negros e o Maranhão mestiço, na fronteira

---

[17] HOLANDA, Sérgio Buarque de. Op. cit. p. 63.
[18] *Idem*, p. 64.
[19] *Idem*, p. 64.

com a Amazônia. Isso sugere que o holandês tenha sim se misturado, em parte, com os habitantes dos trópicos, qualquer que fosse a ascendência deles. A aparência de alguns nordestinos também acaba por confirmar isso. No Nordeste existem pessoas de pele morena, mas de cabelos claros, quase lisos, ou de pele clara e cabelo escuro, muitas das quais migraram, no século XX, para o Sudeste e, apesar de sua aparência, não deixaram de conhecer o preconceito, seja ele de classe, regional ou até mesmo racial.

Com a descoberta do ouro em Minas Gerais, já após a restauração do Reino Português, que havia ocorrido em 1640, houve uma grande migração para essa região. Tal como na fazenda monocultora de cana-de-açúcar, os garimpos organizados usavam mão-de-obra negra, escrava, embora muitos aventureiros, das mais diversas tonalidades, tenham se embrenhado pelos sertões, com o objetivo de eles mesmos descobrirem veios de ouro e ficarem ricos. Porém, as relações entre os homens entram mais fluidas nas montanhas. Organizaram-se vilas nas quais brancos se amasiaram com negras. Novamente, a ausência de mulheres brancas fez da mistura de raças algo inevitável. A mineração possibilitou uma mobilidade social e, por isso mesmo, racial. Negros – pouquíssimos, ressalta-se – compraram suas cartas de alforria, e, em alguns casos, eles mesmos acabavam por adquirir escravos para si. Brancos e mestiços já livres, porém pobres, enriqueceram, desafiando o poderio dos reinóis. E ainda que houvesse senhores e escravos, o Estado, melhor dizendo, a Coroa Portuguesa acabou por se tornar, ao longo do tempo, um "inimigo" comum dos homens livres. Afinal, o rei também queria sua parte em impostos.

A economia mineira acabou por integrar à época o território brasileiro. Situadas entre o norte bastante colonizado e o sul até então pouco desbravado, as Minas Gerais, com sua população dedicada predominantemente às atividades relacionadas ao extrativismo mineral, demandavam alimentos, que foram fornecidos por outras regiões. O charque, a carne salgada, vinha das áreas que atualmente correspondem ao estado do Rio Grande do Sul e do sertão nordestino. Esta última já tinha uma população que, na aparência, não se assemelhava integralmente a nenhum dos três povos que fundamentam a civilização brasileira. Eis o sertanejo, de pele morena, cabelos nem lisos nem crespos e seguidor das tradições católicas, embora seus hábitos alimentares e demais elementos culturais, que se manifestam no cotidiano, estejam repletos de traços indígenas e africanos.

A origem desse povo, talvez a única 'raça' brasileira, está nas constantes fugas e revoltas de escravos, que se organizavam em quilombos. Aliás, o maior deles, Palmares, situado no interior do atual estado de Alagoas, tinha organização exemplar, reunindo milhares de pessoas, entre as quais, ironicamente, havia escravos, "(...) homens que, seqüestrados pelos guerrilheiros palmarinos, trabalhavam como escravos nas plantações do grande quilombo",[20] como afirma o sociólogo Antonio Risério. Palmares perdurou ao longo do século XVII, não obstante as diversas incursões do colonizador com vistas a atacá-lo. Sob a liderança de Zumbi, em 1695, o quilombo foi derrotado após intensa resistência. Mais de 300 anos depois, esse personagem histórico entrou para o panteão dos heróis da pátria e, não obstante as contradições existentes em Palmares, é considerado um exemplo de luta por liberdade e igualdade, um símbolo do movimento negro. No entanto, há de se levar em conta que a escravidão era uma instituição praticada por povos formadores brasileiros, incluindo africanos e indígenas. Isso, afirma Risério "(...) fez com que, durante séculos, a escravidão – em si mesma – jamais tenha sido contestada por nós (...). Isto é: um determinado grupo se rebelava contra o cativeiro concreto a que estava reduzido, mas não contra a escravidão em geral. Prova disso é que, sempre que possível, escravizava ou pretendia escravizar outros".[21]

Além das constantes fugas de escravos, havia a libertação deles por alguns proprietários. Segundo Kabengele Munanga, os senhores libertavam seus filhos mulatos, tanto no Brasil quanto nos Estados Unidos. Mas aqui, "o fato de os mulatos se beneficiarem de um tra-

---

[20] RISÉRIO, Antonio. *A Utopia Brasileira e os Movimentos Negros*. São Paulo: Editora 34, 2007. p. 406. Essa e outras referências do ano de 2007 não constavam no texto original da monografia, sendo acrescentadas neste livro.

[21] *Idem*, p. 405.

tamento diferenciado por serem filhos dos senhores brancos e de numerosos deles entrarem na categoria de libertos deve também ter contribuído para o enfraquecimento do sentimento de solidariedade entre eles e os negros".[22] Muitos dos afro-descendentes penetraram o interior da América Portuguesa, indo parar até mesmo no Centro-Oeste, conforme o relato de Roquette Pinto.

Com base nos estudos desse antropólogo, Gilberto Freyre lembra que o sertanejo não é apenas caboclo, mistura de índio com branco, mas, em suas veias, corre bastante sangue negro. Mesmo nas regiões limítrofes à Amazônia, onde não se tem notícia do uso amplo da mão-de-obra escrava de africanos, eram encontrados negros.[23] Ironicamente, naquela época, os "caboclos de verdade", fruto da mistura entre brancos e índios, eram encontrados em São Paulo, núcleo, como muitos gostam de dizer, da atual "elite branca" do país. Caboclos que, como seus ancestrais brancos, formaram bandeiras e escravizavam índios, caçando-os pelos sertões, onde também descobriram as minas das quais já se falou e expandiram o território da América Portuguesa na direção Oeste, dando forma às fronteiras de uma nação que ainda não existia e que tardaria a surgir.

2.2. Do Império à República

Não havia pátria brasileira ao final do período colonial. Como diz o historiador José Murilo de Carvalho, "o vice-rei, sediado no Rio de Janeiro, tinha controle direto apenas sobre algumas capitanias do sul. As outras comunicavam-se diretamente com Lisboa (...). A colônia portuguesa estava preparada para o mesmo destino da colônia espanhola: fragmentar-se em vários países distintos".[24] Assim, tal como nos demais países das Américas, a independência política, conquistada em 1822, marca, no Brasil, a fundação tanto do estado quanto da nação. Mesmo na Europa, no fim da Idade Moder-

---

[22] MUNANGA, Kabengele. *Rediscutindo a mestiçagem no Brasil: identidade nacional versus identidade negra*. Belo Horizonte: Autêntica, 2004. p. 93.

[23] FREYRE, Gilberto. Op. cit. p. 158.

[24] CARVALHO, José Murilo de. *Cidadania no Brasil: o Longo Caminho*. Rio de Janeiro: Civilização Brasileira, 2004. p. 76.

na, houve processo semelhante. A Espanha, por exemplo, é fruto da reunião de diversas etnias, das quais sobrevivem com mais força os bascos e os catalães. Segundo Norberto Bobbio e os demais autores do *Dicionário de Política*, "isso prova a arbitrariedade da pseudoteoria dos 'caracteres nacionais', que dá por verdadeira a existência de uma afinidade étnica entre os membros dos estados nacionais", uma afinidade que os "distingüiria do resto da humanidade. É uma teoria que tem por função justificar a constituição dos estados nacionais e dar fundamento à lenda da origem das nações, segundo a qual a nação seria anterior ao estado. Na realidade, a experiência histórica demonstra que é o estado que cria a nação (...). Por conseguinte, a extensão de uma etnia é totalmente independente da dimensão territorial do estado e as suas características derivam da forma de organização política deste. Estas considerações permitem, pois, distinguir a etnia da nação, que (...) precisa, ao contrário da etnia, de um estado para sobreviver".[25]

Especificamente na América Latina, afirmam os professores de ciência política Joe Foweraker, Todd Landman e Neil Harvey, "os primeiros esforços no sentido de constituir o estado são tomados de modo a integrar [os países] no mercado mundial (...). As elites que lideram esse processo procuram constituir alianças com outras elites locais para controlar o território nacional, conduzindo não à burocratização do estado (como na Europa), mas em sua patrimonialização, ou seja, o domínio das insituições por famílias proeminentes e líderes personalistas".[26] Portanto, a nação brasileira é formada segundo os desígnios do estado, melhor dizendo, daqueles que o controlavam, dos grandes proprietários em cujas terras são cultivados produtos agrícolas voltados para a exportação, notadamente o açúcar e o café. Essa agricultura de exportação fundamentava-se na mão-de-obra escrava de africanos e seus descendentes,[27] constituin-

[25] BOBBIO, Norberto; METTUCCI, Nicola; PASQUINO, Gianfranco. *Dicionário de Política*. 5. ed. São Paulo: Imprensa Oficial/UnB, 2004. p. 450.
[26] FOWERAKER, J.; LANDMAN, T.; HARVEY, N. *Governing Latin America*. Cambridge: Polity, 2003. p. 61.
[27] FURTADO, Celso. *Formação Econômica do Brasil*. São Paulo: Companhia Editora Nacional, 1980. p. 41-47.

do a base da desigualdade social que persiste até os dias atuais, que também atingia os homens livres, fossem eles brancos ou negros, os quais não necessariamente gozam de direitos politicos, na medida em que o voto é censitário.

"O patriotismo permanecia provincial. O pouco do sentimento nacional que pudesse haver baseava-se no ódio ao estrangeiro, sobretudo ao português. Nas revoltas regenciais localizadas em cidades, a principal indicação de brasilidade era o nativismo antiportuguês, justificado pelo fato de serem portugueses os principais comerciantes e proprietários urbanos",[28] afirma Carvalho. Ele lembra que os primeiros anos pós-independência foram caracterizados por uma série de revoltas locais, sendo que, algumas delas, chegaram a proclamar a independência de algumas partes do Império. Talvez os dois casos mais emblemáticos tenham sido a Confederação do Equador, que, em 1824, reuniu províncias nordestinas num estado independente, e a Revolução Farroupilha, que culminou na proclamação da República Rio-Grandense, no Rio Grande do Sul. Assim, pode-se concluir que as questões de identidade, se não são tão profundas quanto as que vão emergir na República, já apresentam um caráter latente, ainda que sirvam de retórica para encobrir as razões econômicas embutidas em projetos políticos.

Mas, especificamente nas questões de identidade, o Brasil vive uma contradição mais aguda do que aquela existente em outros estados-nação latino-americanos. Se em todos eles uma elite "nativa" comandava seus respectivos países àquela época, já que os havia liderado rumo à independência política, os brasileiros têm como chefe de estado um descendente direto da família real do colonizador. Além do que, a autonomia política não foi resultado de um movimento popular, mas apenas da organização de um grupo restrito que detinha o poder econômico e que se identificava com a Europa, embora carregasse consigo traços culturais indígenas e africanos, ainda que numa proporção menor do que as classes populares.

[28] CARVALHO, José Murilo de. Op. cit. p. 77.

Assim, tal como as nações vizinhas, o país voltou-se para o Velho Mundo para buscar seu modelo de civilização, só que, como apenas em termos de *status* político as elites brasileiras se diferenciavam dos antigos colonizadores, fez-se necessário que elas arranjassem fora delas um elemento para fundamentar a nacionalidade. O elemento escolhido foi o índio. Isso se manifesta sobretudo na cultura, com o movimento romântico. A literatura do período, por exemplo, exibe em obras como *O Guarani* e *Iracema*, ambas escritas por José de Alencar, o primeiro mito fundador do Brasil, que então reunia o europeu e o indígena. O negro, escravo, e o mestiço livre são deixados de lado, pois carregam consigo a chaga do cativeiro e, portanto, da inferioridade, que o indígena, considerado "bom selvagem" e inocente, não mais tinha de suportar.

Todavia, ainda de acordo com Carvalho, as lutas contra estrangeiros – notadamente a Guerra do Paraguai, entre 1865 e 1870 – deram ao Brasil alguma identidade. Desse conflito, participaram vários negros e homens livres das camadas inferiores da sociedade. Nos quartéis, já antes do conflito, eles recebiam alimentação e educação primária, podendo, inclusive, cursar a Escola Militar.[29] "O Exército aceitando em seus quadros o negro liberto, foi o primeiro sustentáculo para o negro iniciar sua vida de cidadão".[30] Por isso, torna-se uma via de ascensão social. Ao mesmo tempo, o desprezo que o Império confere às forças armadas fortalece entre os oficiais um sentimento de revolta, pois, ao contrário da Guarda Nacional, formada predominantemente por membros de famílias nobres e da aristocracia rural, aquela instituição era desvalorizada pelo governo. Tal atitude não era mais possível de ser mantida após o fim da Guerra do Paraguai. Fortalecido, o Exército se aproxima das teses abolicionistas e republicanas e não colabora com os latifundiários para recuperar os escravos foragidos, tarefa que a Guarda Nacional, um dos sustentáculos do regime, desempenhava desde a sua criação.

[29] JESUS, Eunice Aparecida de. Op. cit. p. 53.
[30] *Idem*, p. 55.

Além disso, os movimentos em defesa da abolição e da República – ambos, diga-se de passagem, reuniram diversos segmentos da sociedade – emergiam numa conjuntura histórica que favorecia a progressiva concretização de suas reivindicações. Um conjunto de leis, entre elas a Lei do Ventre Livre e a dos Sexagenários, precede a abolição definitiva, que só seria conquistada em 1888, com a Lei Áurea. O fim do tráfico negreiro, determinado pela Lei Eusébio de Queirós, em 1850, aprovada graças aos interesses comerciais do Império Britânico – que, em 1845, havia decretado a *Bill Aberdeen*, que dava a esse país o direito de aprisionar navios negreiros –, havia feito com que o sistema produtivo brasileiro fosse revisto. Aliás, a própria Igreja passou a condenar e a proibir expressamente a escravidão negra, com a publicação de uma bula pelo papa Gregório XVI, em 1839.

Primeiramente no Centro-Sul, o Brasil começa a sair do capitalismo fundamentado na escravidão para empregar em suas fazendas cafeeiras o trabalho assalariado, num processo que mudaria as feições do país, formando as bases da atual distribuição da população em termos raciais. Mas, "em vez de buscar mão-de-obra livre entre a força de trabalho migrante doméstico de outras regiões (sobretudo do Nordeste, economicamente decadente), os fazendeiros de café tentaram substituir os escravos, depois de 1870, pelos imigrantes europeus. A única função que viam como apropriada para os brasileiros natos era o trabalho pesado – como o de desbravar florestas virgens. Para o trabalho altamente organizado de cultivar e colher café, os fazendeiros julgavam os imigrantes mais habilitados e dignos de confiança",[31] afirma o historiador Thomas Skidmore, cuja tese é corroborada pelo sociólogo Octávio Ianni.

Ele diz que o recrutamento de trabalhadores nas faixas de subsistência, para trabalhar em lavouras do Centro-Sul, não foi realizado, ou, tendo sido feito, teve resultados infrutíferos.[32] "Afinal" – prossegue o sociólogo – "na Amazônia, havia a demanda por mão-de-obra

---

[31] SKIDMORE, Thomas. *Preto no Branco: Raça e Nacionalidade no Pensamento Brasileiro.* São Paulo: Paz e Terra, 1976. p. 156.
[32] IANNI, Octávio. *Raças e Classes Sociais no Brasil.* 3ª ed. São Paulo: Brasiliense, 1987. p. 34.

nordestina em virtude do nascente ciclo da borracha". O economista Celso Furtado concorda com isso. "Além da grande corrente migratória de origem européia para a região cafeeira, o Brasil conheceu no último quartel do século XIX e primeiro decênio deste [século XX] um outro grande movimento de população: da região nordestina para a amazônica".[33] Nesta, após a decadência econômica vivenciada desde o final do século XVIII, a cultura da borracha desenvolvia-se, demandando trabalhadores.

A migração de nordestinos para a Amazônia, e não para o Centro-Sul, fornece indícios que corroboram a tese de que a imigração européia não satisfez somente uma demanda econômica, mas foi planejada no bojo de um projeto de nação voltado para o branqueamento, seja ele em termos culturais ou no que se refere à aparência da população. Afinal, diz Furtado, no final do século XIX, "já existia no Brasil um reservatório substancial de mão-de-obra, e leva a crer que, se não tivesse sido possível solucionar o problema da lavoura cafeeira com imigrantes europeus, uma solução alternativa teria surgido dentro do próprio país. Aparentemente, a imigração européia para a região cafeeira deixou disponível o excedente de população nordestina para a expansão da produção da borracha".[34]

A estrutura da desigualdade entre as regiões do país começa a cristalizar-se nessa época. Novamente, é necessário retomar o trabalho de Celso Furtado para compreendê-la. Ele divide a economia em três setores principais, que podem ser assim denominados e descritos: 1) Nordeste, com as então culturas decadentes do açúcar e do algodão, às quais estão associadas culturas de subsistência; 2) Sudeste, cujo centro é a economia cafeeira que começava a marcha para o Oeste Paulista; e 3) Sul, com a economia de subsistência, que em breve tornar-se-ia de caráter comercial, porém sustentada na pequena propriedade do colono europeu ou do colono cujos ancestrais eram do Velho Mundo.[35]

[33] FURTADO, Celso. Op. cit. p. 129.
[34] Idem. p. 131-132.
[35] Furtado realiza a referida divisão com base em características da produção, mas não classifica as regiões com esse nome (Idem. p. 143).

O discurso corrente nos estados do Sul e em São Paulo, de que os imigrantes produziram as riquezas ali edificadas, também tem suas raízes materiais nesse período, as quais germinam e dão frutos ao longo do século XX. Tal discurso fomenta uma retórica preconceituosa em duas direções: uma em relação às outras regiões do país, inclusive às suas respectivas elites, que também são consideradas atrasadas; outra contra mestiços (sejam eles brancos ou pardos) e negros propriamente ditos, os quais, segundo esse discurso, não teriam sido capazes de erguer o país economicamente e, por conseguinte, em termos culturais, na medida em que não seriam afeitos ao trabalho. Como diz Ianni, "a própria massa imigrada estava interessada em distinguir-se da escravaria e, mais ainda, valorizar-se muito mais do que a massa escrava. O imigrado considerava-se diferente e melhor que o escravo e o ex-escravo. Incorporou rapidamente os padrões discriminatórios dominantes na sociedade brasileira".[36]

Com o fim do Império, em 1889, a conjuntura pouco mudou. A política de branqueamento prosseguiu na República, com a imigração, estando vedada a entrada de africanos e asiáticos, exceto com autorização do Congresso Nacional, enquanto, como diz Skidmore, "os escravos recém-libertados incorporaram-se à estrutura social, multirracial e paternalista, que há muito ensinara aos homens livres de cor os hábitos de deferência no trato com empregadores e outros superiores sociais".[37] Além disso, tinham de enfrentar o preconceito e a discriminação do branco, que tinha em sua mente uma imagem estereotipada do negro e do mestiço. Mas, como lembra o sociólogo Fernando Henrique Cardoso, "as representações estereotipadas faziam-se *com base na realidade*. Seria falso supor que os brancos imputassem todos os atributos negativos aos negros como uma simples projeção ou como um recurso de autodefesa imaginário. Não se pode dizer que o negro desordeiro, ocioso, bêbado etc. era uma imagem criada pelo branco. Ao contrário, e muito pior, o branco não criou apenas essa representação do negro: fê-lo, de

[36] IANNI, Octávio. Op. cit. p. 17.
[37] SKIDMORE, Thomas. Op. cit. p. 55.

fato, agir dessa forma. E o fez tanto porque criou as condições de vida e de opção para os negros indicadas acima, quanto porque passou, ao mesmo tempo, a representá-los em conformidade com essa imagem".[38]

Porém, é um equívoco pensar que o abandono do negro se deu apenas ao final da escravidão, como parte dos livros de História registra. Como mostra o *gráfico 2.1*, já na segunda metade do século XIX a proporção de cativos (mulatos e negros) na população brasileira havia diminuído significativamente, enquanto o número de homens de cor livres, chamados pardos, qualquer que fosse a sua aparência, crescia. Portanto, conclui-se que foi durante o Império que a base para as desigualdades sociorraciais se formou, pois, à medida que os escravos eram alforriados, eles não recebiam instrumentos para manter-se na ordem livre, seja no que se refere aos meios de produção, que continuavam concentrados nas mãos de uma minoria (a tão sonhada reforma agrária não foi realizada com a abolição, como queriam muitos defensores da causa), seja em relação à educação, de modo que pudessem reunir um *capital cultural* que lhes desse igualdade de condições para competir com os brancos num contexto em que a raça não fosse relevante na determinação das oportunidades de vida.

A base das desigualdades sociorraciais é caracterizada por três aspectos principais: 1) a preferência pelo trabalhador branco e imigrante, embora este fosse submetido a condições miseráveis; 2) o desprezo pela mão-de-obra não-branca, que permaneceu nas regiões menos desenvolvidas; e 3) a concentração do desenvolvimento em São Paulo, Rio de Janeiro e nos estados do Sul, onde a maior parte dos brancos vivia (*gráfico 2.2*). Ressalta-se que tudo isso era permeado por uma superestrutura cuja origem se encontra na própria fundação do Brasil, no binômio casa grande e senzala, que se materializava em atitudes como as descritas por Cardoso e Skidmore.

---

[38] CARDOSO, Fernando Henrique. Op. cit. p. 250

Composição da população – Brasil, 1798 a 1872 (em %)

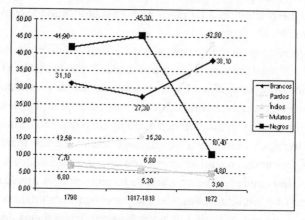

Fonte: HASENBALG, Carlos. *Discriminação e Desigualdades Raciais no Brasil*. 2. ed. Belo Horizonte: Editora UFMG; Rio de Janeiro: Iuperj, 2005. p. 148.

OBS: Os nomes das categorias raciais citadas no gráfico não correspondem necessariamente aos termos usados no recenseamento de 1872.

Gráfico 2.2

Proporção de brancos e não-brancos residentes no Sul, SP e RJ
– Brasil, 1872 a 1950 (em %)

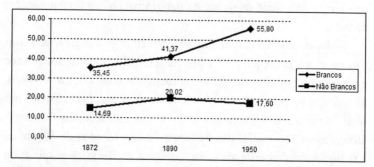

OBS: Em 1872, apenas homens livres. A proporção de não-brancos não inclui os orientais em 1950.

Fonte: *Idem*, p. 156 e 157.

Por outro lado, a macroestrutura social da Primeira República, período que prossegue até o final dos anos 1920, tampouco favorece a integração do negro à sociedade, tendo inclusive agravado a situação dele. Há, à época, uma descentralização do estado que atende às demandas das oligarquias regionais. O clientelismo, que "pode ser definido como a dominação política dos indivíduos ("clientes") por líderes políticos ("patrões") que concedem proteção e serviços em troca de lealdade e votos",[39] se enraíza sobretudo nas regiões interioranas, encontrando sua figura emblemática no chamado "voto de cabresto". As restrições à participação política não eram mais feitas com base na renda, tal como ocorria durante o Império, mas com base na instrução. Analfabetos não votam, deixando a maioria dos "homens de cor" fora do contingente de eleitores. Na esfera cultural, manifestações de origem negra, como a capoeira, são proibidas pelo primeiro Código Penal da República.[40] Isso para não dizer que alguns estados, entre eles a Bahia, chegaram a enviar negros de volta à África. Como diz Florestan Fernandes, "(...) a sociedade de classes abriu suas portas aos 'homens de cor', sob a condição de que se mostrassem capazes de enfrentar e de resolver os seus problemas de acordo com o código ético-jurídico que ela instituía. Mas, na realidade, ela transferiu para os ombros deles a pesada tarefa de prepararem, sozinhos, a redenção da raça negra".[41]

Ou seja, há graves limitações ao exercício da cidadania, garantida pela Primeira Constituição Republicana, promulgada em 1891, a todos os nascidos ou residentes no país. Segundo o sociólogo T. S. Marshall, "(...) a desigualdade do sistema de classes sociais pode ser aceitável desde que a igualdade da cidadania seja reconhecida (...). O elemento civil é composto dos direitos necessários à liberdade individual – liberdade de ir e vir, liberdade de imprensa, pensamento e fé, o direito à propriedade e de concluir contratos válidos e o direito à justiça (...). Por elemento político se deve entender o direito de participar no exercício do poder político, como um membro de um organismo investido da tal autoridade política ou como um eleitor dos membros de tal organismo (...). O elemento social se refere a tudo o que vai desde o direito a um mínimo de bem-estar econômico e segurança ao direito de participar, por completo, na herança

[39] FOWERAKER, J.; LANDMAN, T.; HARVEY, N. Op. cit. p. 65.
[40] SILVA JR, Hédio. Op. cit. p. 20.
[41] FERNANDES, Florestan. *A Integração do Negro à Sociedade de Classes.* São Paulo: FFLCH/USP, 1964. p. 220.

social e levar a vida de um ser civilizado de acordo com os padrões que prevalecem na sociedade".[42]

Assim, o regime republicano, embora trouxesse consigo a noção de participação do povo, no Brasil, o deixou à margem da cidadania, ao limitar, sutilmente, os direitos civis e políticos, que existiam apenas no papel, enquanto os sociais não são sequer cogitados no regime. No entanto, nada além disso podia ser esperado da República, na medida em que ela não havia sido proclamada pela vontade da sociedade civil, mas seguindo apenas os desígnios do grupo que comandou a derrubada do Império, os militares, que, após a abolição, finalmente haviam conquistado o apoio das elites rurais descontentes com a centralização imposta pela Monarquia. Por isso, como afirma Carvalho, "sob certos aspectos, a República significou um fortalecimento das lealdades provinciais em detrimento da lealdade nacional. Ela adotou o federalismo ao estilo norte-americano, reforçando os governos estaduais. Muitos observadores estrangeiros e monarquistas chegaram a prever a fragmentação do país como conseqüência da República e do federalismo. Houve um período inicial de instabilidade e guerra civil que parecia dar sustentação a esses temores. A unidade foi mantida afinal, mas não se pode dizer que o novo regime tenha sido considerado uma conquista popular e portanto um marco na criação de uma identidade nacional".[43]

Alguns intelectuais dedicaram-se a este último assunto. Em todos os debates, a questão racial surgia como fator inevitável da discussão: como incluir o negro e, conseqüentemente, o Brasil no mundo civilizado, criado na Europa, longe do calor dos trópicos? Ou, em outras palavras, qual o papel do país no planeta? No bojo do racismo científico, há uma corrente que defende a inevitável degenerescência e desaparecimento da população brasileira, em virtude de seu caráter mestiço. Outros propunham o contrário, que a mestiçagem seria a salvação da pátria: ao aumentar o número de brancos, por meio da imigração, haveria uma redução proporcional do número de negros,

---

[42] MARSHALL, T. S. Cidadania, *Classe Social e Status*. Rio de Janeiro: Zahar Editores, 1967. p. 62-64.
[43] CARVALHO, José Murilo de. Op. cit. p. 81.

que desapareceriam progressivamente, de geração em geração, à medida que se misturassem com os de sangue europeu.

Aos poucos essa corrente ganha força até vencer o debate, ao lado da aculturação, que defendia que o problema do negro não era biológico, mas sim cultural. Por isso, a educação seria um caminho para fazer dele um homem pleno, com os valores verdadeiros. Esse debate está sintetizado por Skidmore no livro *Preto no Branco: Raça e Nacionalidade no Pensamento Brasileiro* e pode ser resumido no *quadro 2.1*, que mostra as quatro principais teses correntes e o que cada uma delas defendia quanto às características do Brasil no que diz respeito ao povo e ao meio.

Quadro 2.1
Resumo do debate sobre raça e nacionalidade – Brasil, 1900-1930

Tese	Características do Meio	Características do Povo
Degenerescência	Pouco ou nada propício ao desenvolvimento de uma civilização.	Pouco ou nada propício ao desenvolvimento de uma civilização. População acabaria por ser extinta.
Branqueamento (Mestiçagem)	Adapatação ao clima e demais condições dos trópicos.	Eliminação dos negros através do branqueamento geracional
Branqueamento (Imigração)	Produziriam um aperfeiçoamento étnico no país.	Aumento da proporção de brancos e mais corpos para produzir branqueamento geracional.
Aculturação	Adaptação à civilização (padrões europeus).	"Melhoria" através da educação.

Fonte: Elaboração própria, com base em SKIDMORE, Thomas. Op. cit.

Das três últimas teses, surge a *democracia racial*, que pode ser entendida como o projeto ideológico que pretendia fazer dos cidadãos brasileiros um povo único, ainda que com pinceladas de mitos, sendo que alguns deles foram tão repetidos que viraram realidade. Sem conceber a expressão (confome mencionado no primeiro capítulo, ela seria cunhada apenas em 1937, por Arthur Ramos), Gilberto Freyre preconiza a *democracia racial como meta*. Ainda que boa parte da academia o acuse de colaborar para encobrir as contradições brasileiras e, assim, moldar a *democracia racial como mito*, ele reconhece a origem múltipla do caráter brasileiro, o qual não necessariamente estaria amalgamado. "(...) A tradição conservadora no

Brasil sempre se tem sustentado do sadismo do mando, disfarçado em 'princípio da Autoridade' ou 'defesa da Ordem'. Entre essas duas místicas – a da Ordem e a da Liberdade, a da Autoridade e a da Democracia – é que vem equilibrando entre nós a vida política, precocemente saída do regime de senhores e escravos. Na verdade, o equilíbrio continua a ser entre as realidades tradicionais e profundas: sadistas e masoquistas, senhores e escravos, doutores e analfabetos, indivíduos de cultura predominantemente européia e outros de cultura principalmente africana e ameríndia".[44]

Porém, fazendo eco à defesa da mestiçagem e com base em imagens estereotipadas, Freyre diz que tais contradições não são ruins. Afinal, diz ele não sem uma dose de preconceito, temos a imaginação do "grande número", isto é, o povo, e a ciência européia, que nos chega através das elites. "É verdade que o vácuo entre os dois extremos ainda é enorme; é deficiente em muitos aspectos a intercomunicação entre as duas tradições de cultura. Mas não se pode acusar de rígido, nem de falta de mobilidade vertical (...) o regime brasileiro, em vários sentidos sociais um dos mais democráticos, flexíveis e plásticos (...). Uma circunstância significativa resta-nos destacar na formação brasileira: a de não se ter processado no puro sentido da europeização".[45] Além da *mestiçagem*, há a defesa do *sincretismo*, que representaria a mistura no plano cultural.

Ambas as noções seriam encarnadas no *mulato*, que, segundo Skidmore, "(...) foi a figura central da 'democracia racial' brasileira, por ter escalado permissivamente – embora com limitações – ao cume social mais elevado. Os limites sociais da sua mobilidade dependiam sem dúvida da aparência – quanto mais 'negróide', menos móvel – e do grau de 'brancura' cultura – educação, maneiras, riqueza – que era capaz de atingir".[46] Ou seja, tal como a tolerância lusa para com o mouro, a mistura à brasileira era aceitável desde que estética e eticamente se parecesse mais com o suposto "elemento superior", isto é, o homem e a cultura branca, esta última no sentido mais amplo, que inclui até mes-

[44] FREYRE, Gilberto. Op. cit. p. 168.
[45] *Idem*. p. 168-169.
[46] SKIDMORE, Thomas. Op. cit. p. 56.

mo a forma de organização das instituições políticas e sociais, no que o brasileiro é, indiscutivelmente, herdeiro da civilização ocidental.

Kabengele Munanga, em análise recente, concorda que o Brasil é uma nova civilização, com uma *cultura plural*, mas ressalta que esta não se confunde com uma *cultura-síntese das menores* ou *sincrética*.[47] Nem mesmo Freyre, atualmente demonizado por ser o ideólogo da Democracia Racial, havia afirmado a existência de tal confusão em *Casa Grande e Senzala*, conforme se conclui a partir dos trechos citados. Porém, o autor não esconde seu desejo de criar uma nova civilização, com uma cultura única fundamentada na fusão de elementos à moda antropofágica, tal como defendia o Movimento Modernista de 1922 nas artes, formando assim a *nacionalidade brasileira*. *Além do índio e do europeu*, consagrados pelo Romantismo, *a nação seria finalmente composta pelo negro*, o africano subsaariano que atravessou o oceano contra a própria vontade e construiu as riquezas da América Portuguesa. O mito fundador brasileiro, a fusão das três raças, estava completo; e o caminho para concretizá-lo, dado.

Afinal, como dizia Freyre, o que amortece as dualidades, permitindo o contato entre os opostos e a mobilidade social, é "a miscigenação, a dispersão da herança, a fácil e freqüente mudança de profissão e residência, o fácil e freqüente acesso a cargos e a elevadas posições políticas e sociais de mestiços e de filhos naturais, o cristianismo lírico à portuguesa, a tolerância moral, a hospitalidade a estrangeiros, a intercomunicação entre as diferentes regiões do país",[48] esta devida à ausência de divisores geográficos que pudessem isolá-las entre si. De fato, contrariando a tendência hoje predominante na academia, o Brasil não é um país multicultural, com várias culturas isoladas, mas uma cultura plural com uma carga claramente sintética, da qual todos, em maior ou em menor escala, compartilhamos. Ela foi elaborada num processo engendrado a partir de 1930, o qual se verá a seguir, sob a égide das contradições reconhecidas por Freyre, numa mescla de autoritarismo político com pretensa democracia social (e racial).

---

[47] MUNANGA, Kabenguele. *Rediscutindo a mestiçagem no Brasil*. Op. cit. p. 117.

[48] FREYRE, Gilberto. Op. cit. p. 171.

2.3. O Projeto Nacionalista-Desenvolvimentista

A ascensão de Getúlio Vargas ao poder em 1930, com o apoio do Exército – que vinha recuperando poder na República desde a década anterior, a partir do Movimento Tenentista – e no contexto da crise mundial iniciada em 1929, com a quebra da Bolsa de Nova Iorque, marca uma nova centralização do poder e o início de um período de extrema intervenção estatal na economia, com as primeiras políticas industriais voltadas à substituição de importações. De acordo com Florestan Fernandes, trata-se do prosseguimento da *revolução burguesa no Brasil*. Na primeira fase desta "– que vai, aproximadamente, da desagregação do regime escravista ao início da II Grande Guerra –, ela responde aos interesses econômicos, sociais e políticos dos grandes fazendeiros e dos imigrantes. Na segunda fase dessa revolução, inaugurada sob os auspícios de um novo estilo de industrialização e de absorção dos padrões financeiros, tecnológicos e organizatórios característicos de um sistema capitalista integrado, ela subordinou-se aos interesses econômicos, sociais e políticos da burguesia que se havia construído na fase anterior – ou seja, em larga escala, aos interesses econômicos, sociais e políticos das classes altas e médias da 'população branca'. Em vez de ajustar-se à ordem social competitiva, a situação de raça da 'população de cor' teria permanecido inalterável, não fossem as transformações sofridas pelo fluxo de substituição populacional".[49] Ele se refere ao declínio da imigração, ocorrido em virtude de mudanças no cenário internacional, que passou a ser menos liberal. Enquanto isso, no Brasil, foram aprovadas leis com o intuito de favorecer o trabalhador nacional, e houve aumento nas migrações internas. Não obstante, pelo menos até 1950, conforme visto no *gráfico 2.2 (p. 54)*, estas últimas ainda não haviam sido suficientes para que a distribuição de negros no território nacional se alterasse.

O ímpeto modernizante da Era Vargas contém, no entanto, vários resquícios anacrônicos, na medida em que os direitos civis e políticos estavam restringidos, e aqueles sociais obtidos quase que apenas pelas clas-

---

[49] FERNANDES, Florestan. Op. cit. p. 732-733.

ses urbanas, notadamente os operários, são menos conquistas de classe do que concessões do estado. Isso tem como conseqüência a tutela deste sobre as classes, corporações e indivíduos, uma "cidadania regulada",[50] como define o cientista político Wanderley Guilherme dos Santos, enfatizada pela associação que se faz entre estado e nação e evidente no uso de símbolos pelo governo, como a própria imagem do ditador, proclamado "pai dos pobres". Os direitos sociais, praticamente inexistentes na República Velha, começam a ser garantidos pelo governo. Porém, não são direitos universais, e sim corporativistas, concedidos conforme a categoria profissional a que o indivíduo pertence. Conseqüentemente, o nível de proteção socioeconômica concedida pelo estado ao cidadão depende da *classe social* na qual ele se encontra. Segundo Santos, "a regulamentação das profissões, a carteira profissional e o sindicato público definem, assim, os três parâmetros no interior dos quais passa a definir-se a cidadania. Os direitos dos cidadãos são decorrência dos direitos das profissões e as profissões só existem por meio de regulamentação estatal. O instrumento jurídico comprovante do contrato entre o estado e a cidadania regulada é a carteira profissional, que se torna (...) uma certidão de nascimento cívico".[51] Tal "certidão" é concedida ao chefe de família e os direitos são estendidos a seus dependentes. Assim, a base de tal política social não era o indivíduo, mas sim a família.

Eis o embrião de um estado de bem-estar social (*welfare state*) brasileiro, que se encontra incompleto até hoje. Segundo Gosta Esping-Andersen, há três grupos de *welfare state*. Um deles é o "'liberal', em que predominam a assistência aos comprovadamente pobres, reduzidas transferências universais ou planos modestos de previdência social", complementados por planos privados, que podem ser subsidiados pelo estado ou não. Já nos *welfare states* "conservadores e fortemente 'corporativistas' (...) o que predominava era a preservação das diferenças de *status*; os direitos, portanto, estavam ligados à classe e ao *status*". O terceiro modelo, chamado de social-democrata, buscou "um *welfare state* que promovesse a igualdade com os melho-

[50] SANTOS, Wanderley Guilherme dos. *Cidadania e Justiça: a política social na ordem brasileira*. Rio de Janeiro: Campus, 1979. p. 71-82.
[51] *Idem*. p. 76.

res padrões de qualidade, e não uma igualdade das necessidades mínimas (...). Desse modo, os trabalhadores braçais chegam a desfrutar de direitos idênticos aos dos empregados *white-collar* assalariados ou dos funcionários públicos; todas as camadas são incorporadas a um sistema universal de seguros, mas mesmo assim os benefícios são graduados de acordo com os ganhos habituais".[52]

A partir dessas definições, conclui-se que a Era Vargas formou algo próximo a um *welfare state* conservador. Das classes, as mais beneficiadas foram as proletárias e de profissionais liberais residentes nas maiores cidades. O então nascente desenvolvimento industrial permitia às primeiras, melhores condições de vida por meio de salários mais altos que aqueles pagos aos trabalhadores rurais. Já os profissionais liberais, de formação universitária ou secundária, constituíam uma rede de serviços que o meio urbano exigia ou entravam no serviço público. A instituição de concurso para o provimento de cargos nesse setor permitiu sobretudo aos extratos médios ascenderem socialmente pelo mérito, sem dependerem de apadrinhamento.

Tal como ocorre hoje, em média, os funcionários do setor público recebiam rendimentos mais altos que os trabalhadores do setor privado, inclusive nas ocupações que exigem pouca qualificação. Como se verá no *capítulo 3*, as unidades da federação em que a classe média, tanto branca como negra, possui mais indivíduos são o Distrito Federal e o Rio de Janeiro, cuja atual capital era a sede do governo federal e onde permanecem repartições dessa esfera administrativa, ainda que Brasília seja o centro do poder brasileiro há quase meio século.

Assim, o serviço público foi, a partir da década de 1930, um canal de ascensão social para indivíduos de todas as raças, sobretudo os considerados brancos, já que a maioria dos classificados como negros contava com desvantagens comparativas estruturais, notadamente a ausência de qualificação. Em grande parte, essas mudanças explicam a formação de uma classe média, em sua maioria constituída por indivíduos considerados brancos, nos círculos por eles

[52] ESPING-ANDERSEN, Gosta. *As Três Economias Políticas do Welfare State.* São Paulo: Lua Nova, n. 24, set. 1991. p. 108-110.

freqüentados, mas com alguns negros, mesmo aqueles que não podiam, por sua aparência, passar pelo processo de branqueamento. Conseqüentemente, continuavam a sofrer discriminação, embora com mais condições de superar as barreiras que lhes eram impostas, já que tinham recursos financeiros.

Segundo o sociólogo Luiz de Aguiar Costa Pinto, "a urbanização crescente do negro e a sua integração progressiva nos quadros de uma economia em processo de industrialização foram aos poucos criando, entretanto, os germes de uma estratificação social dentro do grupo étnico, os primeiros passos de uma diferenciação econômica e ocupacional, que esses negros que ascendiam procuravam vender e ampliar para a geração seguinte, a de seus filhos. Nesse processo de diferenciação", prossegue Costa Pinto, "a educação, como não podia deixar de ser, passou a ter um papel de suma importância, especialmente pelo fato de ela ter sido tradicionalmente, em nossa sociedade, monopólio do branco, e ser, portanto, um atributo objetivo e subjetivo de enorme significação no diferenciar um negro da massa dos negros e no promovê-lo a uma posição socialmente mais próxima da do branco".[53]

Porém, a maioria dos negros continuava à margem desse desenvolvimento sobretudo por estar predominantemente em regiões rurais. O *gráfico 2.4* mostra que, proporcionalmente, havia menos brancos em atividades rurais nas regiões Norte, Nordeste, Centro-Oeste e nos estados de Minas Gerais e Espírito Santo. Aos trabalhadores do campo não era oferecida a rede de proteção social que havia sido formada. Mas, de acordo com os dados do *gráfico 2.3*, conclui-se que a maioria dos negros (que perfaziam quase que a totalidade dos não brancos) já estavam em atividades urbanas em 1950 no Sul e nos estados de São Paulo (SP) e Rio de Janeiro (RJ),[54] regiões mais desenvolvidas, o que sugere uma forte migração para as cidades e que não necessariamente bastava conviver com o meio urbano para usufruir de maneira plena as benesses trazidas pela modernidade e pelas políticas sociais. Se fosse assim,

---

[53] COSTA-PINTO, L. *O Negro no Rio de Janeiro: Relações de Raças numa Sociedade em Mudança.* 2a ed. Rio de Janeiro: Editora UFRJ, 1998. p. 161.
[54] Essa divisão obedece aos dados apresentados por Hasenbalg em seu livro.

atualmente, quando se vêem as condições da maior parte dos negros nas grandes cidades do Centro-Sul, não se notaria uma desigualdade sociorracial tão grande.

Gráfico 2.3

Trabalhadores na agricultura, por raça – Sul, SP e RJ, 1940-1950 (em %)

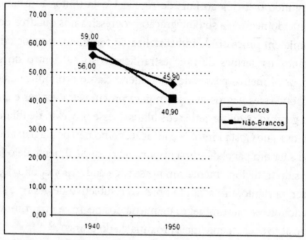

Fonte: HASENBALG, Carlos. Op. cit. p. 181.

Gráfico 2.4

Trabalhadores na agricultura, por raça – demais Estados, 1940-1950 (%)

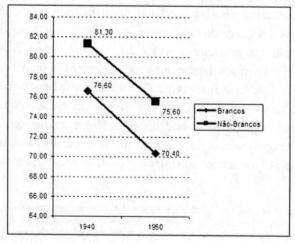

Fonte: *Idem*, p. 181.

Além disso, conforme dito, mesmo aqueles que progrediam socialmente tinham sua ascensão sociocultural limitada em virtude das marcas (estética). Os negros, assim, buscavam outros caminhos, como o "branqueamento geracional". Eis o principal problema da *democracia racial como projeto*: o de equiparar, implicitamente, o branqueamento à conquista da cidadania nas microrrealoções de poder, cujos moldes, fornecidos pelo passado escravista, entram em choque com o projeto de moldar, no Brasil, uma única nação de fato. Nesse projeto, o indivíduo, *para se tornar cidadão*, antes de ser branco ou negro, paulista ou baiano, *precisa reconhecer-se como brasileiro*. A contradição é que nem todos queriam ver seus compatriotas de pele mais escura como tais, já que não percebem a diferença física como mera diferença, e sim como índice de hierarquização.

Aliás, isso chegou a ter respaldo oficial. A Constituição de 1934, revogada pela de 1937, a qual foi outorgada por Getúlio Vargas quando foi implantado o Estado Novo, periodo ditatorial que se prosseguiu até 1945, estabelecia que a entrada de imigrantes no país se daria sob a condição de garantir a integração étnica e de acordo com a capacidade física e civil do imigrado. "Combinando-se este preceito com a norma do art. 138 (...), no qual era estabelecido o estímulo à educação eugênica, torna-se simples o exercício de descoberta das preferências raciais do legislador constituinte de 1934".[55] Essa tese ganha força se considerada a polêmica em torno da imigração japonesa, que, após muito debate e a proibição da entrada de asiáticos no início da República, teve início em 1908, adicionando mais um elemento à nacionalidade brasileira – juntando-se ao indígena, branco (não apenas europeu, mas também árabe, como os sírios e libaneses) e negro.

Voltando à questão do negro, na medida em que, para este, o branqueamento significa fazer-se menos negro, seja em termos éticos, seja em termos estéticos, a ideologia do branqueamento acaba produzindo, nos termos mencionados por Ianni, uma divisão entre mulatos e negros,[56] isto é, entre aqueles mais distantes do fenótipo subsaariano

[55] SILVA JR., Hédio. Op. cit. P. 29.
[56] IANNI, Octávio. Op. cit. p. 114.

e os mais próximos deste. Afinal, segundo o pensamento em voga à época, o caminho para superar a discriminação não estaria na união com os irmãos de cor, mas sim no "aperfeiçoamento da raça", por meio, por exemplo, do casamento com pessoas mais claras. E, se isso fosse conjugado com ascensão socioeconômica, melhor ainda.

Mas, ao perceber que, mesmo ascendendo socialmente, há barreiras irremovíveis, a elite negra passa a fomentar uma identidade étnica (ainda que mais preocupada com seus interesses de classe) num processo que tinha mais chances de sucesso do que aquele ocorrido durante a República Velha, quando houve o que Fernandes chama de "solidariedade rústica". Ela mantinha unido um número muito pequeno de pessoas do grupo. A maioria preferia resguardar suas possibilidades de ascensão social e fugia dos chamados "chupins", que apenas parasitavam a riqueza daqueles que haviam galgado posições mais elevadas. Para o sociólogo, isso contribuía para não fazer do meio negro "uma minoria racial integrada", pulverizando, assim, as aspirações de ascensão social.[57]

Enquanto isso, para formar a nação, o estado conta com um instrumento poderoso perante as tentativas de "etnizar" o país: os meios de comunicação de massa, principalmente o rádio. Nessa esfera pública, oficial, não podia haver fronteiras culturais entre brancos e negros. Na prática, porém, a oposição existia, pois nem todos tinham se aculturado ou, ainda que o tivessem, não escapavam ao preconceito alheio. Preconceito que se tornou contravenção penal em 1951, com a aprovação da lei Afonso Arinos (lei federal n. 1.390), a primeira a tratar o racismo, no Brasil, em termos penais. Entre as contravenções, todas punidas com o pagamento de multas e prisão máxima não-superior a um ano, estava negar emprego em empresa privada em virtude da cor ou raça.

De qualquer forma, os ganhos políticos do período são positivos, considerando que, depois, foi possível a existência de um intervalo democrático entre 1945 e 1964. Como lembra Carvalho, até 1930, "o povo não tinha lugar no sistema político, seja no Império,

---

[57] FERNANDES, Florestan. Op. cit. p. 215.

seja na República. O Brasil ainda era para ele uma entidade abstrata. Aos grandes acontecimentos políticos nacionais, ele assistia, não como bestializado, mas como curioso, desconfiado, temoroso, talvez um tanto divertido".[58] Mas, conforme foi explicado, no estado corporativista alguns benefícios são concedidos às massas, porém apenas aos membros das categorias mais fortes, que dão sustentação política ao grupo que governa, enquanto, na economia, há a rejeição ao liberalismo e conseqüentemente à competição interna e externa, à medida que se tenta "limitar a influência de atores externos e em direcionar as atividades econômicas de modo a promover um amplo desenvolvimento econômico".[59]

Para o economista Luiz Carlos Bresser-Pereira, foi um projeto de nação que prosseguiu até 1960. Tal projeto existiu "porque, então, foi possível aos brasileiros, apesar de suas divisões, estabelecer um grande acordo político reunindo empresários, técnicos do estado e trabalhadores. Reconhecidos os conflitos, a existência de uma solidariedade básica entre as classes é a condição da existência de uma nação".[60] Ou, nas palavras de Guimarães, "entre 1930 e 1964, vigeu no Brasil o que os cientistas políticos chamam de 'pacto populista' ou 'pacto nacional-desenvolvimentista'. Neste pacto, os negros brasileiros foram inteiramente integrados à nação brasileira, em termos simbólicos, através de uma cultura nacional mestiça ou sincrética, e, em termos materiais, pelo menos parcialmente, através da regulamentação do mercado de trabalho e da seguridade social urbanos, revertendo o quadro de exclusão e descompromisso patrocinado pela Primeira República".[61]

Usando termos caros ao estudo de política internacional, pode-se descrever a situação da seguinte maneira: concedeu-se o *soft power* aos negros, enquanto o *hard power*, isto é, o poder que de

---

[58] CARVALHO, José Murilo de. Op. cit. p. 83.

[59] MALLOY, J. *Authoritarianism and Corporatism in Latin America: The Model Pattern*. In: CAMP, R. Democracy in Latin America: Patterns and Cycles. Wilmington, Del.: Scholarly Resources, 1996. p. 131.

[60] BRESSER-PEREIRA, L-C. *Macunaíma e Emília na Terra do Amanhã*. Folha de S. Paulo, 22 Ago 2004, Caderno Mais!

[61] GUIMARÃES, Antonio Sérgio. *Classes, Raças e Democracia*. São Paulo: 34, 2002. p. 166.

fato importa, político e econômico, ainda ficou restrito, não apenas a eles, mas a grande parte da população. Assim, todos sentiam-se integrados à nação, ainda que em esferas distintas. Alguns ficaram com os dividendos econômicos e de bem-estar social, enquanto outros representavam a nação na esfera cultural ou tinham a impressão de que o faziam. As tensões estavam aparentemente resolvidas, fazendo com que a *democracia racial como mito* fosse considerada a *democracia racial de fato*, produzindo a sensação de que nada mais precisava ser feito. "A elite brasileira, durante a vigência da idéia de democracia racial, silenciou ou foi ambivalente em relação à questão racial, considerando-a um não-problema e qualificando sua discussão como algo antinacional e racista".[62] Na *democracia racial como discurso*, que camufla a realidade, é proibido ter preconceito. Não tendo preconceito, não há discriminação.[63] Dessa forma, porém, o problema da desigualdade sociorracial acaba se perpetuando, pois, na verdade, nem o preconceito, nem a discriminação haviam sido eliminados.

O período após 1964 agravaria ainda mais esse quadro, com o golpe militar que depôs o presidente João Goulart. No geral, as tensões inerentes entre estado e nação – esta entendida como o povo –, as quais caracterizavam (e caracterizam) o Brasil desde sua independência política, começavam a pender a favor do primeiro. A ditadura militar emergiu justamente no momento em que o estado não era mais capaz de controlar as tensões sociais, surgindo como resposta a elas. Assim, ele se sobrepõe à nação, isso quando não se confunde com ela, na medida em que os interesses defendidos por aqueles que o controlam são considerados idênticos aos da coletividade e dos indivíduos. Houve, portanto, um retrocesso no acordo que havia entre os diversos grupos da sociedade, "na medida em que [a ditadura] excluiu os trabalhadores do pacto político e acentuou o conflito social. Também porque levou uma grande parte da esquerda brasileira a elaborar uma idéia de dependência que negava a possibilidade de

---

[62] TELLES Edward. *Racismo à brasileira: uma nova perspectiva sociológica.* Rio de Janeiro: Relume-Dumará, 2004. p. 97-98.
[63] IANNI, Octávio. Op. cit. p. 114.

uma classe empresarial nacional – o que inviabilizava a própria idéia de nação".[64]

A ditadura tomou para si a missão de manter a ordem interna, e o preço que seria pago para obtê-la era a supressão da democracia e, conseqüentemente, da participação popular no processo político. O ambiente internacional também favorece a resposta autoritária, já que, no contexto da Guerra Fria, a América Latina, particularmente o Brasil, devido a suas dimensões geográficas, econômicas e políticas, parece ser o fiel da balança na disputa entre Capitalismo e Socialismo pela supremacia planetária. Embora a historiografia não tenha chegado a um consenso a respeito das causas do golpe de 1964, é evidente que ele foi realizado com amplo respaldo popular, e não apenas com o apoio de parte das classes alta e média. Vários setores, em todos os âmbitos políticos, haviam deixado de acreditar na via democrática.

Guilhermo O'Donnell classifica o estado que emerge nesse contexto como Burocrata-Autoritário.[65] De acordo com o autor, as principais características desse estado são: estar a serviço de uma burguesia, em outras palavras, de uma classe detentora dos meios de produção; o estabelecimento de um controle da economia, bem como de uma regulação da cidadania, tal como ocorreu no primeiro governo de Getúlio Vargas; e um conseqüente sufocamento dos movimentos populares, com reflexos no exercício de direitos plenos. O objetivo disso tudo era reestabelecer o equilíbrio econômico e a ordem política comprometidos quando, na democracia, os atores sociais não souberam resolver seus conflitos. Para tal, é formada, na visão do autor, uma aliança, com o suporte das classes mais influentes, entre burocratas e militares para manter o controle sobre o estado e a nação.

No Brasil, uma das evidências dessa aliança é o re-desenho da política social feito pelo regime, particularmente no que se refere à previdência social. Enquanto os trabalhadores urbanos do setor

---

[64] BRESSER-PEREIRA, L-C. Op. cit.

[65] O'DONNELL, Guillermo. *Tensions in the Bureaucratic-Authoritarian State and the Question of Democracy.* In: KLARÉN, P; BOSSERT, T. (Orgs.). *Promise of development: theories of change in Latin America.* Boulder: Westview Press, 1986. p. 276-300.

privado tiveram seus sistemas, anteriormente segmentados por categorias, fundidos num único fundo, que depois incorporaria os trabalhadores rurais, os servidores públicos receberam tratamento diferenciado, com manutenção de um regime de aposentadoria separado, que incluía o recebimento dos vencimentos integrais no fim do período ativo. As classes mais abastadas, inclusive as médias, independentemente da cor, não criticam a estrutura do regime enquanto beneficiadas economicamente por ele ou até perceberem que nenhum progresso econômico compensa a supressão ou limitação das instituições democráticas.

2.4. Da redemocratização à fragmentação da sociedade brasileira

Antes de explicar a última transição para a democracia ocorrida no Brasil, é necessáro definir alguns conceitos, elaborados por O'Donnell e P. Schimitter para descrever a transição de regimes autoritários para democráticos. Liberalização é "o processo no qual alguns direitos que protegem tanto indivíduos como grupos sociais de atos ilegais ou arbitrários cometidos pelo estado ou por terceiros são efetivados".[66] Entre esses direitos, podem ser citadas a garantia de julgamento e a concessão de *habeas corpus*. A democratização, por sua vez, "é guiada pelo princípio da *cidadania*. Esta envolve tanto o *direito* de ser tratado por seus semelhantes no que diz respeito à realização de escolhas coletivas e a *obrigação* de que essas escolhas sejam igualmente transparentes e acessíveis a todos os membros da comunidade. Inversamente, esse princípio impõe *obrigações* nos liderados, no que diz respeito à legitimação das escolhas feitas por deliberação entre iguais, e *direitos* aos líderes, para agir com autoridade (e aplicar coerção quando necessário) para efetivar aquelas escolhas e proteger a comunidade de possíveis ameaças ao cumprimento delas".[67]

---

[66] O'DONNELL, G.; SCHIMITTER, P. *Transitions from Authoritariam Rule: Tentative Conclusions about Uncertain Democracies.* Baltimore: The John Hopkins University Press, 1986. p. 7.
[67] *Idem*, p. 7-8.

A liberalização não necessariamente precede a democratização e vice-versa. Aliás, a primeira pode existir sem a segunda, tal como nos primeiros anos da transição brasileira. De qualquer forma, parece que independentemente dos caminhos tomados durante a transição, definida como o "intervalo entre um regime e outro",[68] elas interagem. Em outras palavras, a plena retomada dos *direitos civis* é complementada com aquela dos *direitos políticos*. De acordo com alguns autores,[69] após a implantação da democracia política, com eleições regulares, uma *segunda transição* pode ocorrer. É um processo denominado *socialização*, que possui duas dimensões que conduzem à conquista de *direitos sociais*. Um dos aspectos se refere à *democracia social*, entendida como a expansão de processos democráticos a determinadas esferas da sociedade, como universidades, escolas e associações. "Os atores-membros, com direitos e deveres iguais, decidem o que essas instituições devem fazer." A outra refere-se à *democracia econômica*, relacionada à provisão de benefícios iguais para a população a partir dos bens e serviços produzidos pela sociedade, "como riqueza, renda, educação, saúde, moradia, informação, lazer (...)."[70]

Em 1973, a Crise do Petróleo apontava que o crescimento da economia brasileira, extremamente dependente de investimento externo, bem como de contrações de dívidas, tinha limites. No entanto, a ditadura desprezou o alerta, na medida em que continuou a tomar mais empréstimos para sustentar o "milagre econômico", cujos resultados não contribuíram para a redução das desigualdades brasileiras. Pelo contrário, elas aumentaram. Mas isso não desestabilizou o regime, que só começou a perder apoio quando os setores que ganharam com o crescimento da economia não mais obtiveram dividendos. Ao mesmo tempo, mudanças ocorreram no equilíbrio de poder interno da ditadura. Depois de dois presidentes considerados da ala "linha-dura", os mais brandos retornavam ao poder na figura de Ernesto Geisel (1974-1979), que havia prometido uma

[68] *Idem*, p. 6.
[69] *Idem*, p. 12.
[70] *Idem*, p. 12.

transição "lenta, gradual e segura". Assim, o contexto para a abertura democrática estava dado. Ela é iniciada com uma liberalização nos termos anteriormente descritos. De acordo com Alfred Stepan, a transição brasileira para a democracia é classificada como iniciada pelo regime autoritário, mais precisamente pelos militares enquanto membros do governo. Mas, ressalta, "(...) se não há uma demanda por parte da sociedade pelo fim do regime, esse caminho torna-se extremamente precário".[71]

Tal demanda ganhou voz em virtude do abrandamento das regras do regime. Velhos atores comprometidos com a democracia, como a Ordem dos Advogados do Brasil (OAB) e a Associação Brasileira de Imprensa (ABI), reemergem, e, ao lado de novos, fomentam a abertura. Entre os novos atores destaca-se o movimento sindical, que passa a seguir uma orientação independente do estado, ao contrário do que tradicionalmente havia ocorrido até então na história brasileira. Porém, as demandas dos metalúrgicos da região do ABC paulista são mais relacionadas a sua condição enquanto *classe* do que como *cidadãos*. Isso porque, durante os anos 70, eles foram um dos grupos mais beneficiados com o chamado milagre econômico. Com o crescimento econômico em ritmo mais lento, comparativamente, esses trabalhadores começaram a perder em termos salariais. Por isso, eles usaram seu poder de organização para demandar reajustes através de greves, movimentos que ameaçavam a ordem imposta pelo regime.

Também no plano social, forma-se a reação definitiva contra a democracia racial enquanto mito e, pode-se dizer, projeto. O Movimento Negro Unificado (MNU) emerge ao longo dos anos 1970, influenciado pela obra de autores negros como Abdias do Nascimento e Guerreiro Ramos. A perspectiva integracionista, manifestada até o período por entidades e movimentos como a Frente Negra Brasileira (FNB), que, inclusive, chegou a ser um partido político nos anos 1930, e o Teatro Experimental do Negro (TEN), deu lugar à noção

---

[71] STEPAN, Alfred. "Paths toward Redemocratization: Theoretical and Comparative Considerations." In: O'DONNELL, G.; SCHIMITTER, P.; WITHEAD, L. *Transitions from Authoritarian Rule: Comparative Perspectives*. Baltimore: The John Hopkins University Press, 1986. p. 75.

de *Quilombismo*, elaborada por Nascimento em 1980. De acordo com Antonio Risério, "pode-se dizer que o MNU foi uma criação de jovens lideranças negromestiças de formação universitária, sob o influxo e com a participação de Abdias do Nascimento, então vivendo nos EUA".[72] Lá, entrou em contato com as tensões raciais americanas, radicalizadas pelas reações brancas às conquistas posteriores ao Movimento por Direitos Civis, nos anos 1960, e pela contundente resposta negra, encarnada, entre outros, pelos panteras negras e a noção de black power, desdobrada sobretudo em termos culturais.

"Comparando este quadro com a situação brasileira, [Nascimento] concluiu que o caminho para mobilizar o negro brasileiro estava na cópia do modelo norte-americano. Era preciso pensar o Brasil em termos dicotômicos", isto é, transplantar para os trópicos o birracialismo.[73] "Em meios jovens, o mito de Zumbi e Palmares ganharia então nova leitura. Zumbi despontaria como líder armado de uma república socialista, na qual teria vigorado a *verdadeira democracia racial*",[74] afirma Risério. Além disso, o Quilombismo bebe da fonte do pan-africanismo, que procurava integrar os negros espalhados pelo mundo, no bojo da independência de muitas nações africanas, ou, melhor dizendo, dos estados artificiais criados pelas potências européias numa África extremamente plural e com conflitos existentes antes da chegada do homem branco. Assim, o MNU desafiou a noção de que temos uma identidade nacional única, sincrética, algo fomentado pela *democracia racial como mito*. No entanto, o movimento negro não tinha forte penetração entre as massas, até porque os pretos e pardos situados nelas consideravam-se primeiramente pobres, e não negros. Aliás, muitos já haviam perdido (se é que um dia chegaram a ter) uma identidade exclusiva ou predominantemente negra, que reúne tradições culturais com origem na África Subsaariana.

A mobilização de setores da sociedade civil alimentou o processo de liberalização, que culminou no movimento Diretas Já em 1984. Levando milhares de pessoas às ruas das principais cidades do país,

[72] RISÉRIO, Antonio. Op. cit. p. 372.
[73] *Idem*, p. 376.
[74] *Idem*, p. 371.

o movimento demandava a realização de eleições diretas para presidente da República. A crise econômica que se instalara em 1981 também parece ter influenciado uma participação popular mais ampla. Nesse ano, o Produto Interno Bruto (PIB) havia caído 4,25%. "O aumento no preço do petróleo (...), combinado com políticas monetárias restritivas da parte dos países mais industrializados, conduziram a um aumento jamais visto das taxas de juros reais e a uma recessão mundial".[75] Em 1982, com a impossibilidade de o México honrar seus débitos externos, tem início a crise da dívida, que piora o cenário descrito. É o fim da estratégia de desenvolvimento fundamentada na industrialização por substituição de importações e o início do predomínio das políticas neoliberais, cuja implantação é condição de ajuda do Fundo Monetário Internacional (FMI) aos países endividados.[76]

O contexto também evidencia o triunfo da estratégia de crescimento das economias orientadas para a exportação, adotada por países asiáticos como Coréia do Sul e Taiwan e fundamentada numa concepção liberal-intervencionista de governo e de nação, com investimentos em pesquisa e educação. Na então embrionária sociedade da informação, fruto da Terceira Revolução Industrial, ocorrida nos anos 1970 e caracterizada por progressos na área eletrônica e pelos primeiros passos na biotecnologia, essas duas variáveis passaram a ser ainda mais determinantes no desenvolvimento econômico de um país. Tanto que, hoje, embora o Brasil não esteja totalmente à margem da economia do conhecimento, certamente poderia estar em uma posição mais confortável se tivesse investido mais, nos últimos 30 anos, em pesquisa, desenvolvimento e ensino, principalmente nas ciências exatas e biológicas.

Devido a movimentos migratórios, ao longo dos 30 anos anteriores, houve mudanças na distribuição da população brasileira por região, de acordo com a raça. Portanto, o Brasil que acorda da ditadura militar é bastante diferente daquele que dormiu na noite de 31 de mar-

---

[75] SPERO, J.; HART, J. *The Politics of the International Economic Relations.* Belmont: Thomson-Wadsworth, 2003. p. 206.
[76] *Idem.* p. 208-212. O Brasil só viria a adotar essas reformas nos anos 1990, com relativo atraso em relação a muitos países latino-americanos.

ço de 1964, ainda que as tranformações na composição populacional tenham começado em 1950. Tais migrações ocorrem em decorrência de razões econômicas. Duas grandes tendências merecem destaque. A primeira delas é a ida de nordestinos para o Centro-Sul, iniciada nos anos 1950, e que atingiu seu auge durante o milagre econômico brasileiro. O desenvolvimento industrial dessa região dá-se com base na mão-de-obra barata oriunda do Nordeste, onde a proporção de não-brancos, sobretudo pardos, é maior que nos estados do Sudeste, principalmente São Paulo. Nessa região, tal desigualdade é evidente, sendo explicada por razões históricas. Ao irem para as periferias das grandes cidades, os migrantes não podiam contar com serviços públicos de qualidade, uma situação similar àquela que, por exemplo, muitos imigrantes haviam encontrado na São Paulo do início do século XX.

Por outro lado, estes e seus descendentes tiveram, reconhecidamente, mais oportunidades. Afinal, conforme dito, na sociedade de classes em formação, acabaram, no geral, por conseguir as melhores posições no mercado de trabalho, face aos brasileiros ou indivíduos com ancestralidade apenas brasileira. Nas cidades, seus filhos tinham maior acesso à escola, formando as bases para uma ascensão social. São esses mesmos filhos que, já crescidos, vão compor a maioria das camadas médias que emergem no bojo do aceleramento do processo de industrialização vivenciado no pós-guerra. Enfim, uma série de vantagens, usufruídas também por muitos brasileiros, independendentemente da aparência, que não estavam ao alcance do migrante. Com a expansão do ensino público, as camadas menos abastadas passam a ter acesso à educação. Mas, sem a manutenção dos níveis de qualidade proporcionados até então, as oportunidades de ascensão de tais camadas foram limitadas. Considerando que a maioria dos imigrantes era oriunda dos estados situados mais ao norte, cuja população é predominantemente parda e preta, conclui-se que esse mecanismo de exclusão é o que, primordialmente, leva a maior parte dos não-brancos a não participarem dos benefícios do progresso econômico do pós-guerra. De fato, a proporção de brancos no Sul, São Paulo e Rio de Janeiro[77]

---

[77] Essa divisão obedece aos dados apresentados por Hasenbalg em seu livro.

caiu entre 1950 e 1976, enquanto no restante do país a proporção de não-brancos segue uma curva ascendente (*gráficos 2.5 e 2.6*).

Gráfico 2.5

Composição populacional – Sul, São Paulo e Rio de Janeiro, 1872-2002 (em %)

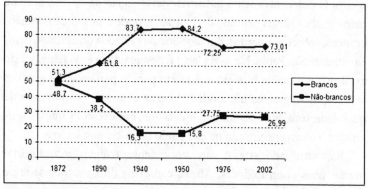

Fonte: HASENBALG, Carlos. Op. cit. p. 288; IBGE. *Estatísticas da população*. Disponível em: <www. ibge.gov.br>. Acesso em: 30 out. 2006.

Gráfico 2.6

Composição populacional – demais regiões e estados do Brasil, 1872-2002 (em %)

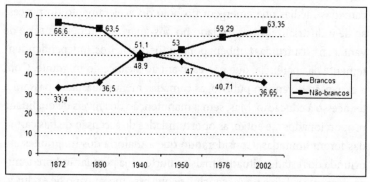

Fonte: *Idem*.

Mas a colheita dos bons frutos do desenvolvimento econômico durante a ditadura não é concentradora apenas em termos de classe. O contraste entre as regiões mais industrializadas e o restante do país fica evidente, apesar do desenvolvimento de pólos industriais regionais, como o de Camaçari, na região metropolitana de Salvador. Portanto, à medida que o progresso atinge as regiões de maioria branca, os pardos e pretos tendem a ficar ainda mais à margem, já que eles são a maioria da população nas áreas relegadas ao atraso, como o interior nordestino. É a continuação de um processo iniciado no final do século XIX. Só que desta vez a relativa pauperização também afeta brancos, inclusive os habitantes das áreas rurais do Sul do país. Afinal, a estrutura fundiária fundamentada na pequena propriedade havia perdido competitividade em relação à crescente mecanização da agricultura. Ao mesmo tempo, há a expansão da fronteira agrícola rumo ao Centro-Oeste, fomentada por políticas que tinham como objetivo povoar essa região, iniciadas a partir da construção de Brasília e incrementadas pelo regime militar. Tal expansão leva para a região contingentes populacionais que descendem, em sua maioria, exclusivamente de imigrantes europeus que haviam chegado ao país no final do século XIX e no início do século XX. Esse é o segundo movimento migratório mais importante ocorrido dentro das fronteiras brasileiras entre 1950 e 1980.

À medida que conquistam propriedades onde valiosas *commodities* agrícolas são cultivadas, esses migrantes passam a deter o poder econômico da região, o que redunda numa forte diferenciação em relação à população "original" daquela região, em sua maioria mestiços de brancos com índios, inclusive com ancestralidade africana-subsaariana. Assim como nas outras regiões do país, pardos e pretos compõem a maioria das massas. Ressalta-se, porém, que há muitos brancos entre essas camadas menos favorecidas. Afinal, cada caso de sucesso sem dúvida esconde alguns "fracassos". Prova disso são os cerca de 20 milhões de pobres brancos que atualmente existem no país[78] e entre os quais há, sem dúvida, muitos descendentes de imigrantes e de "imigrantes-migrantes" que tentaram a sorte ao desbravar o Cerrado.

---

[78] KAMEL, Ali. *Não somos racistas: uma reação aos que querem nos transformar numa nação bicolor*. Rio de Janeiro: Nova Fronteira, 2006. p. 67.

Ao longo da década de 1980, o movimento negro ganhou for-ça. Embora, tal como em sua fase inicial, ainda não tivesse (e não tenha) conquistado as massas, ele fundamentava suas demandas em estudos acadêmicos que demonstram um país dividido entre ricos (em sua maioria brancos) e pobres (predominantemente pretos e pardos). A tendência de quantificar as desigualdades raciais havia sido iniciada nos anos 1950, portanto, antes da ditadura. Relevante destacar os incentivos dados pela Organização das Nações Unidas (ONU), por meio do Projeto Unesco, que financiou muitas das pesquisas na área, com o objetivo de verificar se o Brasil era de fato um paraíso racial, tal como se apregoava à época. Afinal, o mundo havia acabado de vivenciar o segundo conflito em escala planetária e conhecera o horror do Holocausto, fruto de uma ideologia racista. Por isso, era interessante identificar a existência de experiências bem-sucedidas de convivência entre diversos grupos e era provável que o país pudesse ser um exemplo disso, já que não havia conflitos étnicos em seu território. Os resultados mostraram justamente o contrário e forneciam indícios suficientes de que a *democracia racial como meta* ainda estava muito longe de ser conquistada. Mas, como ao regime militar não interessava expor as mazelas do país, os trabalhos na área não tiveram continuidade. No final dos anos 1960, a ditadura havia sufocado vozes da Escola Paulista de Sociologia, grupo que contestou a democracia racial como fato e composto por, entre outros nomes, Florestan Fernandes, Octávio Ianni e Fernando Henrique Cardoso, que foram aposentados compulsoriamente da Universidade de São Paulo (USP).

Já na fase de liberalização do regime, a questão racial voltou ao debate acadêmico, quando em 1979 Carlos Hasenbalg publicou sua tese de doutorado, escrita nos Estados Unidos, *Discriminação e Desigualdades Raciais no Brasil,* em que demonstrou o peso da raça nas desigualdades sociorraciais. Além disso, as classificações por cor ou raça, que haviam sido deixadas de lado pela ditadura militar no censo de 1970, voltam às estatísticas oficiais a partir da primeira Pesquisa Nacional por Amostra de Domicílios (PNAD), em 1976. Elas demonstram que, ao contrário do que a ideologia do branqueamento previa, havia aumentado a proporção de não-brancos no país como um todo, em especial a de pardos *(gráfico 2.8)*.

Há várias interpretações desse processo. Para Darcy Ribeiro, a população brasileira, em virtude da mestiçagem, seria homogenizada. Segundo essa visão, os negros vão ficando brancos, e os brancos viram negros. Assim, como diz Ribeiro "(...) essa branquização, na verdade, é uma multatização".[79] Assim, isso seria o resultado do aumento do número de filhos de relações inter-raciais, embora nem todo fruto dessas uniões se declare, necessariamente, pardo. De qualquer forma, há indícios que permitem afirmar isso. Entre 1960 e 1991, houve um aumento na proporção de casamentos inter-raciais realizados no Brasil *(gráfico 2.7)*. Todavia, a quantificação desse dado nem sempre é precisa, pois muitos dos relacionamentos entre indivíduos que se consideram de raças diferentes e resultam em filhos não são oficiais. Assim, o incremento da população parda talvez seja explicado por mudanças na classificação racial, mais do que pela "mescla" de raças *(gráfico 2.8)*.

Gráfico 2.7
Casamentos por tipo – Brasil, 1960 e 1991 (em %)

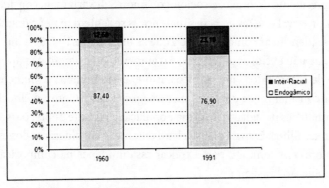

Fonte: TELLES, Edward. Op. cit. p. 140-141.

[79] RIBEIRO, Darcy. Sobre a mestiçagem no Brasil. In: SCHWARCZ, Lilia; QUEIROZ, Renato (Org.). *Raça e Diversidade*. São Paulo: Edusp, 1996. p. 211.

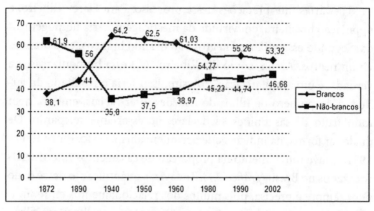

Gráfico 2.8
Composição populacional por raça – Brasil, 1872-2002 (em %)

Fonte: HASENBALG, Carlos. Op. cit. p. 288; IBGE. Op. cit.

"A miscigenação aumenta a composição racial de uma geração para outra, enquanto a classificação racial pode mudar no curso da vida de um indivíduo",[80] afirma Edward Telles. De fato, ao interpretar dados de uma pesquisa do IBGE realizada em 1998 e que constatou haver uma proporção de pardos maior entre as gerações mais novas, o ex-presidente do órgão, o sociólogo Simon Schwartzman, considera ser provável que "as gerações mais novas se sentem mais à vontade para se identificar como pardas do que as mais velhas".[81] Outra hipótese, que não exclui as anteriores, é o aumento do número de pardos fruto de casamentos endogâmicos, isto é, entre homens e mulheres que se consideram de uma mesma raça *(gráfico 2.7)*. Com a melhoria nas condições de vida, parte dessa população, bastante pobre, passou a ter mais filhos. O mais plausível, no entanto, é considerar todos esses fatores em conjunto para explicar essa mudança na composição da população brasileira.

[80] TELLES, Edward. Op. cit. p. 62
[81] SCHWARTZMAN, Simon. *As Causas da Pobreza*. Rio de Janeiro : Editora FGV, 2004. p. 113.

O movimento negro busca usar essa realidade a seu favor, advogando a união de pretos e pardos em torno da luta por políticas específicas para eles, negros, afro-descendentes. Essa estratégia política pode ser bem sucedida, pois, como diz Kabengele Munanga, os mestiços são a parcela mais discriminada e a que mais cresce na população brasileira. Eles "não são mais filhos naturais dos senhores de engenhos que, segundo estudos anteriores, se beneficiaram de alguma proteção de seus pais. Eles ocupam, cada vez mais, a posição subalterna do negro, conjugando o critério da cor com o critério econômico".[82] Mesmo aqueles pretos e pardos que ascenderam socialmente podem somar forças a essa luta. Aliás, tal como no passado, os movimentos negros costumam ser fomentados por aqueles indivíduos de classe média que, embora tenham melhores condições de vida do que a maioria de seus "irmãos de cor", ainda enfrentam discriminação. Ou seja, o branqueamento tem seus limites. Como disse Florestan Fernandes a respeito das relações raciais brasileiras nos primeiros 30 anos do século XX, "a impulsão assimilacionista [de traços sociais e culturais por parte do negro com o objetivo de chegar a posições mais altas] teria de acompanhar-se da igualdade social e da livre competição, para não conduzir a tais efeitos sociais. Ora, como vimos, tal não sucedeu historicamente. A vigência do padrão tradicionalista e assimétrico de relações raciais mantinha, compactamente, a ideologia racial 'senhorial'"[83] Se esse padrão foi amenizado pelas transformações ocorridas na sociedade brasileira durante os 50 anos seguintes, entre 1930 e 1980, os resquícios arcaicos ainda permaneciam e permancem.

Assim, a *democracia racial termina como mito e também como meta*, já que o termo não é mais empregado sequer para designar os objetivos dos movimentos que lutam pelo fim das desigualdades sociorraciais. Eles optam pelo caminho que pode ser chamado de corporativista. Longe de ser uma atitude isolada, a demanda por

---

[82] MUNANGA, Kabengele. *Rediscutindo a mestiçagem no Brasil.* Op. cit. p. 116.
[83] FERNANDES, Florestan. Op. cit. p. 292.

direitos específicos baseadas em raça apenas reflete a fragmentação da sociedade brasileira durante a fase de democratização, tal como definida páginas atrás. Após retomar o direito de eleger seus governantes, o povo brasileiro busca a segunda fase da transição para a democracia, denominada *socialização*, de maneira segmentada, recuperando o velho estilo corporativista no embate por *democracia social e econômica*.

Enquanto isso, os projetos nacionais que caracterizaram a maior parte do século XX, no contexto da luta Capitalismo *versus* Socialismo, se dispersam em todo mundo à medida que o último sistema se debela, dando lugar à supremacia da economia de mercado – cada vez mais permeada pelas trocas de fluxos de informação possibilitadas pelas inovações da Terceira Revolução Industrial – e, no plano cultural, ao reavivamento de tensões étnicas antes controladas dentro de muitos estados-nação. Pode-se também entender a emergência de reivindações de grupos específicos, no Brasil, como fruto parcial desse contexto, e não apenas de uma conjuntura interna.

Tal embate se materializa na Constituição de 1988, cuja promulgação conclui a fase de liberalização. Se seus princípios tendem ao universalismo, pois garantem uma série de direitos sociais, muitos dos quais, contraditoriamente, começaram a ser garantidos pelo regime militar, como o direito à aposentadoria, ainda que o cidadão não tenha contribuído para o fundo previdenciário, o que se vê é que apenas aqueles grupos com maior influência conseguem conquistá-los na prática, com qualidade de fato, reiterando a tradição corporativista que se manifestara com bastante ênfase durante o projeto nacionalista-desenvolvimentista. Aliás, incapacidade de superá-la parece ter sido uma das razões para o fracasso dele e, indubitavelmente, contribui para que, até hoje, a noção de cidadania no Brasil esteja muito mais associada a práticas clientelistas-assistencialistas do que a direitos efetivos, focados no cidadão como indivíduo e não como membro de um grupo.

No que se refere às questões raciais, a Carta Magna garante a igualdade de todos perante a lei e determina, em seu artigo 5º, inciso XLII, que "a prática do racismo constitui crime inafiançável e imprescritível, sujeito à pena de reclusão, nos termos da lei". Em 1989, a Lei 7.716, que substitui a Afonso Arinos e regulamenta o dispositivo da Carta Magna, definiu quais os crimes resultantes de preconceito de raça ou de cor. Porém, quase 20 anos após sua promulgação, essa legislação, sozinha, demonstra-se ineficaz para impedir que pessoas sejam preteridas em diversas esferas sociais por causa de sua cor ou raça. Escamoteado, o *racismo à brasileira* acaba por driblá-la. Prova disso são as pouquíssimas condenações de racistas.

Ainda a Constituição, em seu artigo 215, diz caber ao estado a proteção das "culturas populares, indígenas e afro-brasileiras, além das de outros grupos participantes do processo civilizatório nacional".[84] Finalmente há o reconhecimento legal do caráter plural da cultura brasileira. Assim, a Carta Cidadã amplia as liberdades individuais, na medida em que reconhece as culturas que não prevalecem na sociedade.

Mas negros como categoria analítica das ciências sociais não são os mesmos do imaginário popular, nem mesmo no sentido cultural da palavra. É dessa confusão fomentada pelo movimento negro que se origina outra: as idéias de que as políticas baseadas em raça para a correção de desigualdades reproduzidas em virtude, sobretudo, das condições sociais dos indivíduos, devem ser conjugadas e identificadas com a luta, preservação e reconhecimento da cultura negra, que, não necessariamente, é compartilhada por aqueles indivíduos que mais sofrem discriminação. Na verdade, tais negros ou mestiços são discriminados não tanto em função de sua identidade – que pode ser praticamente idêntica à de um branco de sua classe social – mas sim em função de sua aparência, que remete a uma cultura equivocadamente estereotipada, vista como inferior, não obstante suas contribuições para a cultura nacional, a qual é sincrética.

Portanto, o discurso aparentemente enraizado na fusão dessas lutas contradiz a noção de direitos individuais, na medida em que ela representa a tentativa de impor aos indivíduos uma identidade

---

[84] BRASIL. Constituição Federal. Disponível em: <www.senado.gov.br>. Acesso em: 30 out. 2006.

étnica, a qual pode se sobrepor à identidade nacional. Se eles a aceitarem, tudo bem: terá sido um ato fundamentado na vontade individual. Mas o custo disso seria pôr em risco qualquer novo projeto de nação futuro, já que os brasileiros seriam diferenciados legalmente com base na identidade que resolveram assumir. Ou seja, seria mais difícil construir um alicerce simbólico e material no qual todos pudessem se identificar. E não se está distante dessa situação, pois, ao contrário do que muitos pensam, a defesa de políticas específicas para grupos raciais, no lugar ou em vez da priorização de ações de combate ao racismo e concretização dos preceitos legais universalistas existentes, não é uma idéia fora do lugar: ela encontra eco na tradição corporativista latina, como mostram os desdobramentos de tais lutas ao longo dos anos 1990. Nesse mesmo período, como reflexo da fragmentação da sociedade, o país parece ter ficado sem um projeto de nação: os direitos econômicos, aqui entendidos como o oferecimento, para os cidadãos, de condições idênticas de competição entre si, ficaram mais distantes do alcance dos cidadãos e da capacidade de ação do estado.

3 | AS CORES DO BRASIL ATUAL

Ao longo dos anos 1990, o estado brasileiro perde sua capacidade de investimento e se afasta cada vez mais da economia, seja como empresário, seja como organizador e fomentador da atividade econômica. O aumento dos juros e da carga tributária é o preço a ser pago pela estabilização financeira tardia, mais de dez anos após a crise da dívida. As (justas) exigências sociais impostas pela Carta de 1988 jogam sobre o estado um fardo que ele não é capaz de cumprir em sua plenitude. Tem início uma política social redistributiva, por meio de programas de renda mínima, não sem haver a expansão da rede social, que ainda padece de baixa qualidade.

Mas, como o crescimento econômico é baixo – decorrência dessa conjuntura interna e de um ambiente internacional cada vez mais interconectado e vulnerável aos fluxos de capital e financeiro – a manutenção do ajuste, representado na figura dos juros, e a implantação de políticas compensatórias para os mais pobres reforçam o círculo vicioso marcado pela ciranda da alta carga tributária e do elevado gasto público. Completam a conjuntura, que pode ser chamada de *Pacto de Mediocridade*, o declínio da atividade industrial e a crescente dependência no setor agroexportador, enquanto outras nações de industrialização tardia, notadamente as do Leste Asiático, avançam na sociedade da informação e na economia do conhecimento.

Na primeira década do século XXI, Estado e sociedade mantêm esse pacto, embora a conjuntura externa permita vôos mais ousados. Os investimentos seguem engessados e as políticas redistributivas assumem, sem qualquer pudor, um caráter clientelista, ao melhor estilo corporativista. Isso para não falar na manutenção de juros elevados e no desprezo dado ao setor produtivo, notadamente aquele com maior valor agregado. Sem necessidade, as linhas do ajuste dito "neoliberal" permanecem, agora como parte de uma aliança inédita, que conta com o apoio da chamada "elite", com o pagamento de juros, e das camadas mais populares, incluídas na sociedade de consumo, sem que tenham tido a devida preparação para serem cidadãos de fato e, por isso mesmo, não percebem que a porta que lhes foi aberta para melhorar de vida desemboca numa sala sem saída, a sala do clientelismo. Sem crescimento econômico, o pacto é mantido e o estado de Bem-Estar Social determinado pela Carta de 1988 fica cada vez mais distante, restando, apenas, as soluções focalizadas, de cunho assistencialista.

Nesse mesmo período – desde a segunda metade dos anos 1990 –, o Estado brasileiro passa a assumir, sintomaticamente, um discurso cada vez mais racialista, no sentido de que, para *combater o racismo*, é necessário pôr ênfase sobre o conceito de raça. Trata-se da postura *anti-racista*, explicada no *capítulo 1*, que se contrapõe ao *universalismo* que, conforme visto no capítulo anterior, nunca existiu em sua plenitude no país, onde sempre predominou a concepção *corporativista* da sociedade. O marco do referido discurso é a criação do Grupo de Trabalho Interministerial para a Valorização da População Negra, e do Plano Nacional de Direitos Humanos (PNDH), lançado em 1996, ambos a partir de iniciativa do então presidente da República, o sociólogo Fernando Henrique Cardoso, o mesmo que, na juventude, integrou o grupo acadêmico que desafiou o mito da democracia racial por meio de dados empíricos.

Embora tenha sido uma ação necessária, o PNDH contém diretrizes que apontam claramente para a legitimação das classificações raciais e, por conseqüência, das identidades racializadas. Entre tais medidas, está a "inclusão do quesito cor em todos e quaisquer sistemas de informação e registro sobre a população e bancos de dados públicos", o apoio às "ações da iniciativa privada que realizem a discriminação positiva" e o desenvolvimento de "ações afirmativas para o acesso dos negros aos cursos profissionalizantes, à universidade e às áreas de tecnologia de ponta".[1] Segundo o jornalista e sociólogo Ali Kamel, "a visão do jovem sociólogo, em essência, manteve-se na ação do presidente. Se a desigualdade entre negros e brancos reside em grande medida no racismo, não adianta apenas o esforço de investir na educação dos pobres, negros e brancos, com a intenção de tornar o país mais justo. Começar a investir na educação foi um passo que FHC de fato deu: foi em seu governo que praticamente 100% das crianças começaram a freqüentar a escola. Mas, ao mesmo tempo, FHC deu curso à institucionalização da nação bicolor".[2]

As ações de FHC não são apenas fruto do que o ex-presidente escreveu na juventude. O início da institucionalização da raça foi fruto da mobilização do movimento negro, que começou a se aproximar das massas, na medida em que indivíduos de camadas mais populares começam a ganhar espaço em seus quadros. Tal mobilização ganha força após constatarem que, mesmo após a redemocratização, a situação dos negros (a categoria de análise sociológica originária da soma dos que se declaram pretos com aqueles considerados pardos nas pesquisas) não havia melhorado o suficiente para corrigir as desigualdades. O *gráfico 3.1* mostra a variação do Índice Gini, que mede os níveis de desigualdade, e o Produto Interno Bruto *per capita* (PIB) entre 1981 e 2000. Embora a década de 1980 não seja considerada na análise dos demais indicadores, neste caso as variações ocorridas nela serão mostradas a fim de verificar os efeitos da década perdida nos anos 1990, no que diz respeito à desigualdade social e racial no Brasil, como o fato de que não basta a ação da *mão invisível* para distribuir renda em tempos de prosperidade econômica. O Índice Gini estabelece uma escala de 0 a 1. Quanto maior o índice, maior a desigualdade. No *gráfico 3.1*, porém, uma variação positiva do índice significa um passo em direção a uma sociedade menos desigual.

---

[1] KAMEL, Ali. Op. cit. p. 35.
[2] *Idem*. Op. cit. p. 34.

Variação do Índice Gini e do PIB *per capita*,
em relação ao ano anterior – Brasil, 1981-2000

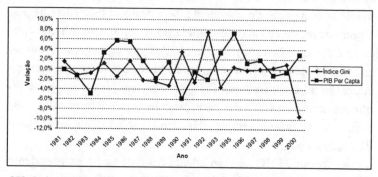

OBS.: Dados não disponíveis para 1994. Para 1991 e 2000, o Índice de Gini foi calculado com base nos censos do IBGE, enquanto nos outros anos foram utilizados dados da PNAD. Considerando os valores em R$ de 2003.

Fonte: PNUD – Programa das Nações Unidas para o Desenvolvimento. *Atlas de Desenvolvimento Humano no Brasil*. Brasília: PNUD, 2004. Disponível em: <www.pnud.org.br>. Acesso em: 20 set. 2004. IPEADATA. *Indicadores Sociais*. Rio de Janeiro: IpeaData, 2004. Disponível em: <www.ipea-data.gov.br>. Acesso em: 20 nov. 2004.

Vide *tabela anexa 1*.

Geralmente, há uma tendência de redução na desigualdade quando o PIB *per capita* cai. Por outro lado, quando esse indicador se recupera ou cresce, a desigualdade não é reduzida na mesma proporção e, em alguns períodos, ela continua a crescer. Há mais variações de ambos os indicadores até 1995, o primeiro ano completo após o início do Plano Real, em 1994, que controlou a inflação. Esta, que teve seu auge nos anos 1980, "(...) é um excelente exemplo de como a desigualdade fomenta uma maior desigualdade. Antes do começo da espiral inflacionária, as aplicações protegidas que permitem uma margem parcial contra a inflação estão distribuídas de maneira desigual entre a população, estando geralmente disponíveis apenas à classe-média e àquelas superiores a ela (...). Quando a inflação ocorre, ela funciona efetivamente como um imposto sobre os indivíduos que não possuíam aquelas aplicações protegidas. Os pobres são os que mais sofrem, porque suas rendas provêm somente dos salários (...) e suas pequenas reservas encontram-se em espécie

(Num contexto de hiperinflação, o dinheiro "desaparece"). A desigualdade persiste".[3]

Apesar da redução dos índices de inflação, que atingiam à época do plano de estabilização financeira cerca de 50% ao mês, bem como dos de crescimento econômico e conseqüente redução da expansão do PIB *per capita*, o *gráfico 3.2* aponta que a desigualdade cresceu ao longo dos anos 1990, particularmente entre brancos. Mas esse grupo apresentou um aumento maior na renda familiar *per capita* (em R$) maior que o dos negros (*Gráfico 3.3*), provavelmente fundamentado naquela ampliação da desigualdade intra-grupo, bem como na extra-grupo.

Gráfico 3.2
Índice Gini – Brasil, 1991 e 2000

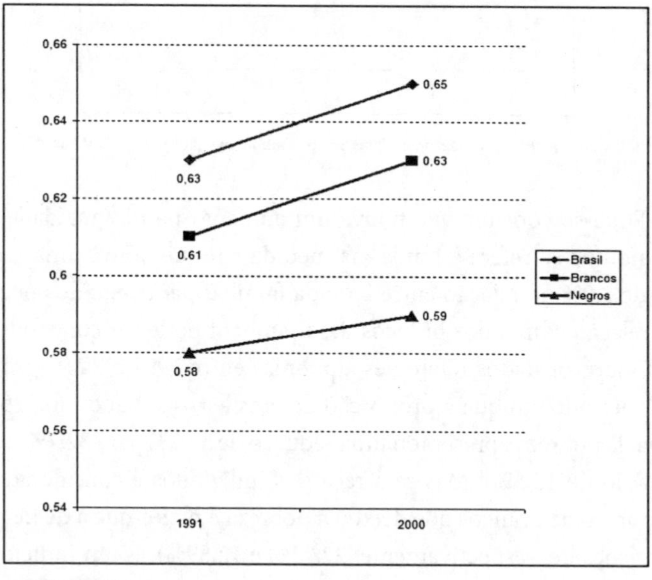

Fonte: IPEADATA. Op. cit.

[3] POWER, Timothy; ROBERTS, J. "A New Brazil? The Changing Sociodemographic Context of Brazilian Democracy." In: POWER, Timothy; KINGSTONE, P. *Democratic Brazil: Actors, Institutions and Processes*. Pittsburgh: University of Pittsburgh Press, 2000, p. 250-251.

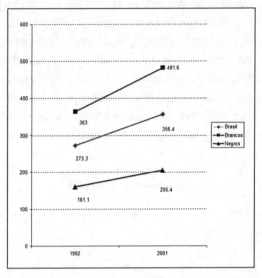

Fonte: IPEA. *Desigualdade Racial: Indicadores Socioeconômicos – Brasil, 1991-2001*. Rio de Janeiro: Ipea, 2004. Cd-Rom.

Pode-se concluir que houve um aumento na desigualdade racial no que se refere à renda, na medida em que houve uma redução de 3,9% na relação entre a renda familiar *per capita* dos negros em relação com a dos brancos. Isso também pode ser concluído se analisados os dados referentes à pobreza entre 1992 e 2001 *(gráfico 3.4)*, período em que a proporção de brasileiros situados abaixo da linha de pobreza apresentou uma redução de 39,2% para 32,7%, uma variação de 16,5%.[4] Mas se a raça dos indivíduos é considerada, a proporção de brancos que deixou a pobreza é maior que a de negros (variações de, respectivamente, 22,23% e 12,89%). É um indício de que, mesmo numa classe social mais baixa, os brancos tiveram mais chances de ascender socialmente no período em questão.

[4] As variações serão expressas em porcentagem e não em pontos percentuais.

Gráfico 3.4
População abaixo da linha de pobreza – Brasil, 1992 e 2001(em %)

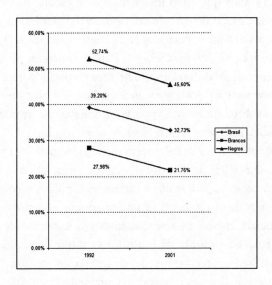

Fonte: IPEA. *Op. cit.*

Gráfico 3.5
Crianças entre 7 e 14 anos matriculadas no Ensino Fundamental – Brasil, 1992 e 2001 (em %)

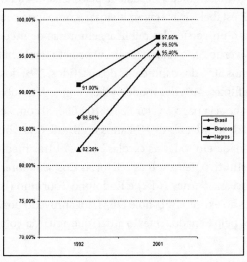

Fonte: IPEA. Op. cit.

Democracia racial, do discurso à realidade | 91

O *gráfico 3.5* mostra o crescimento na proporção de indivíduos entre 7 e 14 anos que estão matriculados na escola. As iniciativas rumo a uma universalização do referido nível de ensino no país beneficiou mais os negros, cuja proporção matriculada nessa faixa etária aumentou de 82,20% para 95,40%. Porém, conforme dito, o Ensino Fundamental foi universalizado no mesmo período, sem que, no entanto, houvesse a devida atenção à qualidade – algo que tende a ser danoso sobretudo aos mais pobres, já que suas oportunidades de ascensão social residem principalmente na educação.

No entanto, em vez de colocarem como principal pauta reivindicatória a universalização do Ensino Médio e o aumento da qualidade da educação como políticas que levariam mais pobres e, conseqüentemente, mais negros para o Ensino Superior, a maioria dos movimentos sociais insistiu na tese das cotas em universidades, sejam elas com base na natureza da instituição em que o candidato cursou a escola básica, sejam as que dependem da autodeclaração racial dele. Inclusive, a discussão chegou ao Congresso Nacional. Segundo Edward Telles, "até março de 2002, 130 projetos de lei que tratavam de questões raciais estavam pendentes", entre eles o polêmico Estatuto da Igualdade Racial (Projeto de Lei 3.198/2000).

A versão original, apresentada pelo senador Paulo Paim (PT-RS) em 2000, estabelecia metas ambiciosas, como uma cota de 20% "para negros em universidades públicas, empresas de médio e de grande porte, governos estaduais e locais. O projeto também estabelece que pelo menos 30% dos candidatos dos partidos, 25% dos atores de televisão ou filmes, 40% dos modelos das campanhas publicitárias sejam negros; que seja pago o valor de R$ 102.000,00 como compensação a todos os descendentes de africanos no Brasil; que a história africana seja ensinada em todas as escolas", entre outras medidas.[5] Um projeto substitutivo, feito sob as relatorias dos senadores César Borges (BA), Roseana Sarney (MA) e Rodolpho Tourinho (BA), então pertencentes ao extinto PFL, hoje DEM, foi aprovado por unanimidade, em 2005, pelo Senado. O texto atual, que aguarda votação na Câma-

[5] *Idem*, p. 81.

ra dos Deputados, é mais modesto, não contando com indenizações aos afro-descendentes, mas estabelecendo cotas em instituições de Ensino Superior federais, conforme a proporção da população negra (pretos mais pardos) na UF onde a unidade de ensino estiver localizada. Ainda segundo o estatuto, produções audiovisuais para a TV e peças publicitárias televisivas e cinematográficas deverão ter pelo menos 20% de atores negros.

Em 2001, ainda sob o governo FHC, o Brasil foi um dos signatários da III Conferência Mundial das Nações Unidas de Combate Ao Racismo, Discriminação Racial, Xenofobia e Intolerância Correlata, realizada em Durban (África do Sul), comprometendo-se a implementar políticas de discriminação positiva. No governo Lula, a institucionalização da raça prosseguiu, com a criação da Secretaria Especial de Promoção de Políticas de Igualdade Racial (Seppir), a qual vem estimulando políticas públicas baseadas em raça. A mais notável delas é fruto da lei 10.639, que determina o ensino da história e da cultura africana e afrobrasileira no Ensino Básico. Uma medida justa, pois preencheria lacunas existentes no currículo escolar, mas que, a julgar pelas primeiras experiências, pode ser implantada de maneira equivocada, como se verá no *capítulo 4*.

Atualmente, além do Estatuto da Igualdade Racial, tramita também no Congresso Nacional a Lei de Cotas (Projeto de Lei 73/1999), que determina que 50% das vagas em instituições públicas federais de Ensino Superior sejam reservadas a egressos de escolas públicas de Ensino Médio. Dentro desse percentual, tal como já estabelece o projeto do Estatuto, deverá ser observada a proporção de pretos, pardos e indígenas em cada unidade da federação, de modo que seja estabelecida uma reserva de vagas para os indivíduos que se declaram pertencentes a essas classificações raciais. Independentemente disso, já há várias experiências em curso no país, seja nas universidades, seja no mercado de trabalho, público ou privado.

Para o sociólogo Demétrio Magnoli, é mais fácil a Lei de Cotas ser aprovada do que o Estatuto, apesar de, a seu ver, ela ser tão grave quanto o Estatuto, uma vez que cria categorias distintas de cidadãos, cada uma com direitos específicos. Ele foi um dos signatários de um manifesto contra o Estatuto da Igualdade Racial, lançado por intelectuais no primeiro semestre de 2006, intitulado *Todos Têm Direitos Iguais na República*. Em reação ao documento, acadêmicos e ativistas que apóiam as políticas racialistas lançaram o *Manifesto em favor da Lei de Cotas e do Estatuto da Igualdade Racial*. Ambos os abaixo-assinados foram encaminhados ao Congresso Nacional.

Em entrevista a nós concedida, Magnoli diz que a reação contra as políticas de preferência racial ganhou uma amplitude importante. "Não fosse essa reação, o Estatuto da Raça e o projeto de cotas já teriam sido aprovados pela Câmara dos Deputados no primeiro semestre de 2006, sem discussão, praticamente, com o voto de lideranças partidárias, sem sequer precisar do voto em plenário, tal como ocorreu no Senado", opina.[6] Ele faz questão de chamar o Estatuto da Igualdade Racial de Estatuto da Raça porque "se o Estatuto é racial, ele não é da igualdade, pois esta nunca é racial. A raça é a diferença". Quanto às políticas de cotas por classe, Magnoli tem uma posição contrária: "Ação afirmativa social não faz sentido. Quando alguém pensa em ação afirmativa social, é mais fácil você pensar nas políticas sociais universais, que são bem antigas, que todo mundo sabe o que é. Não precisa inventar um neologismo para falar que as pessoas precisam ter escola pública, educação, saúde, enfim, um conjunto de direitos sociais, direitos trabalhistas", analisa.

"Por acaso a discussão do Estatuto do Idoso teve algum conflito na sociedade?", pergunta Eliana Custódio, coordenadora da ONG Geledés – Instituto da Mulher Negra –, quando questionada se o aparato jurídico atual já não dá conta do combate à discriminação racial e de efetuar a promoção da igualdade. "A função de qualquer estatuto é assegurar direitos. A partir do momento em que há uma legislação, é mais fácil a gente tentar entrar com uma demanda jurídica", afirma o advogado Thiago Thobias, Coordenador de Políticas Públicas da Educafro, ONG que oferece cursinho pré-vestibular a negros e pobres. Ele acredita que o Estatuto seja necessário, ainda

---

[6] Todas as citações entre aspas que aparecerem sem referência são falas de entrevistas realizadas especialmente para este trabalho.

que não esteja no formato desejado pela comunidade negra. "O projeto está mais orientativo, enquanto, na verdade, deve ser propositivo". Para Thobias, antes de ser aprovado, o Estatuto estará mais maduro, satisfazendo às demandas existentes.

"As leis que existem atualmente não dão conta de atender às demandas da população negra porque são leis de combate ao racismo, simplesmente isso", diz. De fato, conforme visto no *capítulo 2*, racismo é crime no Brasil. "Não existem outras propostas de superação da desigualdade racial. Existem leis, não há projeto político de superação da discriminação racial. O Estatuto, por sua vez, dá essa garantia", afirma Custódio, que também não acredita na possibilidade de que as desigualdades sejam superadas apenas pelas políticas sociais universais. "Elas não atingem um grande número da população negra porque são políticas feitas sem recorte de gênero, sem recorte de raça. É uma política à qual boa parte da população não tem acesso, não tem condições de chegar até o local onde são oferecidas", constata. "Se quisermos trabalhar com o empoderamento [*empowerment*] de um grupo social, você tem de fazer um recorte de gênero e de raça. No Brasil, não há mais condições de fazer políticas públicas sem um recorte de gênero e de raça", defende.

"É falso que as políticas sociais universais não atendam ao conjunto dos grupos com menos renda da sociedade, até porque isso está demonstrado em toda a História", pondera Magnoli. "Entretanto", ressalta, "tais políticas precisam ser conduzidas com vigor. Se você disser que, no Brasil, a simples existência de ensino público e gratuito é uma política social universal, eu digo que é a ruína de uma política social universal. Ele não tem qualidade mínima e, nesse sentido, se distingüe do ensino privado de uma maneira muito óbvia", reconhece. "Com certeza devem-se melhorar as políticas universais", afirma Thobias, para quem, no entanto, elas demoram para apresentar resultados. Assim, conclui, "as ações afirmativas não devem ser implantadas separadamente das políticas universais, tanto é que elas devem ser temporárias, até que aquelas políticas atinjam uma estabilidade".

Fernando Conceição, professor de Comunicação da Universidade Federal da Bahia (UFBA), emprega um argumento similar em defesa das ações afirmativas. "Não é a única maneira, mas, observando experiências em outras partes do mundo, nos parece a maneira mais efetiva de solução a curto e médio prazo para superar o problema da discriminação a que grupos sociais são submetidos por razões de raça ou por razão de classe ou por razão de gênero", justifica. Para ele, não há como separar, no Brasil, a questão social da racial, "pois os negros foram introduzidos como os párias, os objetos a serem explorados, sua mão-de-obra, o seu corpo, a sua mente. Desde os primórdios, se fizermos uma análise de classe, eles constituíram a classe dos invisíveis. Eles são os pobres do país, são os operários do país. Eles são aqueles que nada têm, que nada têm a perder, que nada possuem, além de serem destituídos de sua identidade, de sua autonomia. Eles são, de fato, aqueles que foram colocados no esgoto social."

"Há racismo no Brasil, mas não somos racistas", defende Ali Kamel, autor do livro *Não Somos Racistas: uma Reação aos que nos Querem Tornar uma Nação Bicolor*, no qual rebate com contundência os argumentos favoráveis a políticas de ação afirmativa. "Somos 'classistas', isto é, há um preconceito contra os mais pobres". Para ele, a diferença educacional explica a desigualdade. "Quando isso estiver resolvido, se ainda houver uma discrepância entre a situação de brancos e negros, aí sim se trata de racismo", diz. Porém, Custódio lembra que isso não resolve a situação de quem já cursou o Ensino Básico. "Eu mando essa pessoa de volta à escola, para fazer um Ensino Básico de qualidade, para depois ela voltar e fazer universidade?", questiona.

Eliana Custódio também lembra que tais desigualdades têm, em sua origem, um caráter racial. "As famílias européias que chegavam ao Brasil tinham direito a um pedaço de terra para plantar, enquanto os negros que viviam aqui, que estavam no Brasil, eram escravos, simplesmente jogados às suas próprias sortes", diz, numa referência à política de imigração realizada no bojo do projeto de branqueamento. "O governo ofereceu diversos benefícios a esses imigrantes europeus para atraí-los a nosso país. Eles eram submetidos a olhares desconfiados, por parte de uma certa elite, mas, por outro lado, foram compensados por terem deixado a sua região e terem se implantado em nosso país", analisa o professor Conceição.

"Quando o estado brasileiro estimulou a imigração, ele estava beneficiando os donos das fazendas de café e não os imigrantes, que foram trabalhar nesses locais em condições as mais difíceis", pondera Magnoli. "Chega-se a dizer que o Estado brasileiro criou ações afirmativas a favor dos imigrantes europeus. É a reconstrução completa da História. Isso é negar toda a vasta pesquisa histórica e sociológica sobre as condições de trabalho dos imigrantes, que eram condições de semi-escravidão, o que muitas vezes levou certos governos europeus a proibirem a imigração de seus nacionais para o Brasil", afirma.

Esse é um resumo do debate sobre ações afirmativas no Brasil, que será retomado no *capítulo 5*, com um caráter mais conceitual e empírico. Antes, porém, é necessário analisar indicadores que expressem os atuais níveis de desigualdade sociorracial, além de verificar como os brasileiros se vêem, qual a identidade do povo, para captar com maior precisão os resultados do processo de formação racial no Brasil e compreender por que as diferenças persistem e descobrir quais são os processos históricos que acabaram por estruturá-las. A partir daí, é possível formular as políticas mais adequadas. Mas, em vez dos dados já conhecidos, serão mostrados outros, que detalham a estrutura racial brasileira nos setores que serão alterados pelas ações afirmativas. Afinal, como mostram reiteradas pesquisas, os negros (o grupo formado para fins de análise sociológica, já que, em muitas unidades da federação, a quantidade de pretos e pardos é pequena, de modo que não é possível comparar, separadamente, os indicadores sociais de cada um deles em relação aos brancos) estão em desvantagem em relação aos brancos nos mais diversos indicadores socioeconômicos, entre eles a renda *per capita* familiar, ganhos salariais em uma mesma função e com o mesmo nível de ensino, expectativa de vida e escolaridade média.

Porém, pouco se discute a respeito das oportunidades que brancos e negros possuem quando se encontram numa mesma faixa de renda. Em virtude da ausência de dados referentes a isso, cruzamos, especialmente para este trabalho, dados da Pesquina Nacional por Amostra de Domicílios (PNAD 2002). Nesse ano, já havia programas de ação afirmativa funcionando no país. No entanto, seus resultados ainda não poderiam influenciar de maneira significativa as estatísticas de modo a prejudicar a análise. Foram produzidos indicadores nas áreas de renda e educação, pois são as duas áreas que mais determinam as oportunidades de vida dos indivíduos, e que mais são objeto de estudo quando se fala de desigualdades sociorraciais. Além dos dados da PNAD 2002, será apresentado o Índice de Desenvolvimento Humano Municipal (IDH-M), calculado para o ano 2000, por unidade da federação.

3.1. Distribuição da população negra, IDH e renda

Como mostra o *mapa 3.1*, há maior proporção de negros nos estados que se localizam na porção norte do país. A partir das informações do *capítulo 2*, pode-se concluir que, apesar das migrações internas, a distribuição dos grupos de cor segue uma tendência histórica, determinada pelas características do povoamento de cada região. No Nordeste (Maranhão, Piauí, Ceará, Rio Grande do Norte, Paraíba, Pernambuco, Alagoas, Sergipe e Bahia), o passado agrícola fundamentado na escravidão ecoa no presente com o elevado número de pretos e pardos entre sua população, particularmente na Bahia, onde eles somam 76,91% dos habitantes. Os dados do mapa desmentem o mito de que esse estado é o mais negro do Brasil, pelo menos se for considerado o critério de classificação racial reivindicado por alguns movimentos, que defendem a transposição da categoria analítica negro para a realidade. Roraima, no extremo Norte, reúne entre seus habitantes 81% de pretos e pardos. À primeira vista, porém, essa análise tende a ser prejudicada pelo fato de que, em 2002, a PNAD, na região Norte (Acre, Amapá, Amazonas, Pará, Rondônia, Roraima e Tocantins) ainda não tinha sido feita em áreas rurais, à exceção de Tocantins. Além disso, segundo o próprio IBGE, cerca de 70% da população no Norte vive em áreas urbanas, o que permite a utilização dos dados da PNAD com segurança, caso eles sejam cotejados com processos históricos. Afinal, há indícios suficientes para dizer que a maioria dos "negros" da Amazônia não são de fato negros, no sentido de serem descendentes de africanos. Apesar da migração nordestina para a região, no final do século XIX, conforme visto no *capítulo 2*, é provável que muitos de seus habitantes não tenham ancestralidade africana. O alto número de negros é fruto, sobretudo, do grande número de mestiços de brancos com índios que, assim, não têm qualquer ligação, mesmo em termos culturais, com a suposta negritude da qual compartilhariam pretos e pardos.

Mapa 3.1

População negra – Brasil, 2002 (em %)

Fonte: PNAD - *Pesquisa Nacional por Amostragem Domiciliar 2002*. Rio de Janeiro: IBGE, 2003. Cd-Rom. Vide *tabela anexa 2*

Um dos estados do Norte traz em si a marca da expansão da fronteira agrícola rumo ao oeste brasileiro. Rondônia, limite de tal fronteira e cujo território já fez parte do Mato Grosso, é aquele que, na região, possui o maior percentual de brancos em sua população (35,02%). O Centro-Oeste (Mato Grosso, Mato Grosso do Sul, Goiás e Distrito Federal – DF), que foi o principal destino dos sulistas que buscaram novas áreas para o plantio, tem um número relativamente alto de brancos, ainda que tenha áreas que compõem a Floresta Amazônica. Aliás, no Mato Grosso do Sul, estado mais próximo da região Sul, eles superam os demais grupos de cor (52,33%). Porém, há fortes indícios de que o "branqueamento" do Centro-Oeste tenha começado antes da expansão da fronteira agrícola, tendo provocado, inclusive, impactos maiores do que os movimentos migratórios após 1950. Se, em 1890, a população não-branca de Goiás (que na época também englobava o atual estado do Tocantins, localizado na região Norte) e de Mato Grosso (de cujo território também fazia parte o Mato Grosso do Sul e Rondônia) era de, respectivamente, 66,5% e 70,2%, 50 anos mais tarde havia caído para 41,8% e 45,7%.[7] Uma hipótese para que, atualmente, haja um equilíbrio na proporção de brancos e não-brancos na região é o fato de que muitos nordestinos também migraram para lá nos últimos 50 anos, atraídos pela pujança provocada pela construção de Brasília, na segunda metade da década de 1950.

Voltando ao Nordeste, é interessante notar que Ceará, Rio Grande do Norte, Paraíba, Pernambuco e Alagoas têm relativamente mais brancos do que a Bahia, embora também tenham composto o centro da economia colonial, fundamentada na escravidão. Isso é fruto, entre outros fatores, da colonização holandesa do século XVII, que se estendeu por regiões daqueles cinco primeiros estados. Por outro lado, eles não superam, no que se refere à proporção de brancos, três dos quatro estados do Sudeste (Espírito Santo, Minas Gerais e Rio de Janeiro) que também tiveram suas economias estritamente associadas à escravidão. Embora São Paulo, que integra a região Sudeste, tenha tido uma grande população escrava, o "branqueamento" proporcionado pelos imigrantes europeus atuou ali de tal forma que fez com que sua estrutura racial atual se assemelhasse mais à do Sul do país (Paraná, Rio Grande do Sul e Santa Catarina). Neste último estado, há a menor proporção de negros no país. Apenas 10,49% da população se declara preta ou parda.

Assim, a distribuição da população negra pelo Brasil mostra que cotas, se existirem, devem levar em conta a composição populacional do estado. Não faz sentido, por exemplo, ter uma cota de 20% em Santa Catarina, tal como previa o Estatuto da Igualdade Racial. Disso, pode-se derivar a primeira conclusão desta análise: *as políticas de correção das desigualdades socirraciais devem considerar a composição populacional de cada unidade da federação (UF), o que*

[7] HASENBALG, Carlos. Op. cit. p. 288.

não é apenas aplicável à existência de cotas, mas também a qualquer outra política pública que eventualmente venha a ser aplicada.

Outro fato a observar é que a maioria da população negra (reitero, como categoria analítica) vive nas regiões com menor desenvolvimento econômico e, conseqüentemente, com condições sociais mais desfavoráveis. Os *mapas 3.2* e *3.3* mostram o Índice de Desenvolvimento Humano Municipal (IDH-M) registrado em cada UF, no ano de 2000, para cada grupo de cor. Especificamente para esse indicador, não foi possível obter dados sobre 2002. O IDH-M, medido em cada município brasileiro, combina indicadores socioeconômicos, como PIB *per capita*, expectativa de vida e alfabetização. O *mapa 3.2* indica que há quatro UFs com IDH-M alto (de 0,800 até 1, valor máximo que o índice pode atingir): Distrito Federal, Rio Grande do Sul, São Paulo e Santa Catarina.

Mapa 3.2
IDH-M Geral – Brasil, 2000

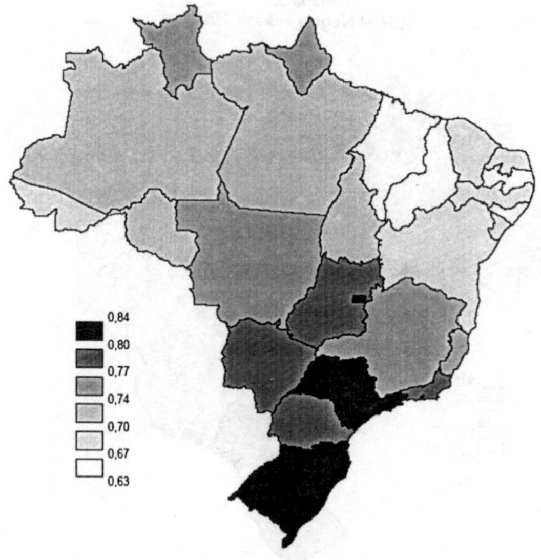

■	0,84
■	0,80
■	0,77
■	0,74
■	0,70
■	0,67
□	0,63

Fonte: PNUD. Op. cit. Vide *tabela anexa 3*.

Mapa 3.3
IDH-M Brancos – Brasil, 2002

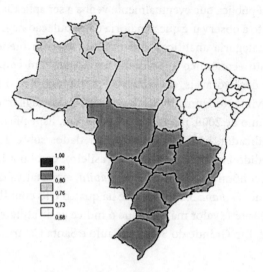

Fonte: PNUD. Op. cit. Vide *tabela anexa 3*.

Mapa 3.4
IDH-M Negros – Brasil, 2002

Fonte: PNUD. Op. cit. Vide *tabela anexa 3*.

Fonte: PNUD. Op. cit. Vide *tabela anexa 3*.

Porém, como o *mapa 3.3* mostra, se considerados apenas os brancos, esse clube ganha outros sete membros. Nota-se que, mesmo nas UFs onde os brancos possuem IDH-M alto, os negros não atingem o mesmo patamar, permanecendo em desvantagem, ou seja, apenas no IDH-M médio (entre 0,500 e 0,799) – pelo menos nenhuma UF possui IDH-M baixo (entre 0 e 0,499). Porém, no geral, as diferenças entre os dois grupos, como mostra o *mapa 3.5*, não são tão grandes. Por exemplo: no Pará, a relação entre o IDH-M de um negro e de um branco é 0,92. Esse estado, como será visto adiante, também é um dos que tem menor diferença na proporção de pessoas brancas e negras pertencentes à faixa de renda *per capita* familiar entre três e vinte salários mínimos. Relevante destacar que, em virtude das características do IDH-M – que, como no caso da educação, não necessariamente avalia a qualidade das políticas, mas sua abrangência –, não se pode dizer que mesmo os estados com índice alto oferecem serviços públicos de qualidade. A situação mais grave está nos estados do Nordeste, sendo que em quatro deles (Maranhão, Piauí, Paraíba e Alagoas) os negros têm IDH-M inferior a 0,65.

Gráfico 3.6
Evolução do IDH-M – Brasil, 1991 e 2000

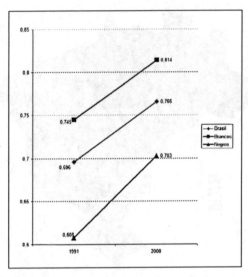

Fonte: PNUD. Op. cit.

Considerando o país como um todo (*gráfico 3.6*), os negros apresentaram uma evolução maior do IDH-M que os brancos durante os anos 1990. No entanto, ressalta-se que a situação está muito longe de ser satisfatória. Uma das razões para o relativo crescimento na qualidade de vida da população negra durante os anos 1990 é que, apesar do crescimento da diferença entre a renda familiar *per capita* desse grupo e a dos brancos, boa parte dos direitos sociais estabelecidos pela Constituição de 1988 é de responsabilidade de estados e municípios, esferas administrativas mais próximas da população e que, portanto, acabam sendo mais precisas ao aplicar as verbas, pois têm mais chances de conhecer as especificidades locais. Embora tais direitos ainda não sejam oferecidos plenamente, mais cidadãos passaram a usufruí-los nos anos 1990. Assim, chega-se à segunda conclusão desta análise: *a melhoria das políticas públicas universais acaba por beneficiar a população mais pobre e, conseqüentemente, os pretos e pardos, que perfazem a maioria das classes menos favorecidas.*

Mas, não havendo qualidade nos serviços públicos, a renda passa a atuar como um determinante ainda mais forte nas oportunidades de vida dos indivíduos. Essa é a terceira conclusão advinda da análise. Nesta e na próxima seção, está o desenvolvimento do raciocínio que conduziu a ela. Vejamos primeiro os dados referentes à renda. Segundo um estudo do Instituto de Pesquisa Econômica Aplicada (Ipea), intitulado *Desigualdade Racial: Indicadores Socioeconômicos – Brasil, 1991-2001*, "especificamente, os negros representam 69% dos 10% mais pobres da população em 2001, enquanto entre o centésimo mais rico da renda nacional somente 8% da população é negra"[8]. Além disso, "se considerarmos a razão entre as rendas apropriadas pelos 10% mais ricos e as apropriadas pelos 40% mais pobres (...), podemos notar que esta razão é da ordem de 24 vezes para o Brasil como um todo em 2001. Para a população branca, esta razão é de 21 vezes, e podemos dizer que os brasileiros negros ricos (10% mais ricos) são 16 vezes mais ricos que os brasileiros negros pobres (40% mais pobres). Essa comparação demonstra que a estrutura interna da distribuição de renda dos negros é mais justa que a dos brancos. Em 1992, pôde-se observar que o Brasil era menos desigual: a razão entre os 10% mais ricos e os 40% mais pobres era cerca de 22 vezes para o conjunto do país. Os brancos eram mais desiguais que os negros, em torno de 16 vezes para os negros e 19 vezes para os brancos"[9]. Esses são indícios de quê, em média, os negros mais ricos têm uma renda menor que a dos brancos na mesma situação. Por outro lado, os dados também sugerem que brancos pobres têm renda tão baixa quanto a dos negros de mesmo nível social.

[8] IPEA. Op. cit.
[9] *Idem.*

Distribuição de brancos e negros pelos décimos de renda – Brasil, 2002 (em %)

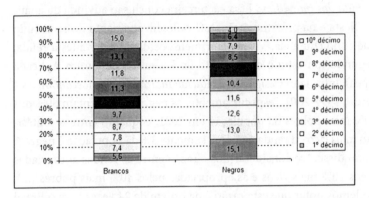

Fonte: IPEA. Op. cit.

Tais observações são corroboradas por dados referentes à distribuição dos grupos de cor pelos décimos de população distribuídos conforme a renda (*gráfico 3.7*). Enquanto 15% dos brancos estão no décimo nível mais rico, apenas 4% dos negros situam-se nesse nível. Por outro lado, 5,6% estão no décimo mais inferior, contra 15% dos pretos e pardos. Uma observação também relevante é que o percentual de negros nos quatro décimos superiores é idêntico ao de brancos nos dois mais elevados, sendo que metade desse grupo se localiza nesses quatro decis. Ou seja, conforme já foi constatado por diversos estudos, há mais brancos abastados do que negros nessa condição.

Daqui por diante, a análise vai ser concentrada sobre os indivíduos com renda familiar *per capita* entre três e vinte salários mínimos. Esse conjunto será chamado de *classe média,* e será verificada a proporção de pessoas brancas e negras localizada nele. Ressalta-se que, em 2002, ano ao qual se referem os dados, o salário mínimo era de R$ 200,00. O *mapa 3.6* mostra o percentual, em cada UF, de indívíduos que estão na classe média. Percebe-se que ele é maior no Centro-Sul e bastante baixo, em comparação à população regional, no Nordeste.

Fonte: PNAD. Op. cit. Vide *tabela anexa 4*.

Como mostra o *mapa 3.8*, a UF com maior proporção de negros de classe média é o Distrito Federal (16,33%), o que corrobora a hipótese de que o serviço público propiciou a alguns negros a possibilidade de ascensão social, ainda que eles não tivessem altos níveis de escolaridade. Afinal, é conhecido que, em ocupações que demandam pouca qualificação, as médias salariais nesse setor são mais elevadas que nos demais. Mesmo assim, o serviço público proporcionou mais oportunidades aos brancos: 36,36% dos indivíduos desse grupo, que residem naquela UF, são de classe média. Interessante notar que justamente no DF e no RJ, que também possui uma proporção considerável de pretos e pardos na classe média (7,26%), tiveram início os programas de cotas raciais em universidades públicas, na Universidade do Estado do Rio de Janeiro (UERJ), no vestibular 2002, e na Universidade de Brasília (UnB), no vestibular 2004.

Mapa 3.7
Proporção de brancos que estão na classe média – Brasil, 2002 (em %)

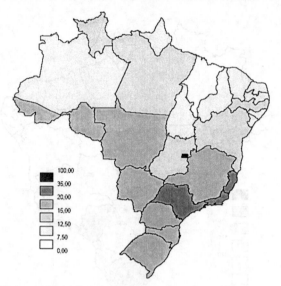

Fonte: PNAD. Op. cit. Vide *tabela anexa 4*.

Mapa 3.8
Proporção de negros que estão na classe média – Brasil, 2002 (em %)

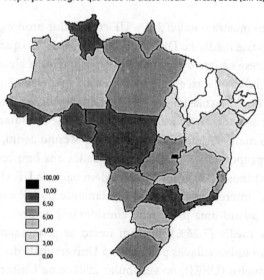

Fonte: PNAD. Op. cit. Vide *tabela anexa 4*.

Mapa 3.9
Relação entre a proporção de negros que estão na classe média
e a proporção de brancos que estão na classe média – Brasil, 2002

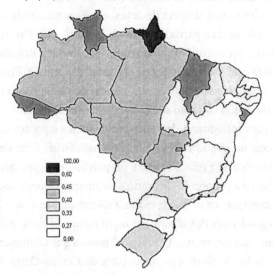

■	100,00
▨	0,60
▨	0,45
▨	0,40
▨	0,33
▨	0,27
□	0,00

Fonte: PNAD. Op. cit. Vide *tabela anexa 4*.

Mapa 3.10
Relação entre a parcela da classe média que é composta por negros e a parcela
da populaçao que é composta por negros – Brasil, 2002

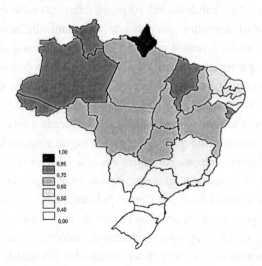

■	1,00
▨	0,85
▨	0,70
▨	0,60
▨	0,50
▨	0,40
□	0,00

Fonte: PNAD. Op. cit. Vide *tabela anexa 4*.

Além do Distrito Federal, a classe média negra é forte em estados do Norte, Centro-Oeste (no Mato Grosso, cuja universidade estadual adotou um sistema de cotas, ela é representada por 7,39% da população preta e parda), no Rio de Janeiro e São Paulo, dois dos principais centros econômicos do país. Tal como em Brasília, a classe média preta está muito aquém da classe média branca. Porém, tanto esta como aquela são relativamente fracas nos estados do Nordeste, em virtude da má situação socioeconômica dessa região.

Mas para mensurar a desvantagem de pretos e pardos em relação aos brancos, no que se refere à presença na referida faixa de renda, é necessário calcular a relação entre a proporção de negros que estão na classe média e a proporção de brancos na mesma camada socioeconômica. Quanto menor o índice, maior a diferença, isto é, *um indício de que é, no geral, mais difícil para um negro entrar na classe média, comparativamente a um branco*. O *mapa 3.9* mostra que tal diferença é menor nos estados do Norte e na maior parte do Centro-Oeste, regiões de maioria parda. Por outro lado, há estados do Nordeste, com uma classe média total pequena, como Piauí e Ceará, que estão na quarta-faixa (0,33-0,40), ao lado de estados nos quais haveria, segundo o senso comum, uma maior discriminação contra negros (pretos e pardos), como São Paulo e Rio Grande do Sul. As piores diferenças estão em Alagoas e Santa Catarina, estados com perfis raciais bastante distintos, o que indica, no primeiro – onde a maioria é negra –, a existência de barreiras históricas que remetem aos tempos coloniais, como a concentração de riqueza em um grupo praticamente fechado, enquanto, no segundo, os imigrantes tiveram melhores condições de competitividade.

Porém, a análise só fica completa se verificada a relação entre *a parcela da classe média que é composta por negros e a parcela da população total que é composta por negros, em cada UF*. Novamente, *quanto menor o índice, maior a diferença, ou seja, mais negros estão fora da classe média* (*mapa 3.10*). No Centro-Sul (Sul, Sudeste e Centro-Oeste, mais especificamente no Mato Grosso do Sul), a dissimilaridade é maior, sugerindo que, proporcionalmente, a maioria dos negros esteja nas classes mais baixas, independentemente das dificuldades de entrada na classe média, em comparação aos brancos. Uma das hipóteses para que isso ocorra são as vantagens comparativas que estes últimos, a maioria descendentes de imigrantes, tiveram nos estados do Sul e em São Paulo, de modo a conquistar melhores postos no mercado de trabalho. Já nos estados mais ao norte, devido à elevada proporção de negros em geral, estes estão em maior presença na classe média, ainda que tal presença não seja proporcional à sua participação na população, o que indica, mais uma vez, a existência de barreiras estruturais, embora em menor escala que no Centro-Sul.

Tais barreiras, porém, parecem ser menores no Norte: todos os estados da região atingiram índice superior a 0,60, algo que não ocorreu com o Nordeste, também de maioria negra. Ressalta-se, porém, que os estados nordestinos com maior proporção de negros (Maranhão, Piauí, Sergipe e Bahia) foram os que atingiram, na região, índice maior que 0,60. Não obstante as barreiras históricas para a ascensão, pretos e pardos dessas unidades da federação acabaram, em termos proporcionais a sua presença nas respectivas populações desses estados, a ter mais chances de entrar na pequena classe média local, a qual é inferior a 6% da população total. Já as razões para a performance do Norte nesse quesito podem estar na história da região: sem a forte herança da escravidão e mais distantes do fenótipo africano, os mestiços do Norte – muitos dos quais de origem predominantemente indígena –, devem ter sofrido menor discriminação e acabaram possuindo melhores oportunidades de ascensão. Nessa região, porém, a PNAD 2002 não foi às zonas rurais de seis estados, o que, à primeira vista, prejudica a análise. Porém, em Tocantins, único estado para o qual há dados de áreas rurais, o índice em questão é elevado (0,61), um indício de que as conclusões citadas sejam válidas.

Considerando o país inteiro, a relação entre a parcela da classe média que é composta por negros e a parcela da população total composta por negros é de 0,50. O *gráfico 3.8* compara a composição da classe média, que representa 11,11% da população do país. Já que se trata de uma análise em nível nacional, a representação de pretos e pardos na PNAD permite que os números dessas categorias sejam apresentados separadamente. Ressalta-se que a categoria Outros resulta da soma de indígenas e amarelos (orientais e descendentes de orientais), grupos nos quais, mesmo nacionalmente, há poucos entrevistados na PNAD, o que dá margem a possíveis distorções em análises comparativas. Cerca de 65% da categoria Outros são compostos por amarelos, enquanto o restante do grupo é resultante de indígenas, principalmente moradores de cidades, já que, conforme dito, em seis de sete estados da região Norte, onde se concentra a maior parte dos índios, a PNAD abrangia, em 2002, apenas as áreas urbanas. Nota-se que a proporção de Outros na classe média é superior ao dobro dela na população, o que indica maiores possibilidades de ascensão entre os amarelos – algo que será discutido em mais detalhes ainda neste capítulo.

Gráfico 3.8

Composição da população e composição da classe média, por raça – Brasil, 2002 (em %)*

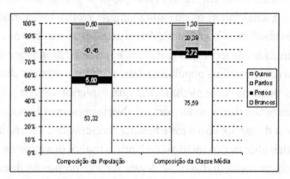

*Assim como nos gráficos seguintes, a categoria Outros resulta da soma de amarelos e indígenas.
Fonte: PNAD. Op. cit.

Gráfico 3.9

Proporção da população que está na classe média, por raça – Brasil, 2002 (em %)

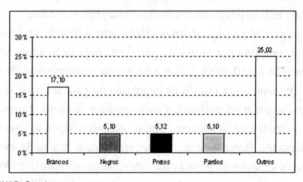

Fonte: PNAD. Op. cit.

As melhores oportunidades de ascensão para os amarelos – inclusive mesmo em relação aos brancos – ficam claras no *gráfico 3.9*, que exibe os percentuais de cada grupo que possuem renda per capita familiar entre três e 20 salários mínimos. Enquanto 25% de Outros estão nessa faixa, chamada de classe média, a proporção de brancos com a referida renda é de 17%, contra cerca de 5% de pretos e pardos, mesmo quando não-reunidos na mesma categoria analítica (negros). No Brasil todo, a relação entre a proporção de negros que estão na classe média e a proporção de brancos que se encontram no mesmo nível social é 0,30. Isso significa que, para cada três brancos na classe média, há um preto ou pardo nessa mesma faixa.

3.2. Limitações no acesso à educação

Na seção anterior, foi mencionado que as desigualdades de renda entre brancos e negros teriam origem em vantagens comparativas adquiridas pelo primeiro grupo. Uma dessas vantagens são índices de escolaridade mais elevados. Mas atualmente, o pêndulo da educação continua a pender para os mais abastados, em sua maioria indivíduos que se declaram brancos. Conforme visto, o Ensino Fundamental está quase universalizado para as crianças de 7 a 14 anos. E quanto aos Ensinos Médio e Superior? Eles atendem a boa parte da população que está na faixa etária de seu público-alvo, respectivamente entre 14 e 18 anos e entre 17 e 25 anos? Ou, se não atendem a muitos estudantes, aqueles alunos assistidos reproduzem, em termos proporcionais, a estrutura racial do país?

Gráfico 3.10

Composição das populações entre 14 e 18 anos e entre 17 e 25 anos e da dos alunos dos Ensinos Médio e Superior nas mesmas faixas etárias – Brasil, 2002 (em %)

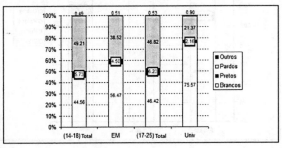

Fonte: PNAD. Op. cit.

O *gráfico 3.10* mostra que não. Há uma proporção maior de brancos das referidas faixas etárias cursando os Ensinos Médio e Superior do que na sociedade como um todo, indicando uma clara desvantagem dos negros, principalmente na passagem da escola secundária para a universidade. Dos 29,69% de jovens entre 14 e 18 anos que cursam o Ensino Médio no país, 56,47% são brancos, uma diferença de 12 pontos percentuais em relação à participação deles na população brasileira dessa faixa etária. Já no Ensino Superior, a vantagem dos brancos é ainda maior, pois, do total de 8,55% de jovens entre 17 e 25 anos que estão nesse nível de ensino, 75,57% declaram ter essa cor. Para a população negra, há um gargalo considerável entre o Ensino Médio e o Superior, pois a proporção de pretos e pardos no primeiro não é tão diferente daquela verificada na população. Tal gargalo é explicável se for considerada a natureza da instituição em que o estudante cursa o Ensino Médio. A maioria dos estudantes de escolas privadas é composta por brancos. Mesmo os colégios públicos têm uma ligeira maioria de brancos, mas a proporção é menor do que a presença desse grupo entre o total de pessoas de 14 a 18 anos que cursam o Ensino Médio (*gráfico 3.11*).

Gráfico 3.11
Proporção de alunos de Ensino Médio entre 14 e 18 anos em escolas públicas e privadas – Brasil 2002 (em %)

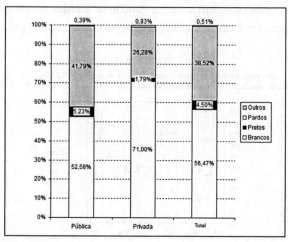

Fonte: PNAD. Op. cit.

Gráfico 3.12

Proporção de alunos de Ensino Médio entre 14 e 18 anos, segundo o tipo de escola e a raça
– Brasil 2002 (em %)

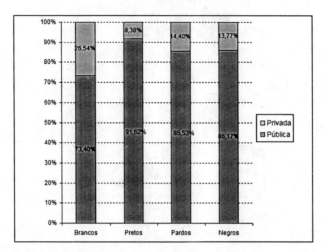

Fonte: PNAD. Op. cit.

Mapa 3.11

Proporção de jovens entre 14 e 18 anos no Ensino Médio – Brasil, 2002 (em %)

Fonte: PNAD. Op. cit. Vide *tabela anexa 5*.

Mapa 3.12

Proporção de jovens brancos entre 14 e 18 anos no Ensino Médio – Brasil, 2002 (em %)

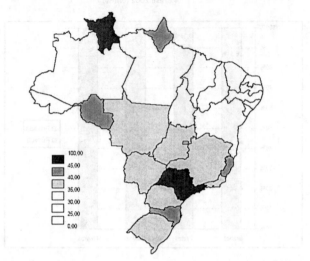

Fonte: PNAD. Op. cit. Vide *tabela anexa 5*.

Mapa 3.13

Proporção de jovens negros entre 14 e 18 anos no Ensino Médio – Brasil, 2002 (em %)

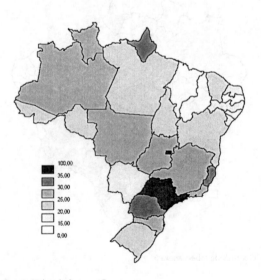

Fonte: PNAD. Op. cit. Vide *tabela anexa 5*.

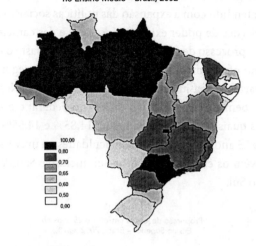

100,00
0,80
0,70
0,65
0,60
0,50
0,00

Fonte: PNAD. Op. cit. Vide *tabela anexa 5*.

Porém, nota-se que há mais pardos (14,40%) do que pretos
(8,38%) nas escolas privadas, sugerindo uma diferença entre os indivíduos dessas duas categorias que, para fins de análise, são quase
sempre agrupadas. Os mapas *3.11* a *3.14* revelam a realidade dos estudantes de Ensino Médio da faixa etária considerada em cada uma
das UFs brasileiras.

O estado com maior proporção de jovens, sejam eles brancos,
sejam eles negros, no Ensino Médio, é São Paulo (com índices de,
respectivamente, 46,67% e 37,96%). No total, 44,09% dos jovens
paulistas de 14 a 18 anos estão nesse nível de ensino. Tal como
na proporção de indivíduos de classe média, em nenhuma UF
os negros superam os brancos. O *mapa 3.14*, por sua vez, exibe
diferenças no atendimento à população negra em estados em que
ela se encontra em elevadas proporções. Pelo menos nas áreas
urbanas do Amazonas e do Pará – já que, conforme dito, a PNAD
2002 não foi às zonas rurais desses estados –, a relação entre a
proporção de estudantes brancos e negros é maior do que em
qualquer UF do Nordeste.

Isso significa que não basta haver um grande contingente de determinado grupo numa região para, automaticamente, ele passar a ser mais atendido com a expansão das políticas sociais. Tudo depende das relações de poder existentes no local e das características regionais do processo de formação racial. Mas não basta o estado estar à frente no oferecimento de Ensino Médio para assegurar o acesso de boa parte de sua juventude ao Ensino Superior. Nesse nível, as UFs mais bem posicionadas são o Distrito Federal e o Rio Grande do Sul, os quais têm, respectivamente, 14,85% e 14,55% dos jovens entre 17 e 25 anos matriculados em faculdades ou universidades. Em seguida, vêm os estados do Centro-Sul, inclusive São Paulo e Mato Grosso do Sul.

Mapa 3.15

Proporção de jovens entre 17 e 25 anos no
Ensino Superior – Brasil, 2002 (em %)

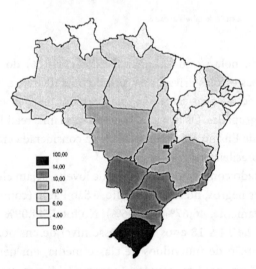

Fonte: PNAD. Op. cit. Vide *tabela anexa 6.*

Mapa 3.16
Proporção de jovens brancos entre 17 e 25 anos no Ensino Superior – Brasil, 2002 (em %)

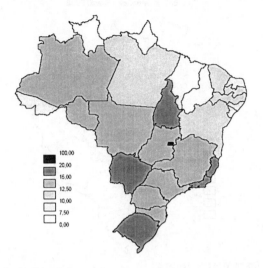

Fonte: PNAD. Op. cit. Vide *tabela anexa 6*.

Mapa 3.17
Proporção de jovens negros entre 17 e 25 anos no Ensino Superior – Brasil, 2002 (em %)

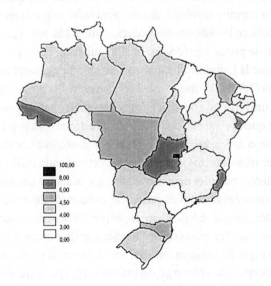

Fonte: PNAD. Op. cit. Vide *tabela anexa 6*.

Democracia racial, do discurso à realidade | 119

Mapa 3.18

Relação entre a proporção de jovens negros e brancos, de 17 a 25 anos,
no Ensino Superior – Brasil, 2002

Fonte: PNAD. Op. cit. Vide *tabela anexa 6*.

No entanto, quando a população é segmentada por raça, nota-se que há desigualdade no atendimento. Em São Paulo, por exemplo, enquanto 13,96% dos brancos estão no Ensino Superior, apenas 2,78% dos negros cursam universidades ou faculdades, um dos menores índices do país, ao lado de estados pobres, como o Maranhão. Lá, há apenas 2,66% de pretos e pardos no Ensino Superior. Porém, é relevante destacar que lá tampouco os brancos são atendidos numa proporção satisfatória (5,93%), de modo que a relação entre brancos e negros que cursam a universidade nessa UF é uma das mais altas do país.

Nesse quesito, São Paulo fica ao lado de estados com população negra enorme, como notadamente a Bahia, o que reforça a tese de que não basta haver muitos pretos e pardos numa determinada região para que eles conquistem posições mais elevadas na sociedade. O que importa é a rigidez das relações verticais na sociedade, as quais são determinadas por fatores históricos que independem da proporção dos grupos de cor. Assim, pode-se concluir que as conseqüências negativas que recaem sobre a população negra têm origem em arranjos distintos: na Bahia, por exemplo, na forte oposição entre o grupo branco e o grupo negro, em termos culturais e econômicos; em São Paulo, novamente, nas vantagens adquiridas pelos grupos de imigrantes. Também há outros problemas: embora seja o estado mais rico, o ensino público em São Paulo fica aquém do desejável. Prova disso é que o desempenho dos alunos do sistema de ensino público paulista nas últimas avaliações nacionais promovidas pelo Ministério da Educação não foi suficiente para que São Paulo ficasse entre os cinco estados cujos estudantes tiveram melhor performance.

Gráfico 3.13

Proporção de alunos de Ensino Superior em instituições públicas e privadas – Brasil 2002 (em %)

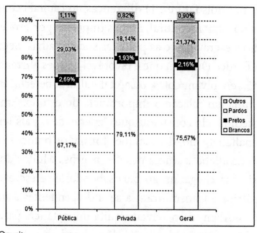

Fonte: PNAD. Op. cit.

Gráfico 3.14

Distribuição dos alunos de Ensino Superior segundo o tipo de instituição – Brasil, 2002 (em %)

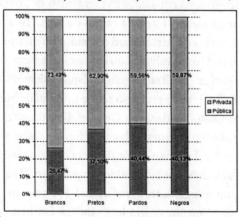

Fonte: PNAD. Op. cit.

Democracia racial, do discurso à realidade | 121

O *gráfico 3.13* mostra que, tanto nas instituições públicas quanto nas particulares, os alunos brancos são maioria. Porém, a proporção de pretos e pardos entre 17 e 25 anos que estão no nível superior e cursam universidades públicas é maior que a de brancos com o mesmo perfil (*gráfico 3.14*). A parcela de pretos e pardos que consegue chegar ao Ensino Superior é mais dependente do ensino gratuito do que os brancos na mesma situação, pois, conforme visto, proporcionalmente há menos negros nas classes mais abastadas.

No geral, em todo o país, as diferenças apresentadas podem ser explicadas por dois fatores: 1) diferenças no capital econômico e 2) diferenças no capital cultural, ambas impostas por processos históricos, como a escravidão e as políticas sociais falhas. Segundo a antropóloga Eunice Durhan, que é favorável a ações afirmativas, desde que elas não envolvam cotas, o capital cultural determina a percepção da família em relação à importância do estudo. Em entrevista a nós concedida, ela constatou que, "apesar de o país ter tido altas taxas de analfabetismo, de qualquer forma, os brancos começaram o processo de alfabetização antes dos negros". Muitos dos imigrantes, inclusive, já chegaram ao país sabendo ler e escrever em seus idiomas pátrios e transmitiram a seus descendentes a importância da educação. Além disso, davam muita importância para a família: "Uma família muito unida, muito disciplinada, é extremamente essencial para a educação dos filhos", diz.

Já os negros, recém-saídos da escravidão, não tiveram tempo para se adaptar da mesma forma às regras do jogo. "Nos Estados Unidos, os negros vindos da África eram mantidos no mesmo grupo familiar. No Brasil, eles [os envolvidos no comércio de escravos] simplesmente separavam as famílias, causando danos psicológicos irreversíveis. Nesse sentido, era um processo sem o mínimo de humanidade", afirma Eliana Custódio, da ONG Geledés. Destaca-se que, ainda que as famílias tivessem sido mantidas, teria havido conseqüências danosas, dado o caráter desumanizador da escravidão, a qual corrói a humanidade dos indivíduos submetidos ao cativeiro. "Depois da abolição, eles estavam na agricultura tradicional. Por que um trabalhador tradicional rural no Brasil iria ler?", indaga Durhan, lembrando que, até a metade do século XX, as atividades desenvolvidas nesse meio exigiam apenas trabalho manual. De acordo com a antropóloga, apenas a partir da industrialização do país, é que a educação tornou-se necessária para ingressar no mercado de trabalho. Mas, quando os negros migraram para a cidade, fizeram-no de forma desestruturada, indo morar em condições precárias. "Isso agravou a sua situação sob o ponto de vista familiar. Numa família desorganizada, as crianças ficam sem apoio, tendo que se virar sozinhas", analisa. Assim, como conclui o já citado estudo sobre desigualdades sociorraciais feito pelo Ipea, "pode-se dizer que os diferenciais raciais refletem discriminação no passado, mas não no presente. Segundo essa visão, alunos negros viriam de famílias mais pobres e seus pais teriam níveis de instrução menores que os pais de alunos brancos. Desse modo, os diferenciais observados refletiriam não a discriminação racial e sim a mera reprodução das desigualdades de classe".[10]

No entanto, Carlos Hasenbalg lembra que "nascer negro ou mulato no Brasil normalmente significa nascer em famílias de baixo *status*. As probabilidades de fugir às limitações ligadas a uma posição social baixa são consideravelmente menores para os não-brancos que para os brancos de mesma origem social. Em comparação com os brancos, os não-brancos sofrem uma desvantagem competitiva em todas as fases do processo de transmissão de *status*. Devido aos efeitos de práticas discriminatórias sutis e de mecanismos racistas mais gerais, os não-brancos têm oportunidades educacionais mais limitadas do que os brancos de mesma origem social. Por sua vez, as realizações educacionais dos negros e mulatos são traduzidas em ganhos ocupacionais e de renda proporcionalmente menores que os dos brancos".[11]

"O problema está basicamente em romper o círculo vicioso da negritude e da pobreza. E boa parte desse preconceito se manifesta no mercado de trabalho. Se não melhorar a renda, nós vamos continuar a ter uma defasagem educacional", argumenta Durhan. Como ela explica,

---

[10] *Idem.*
[11] HASENBALG, Carlos. Op. cit. p. 230.

"o preconceito funciona através de mecanismos psicológicos muito predatórios, gerando problemas na auto-estima. E esse problema poderia ser superado ou pelo menos minimizado na escola. E não há uma ação dirigida para esse problema. O preconceito na escola, especialmente entre as crianças, ocorre freqüentemente entre os alunos. O aluno não é só vítima de preconceito na escola, mas, freqüentemente, aprende na escola a absorver o preconceito também. Seja o negro pobre ou rico, ele tem mais dificuldade que os brancos", argumenta.

Tabela 3.1

População entre 17 e 25 anos na sociedade e no Ensino Superior – Brasil, 2002

Renda familiar per capita	Brancos		Pardos		Pretos	
	Total	Universidade	Total	Universidade	Total	Universidade
Até 1SM	35,50%	60,15%	56,86%	35,65%	7,16%	2,93%
1SM-2SM	54,83%	67,41%	38,71%	28,53%	6,08%	3,32%
2SM-3SM	64,33%	74,78%	30,58%	22,45%	4,40%	2,27%
3SM-5SM	71,32%	78,57%	25,19%	19,13%	2,71%	1,72%
5SM-10SM	78,86%	82,40%	17,73%	14,62%	2,08%	1,62%
10SM-20SM	85,81%	86,87%	11,54%	10,02%	1,86%	1,43%
Total	46,42%	75,57%	46,82%	21,37%	6,23%	2,16%

Fonte: PNAD. Op. cit.

Ou seja – contrariando em parte as conclusões do Ipea –, a desigualdade, ainda que em pequena medida, é influenciada pela discriminação atual. De fato, a *tabela 3.1.* mostra que, nas universidades, a proporção de pretos e pardos entre 17 e 25 de todas as faixas de renda familiar *per capita* é menor que aquela encontrada na sociedade como um todo.

Enquanto os brancos perfazem 35,50% da população na faixa de até um salário mínimo de renda familiar *per capita*, na universidade eles são 60,15% dos estudantes com esse nível socioeconômico. O *gráfico 3.15* deixa essas diferenças ainda mais evidentes. A relação entre as proporções de pretos, pardos e da soma de ambos os grupos na categoria negros pertencentes à referida faixa de renda, e os indivíduos com as mesmas características na universidade, é baixa, sendo pior para os pretos (0,41). Isso mostra que estes têm mais desvantagens que os pardos, que registram 0,63. Apenas nas faixas mais elevadas de renda, as condições dos grupos se igualam, mas nenhum dos dois atinge o índice 1, que indicaria a mesma proporção de pessoas de determinada faixa na universidade e na sociedade. Ressalta-se que o índice pode não captar um processo real com exata precisão, na medida em que, nos níveis elevados de renda, a amostra da PNAD é pequena, havendo, provavelmente, uma maior margem de erro.

Gráfico 3.15

Relação entre pardos, pretos e ambos, de 17 a 25 anos, no Ensino Superior e na sociedade, por renda familiar *per capita* – Brasil, 2002

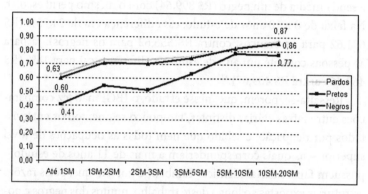

Fonte: PNAD. Op. cit. Veja *tabela anexa 7*.

Eis, portanto, a quarta conclusão desta análise: *independentemente da renda do indivíduo e, por conseqüência, das conquistas advindas do poder econômico, há fortes indícios de que a raça continua a ser um fator de diferenciação, no sentido de o indivíduo ser discriminado ou sofrer outras conseqüências negativas da vida apenas, em virtude da raça.* Porém, qual o peso da raça nas oportunidades de vida de uma pessoa? Hasenbalg constatou, em estudo apresentado em seu livro mais conhecido, que, "(...) no que se refere ao processo de realização educacional, a instrução e a ocupação do pai são os preditores mais importantes, vindo a raça em terceiro lugar. O sexo tem um peso insignificante na explicação da variação da realização educacional "(...)". O nível de instrução (...) e a ocupação do pai são os dois preditores mais importantes do *status* ocupacional das pessoas economicamente ativas".[12] Em seguida vem a raça e depois, o sexo, com uma influência considerável.

Trabalhos mais recentes mostram que a influência da raça é maior nas camadas mais elevadas de renda e ensino. Em setembro de 2006, a Pesquisa Mensal de Emprego (PME) do IBGE, realizada em seis regiões metropolitanas (Belo Horizonte, Porto Alegre, Recife, Rio de Janeiro, Salvador e São Paulo), constatou que a diferença salarial média entre brancos e negros é maior nos níveis de ensino mais elevados. Por exemplo, um branco com 11 anos de estudo ou mais ganha em média R$ 1.728,38, o equivalente a 92,11% mais que a renda média de um negro (R$ 899,64) com o mesmo perfil escolar. Na faixa de 8 a 10 anos de estudo, essa diferença era de 24,25% (R$ 691,62 para os brancos, contra R$ 556,63 para os negros). Já para as pessoas com até um ano de estudo, a diferença cai para 14% (R$ 469,46 contra R$ 409,67).[13]

Ressalta-se, porém, que, nesse estudo, o IBGE não fez comparações entre faixas etárias distintas, tampouco segmentou os entrevistados por ocupação: é sabido que nem todas as ocupações de nível superior – as quais corresponderiam a mais de 11 anos de estudo – possuem faixa salarial idêntica. Também é notório que, pelas razões estruturais expostas ao longo deste trabalho, muitos dos negros e pobres que cursam uma faculdade a fazem na área de humanidades, cujos cursos tendem a ser menos concorridos no vestibular e cujas profissões possuem nível salarial médio menor que aquele pago a trabalhadores de nível superior dos ramos de exatas e biológicas, como engenharia e medicina. Além disso, é plausível dizer que a maioria dos negros com nível superior tem menos tempo de formatura, já que o acesso à universidade foi ampliado nos últimos anos, o que tende a beneficiar os menos abastados. Portanto, estão há menos tempo em suas respectivas profissões e, por isso, recebem salários menores.

Além do que, no que se refere à escolaridade, a pergunta feita capta *a quantidade de anos de estudo que o indivíduo tem*, e não *qual*

[12] *Idem*, p. 228.
[13] GÓIS, Antônio; SOARES, Pedro. "Escolaridade maior eleva fosso entre negro e branco." *Folha de S. Paulo*, 18 nov. 2006, p. B13.

o nível de ensino concluído. Há, portanto, margem para dubiedades, pois é sabido que os índices de repetência eram (e são) elevados e, a julgar pelo perfil socioeconômico médio de pretos e pardos, é provável que eles sejam os mais afetados por isso. *Assim, talvez não seja surpresa que, quando possuem o mesmo número de anos de estudo que os brancos, pretos e pardos ganhem menos já que, não necessariamente têm o mesmo grau de escolaridade.*

Independentemente disso, há mais indícios de que o racismo é mais forte na seleção para os postos mais qualificados do mercado de trabalho. Estudo do sociólogo Carlos Antonio Costa Ribeiro, intitulado *Classe, Raça e Mobilidade Social no Brasil* e feito com base em dados da PNAD 1996, mostra que, entre os indivíduos de classes sociais mais baixas, as dificuldades de ascensão social são as mesmas para brancos e negros. Por outro lado, um branco com nível superior teria o triplo das chances de um negro com a mesma qualificação de chegar a uma função qualificada no mercado de trabalho.[14] O artigo do sociólogo não debate possíveis causas, apenas constata tal desigualdade. Ainda assim, esse estudo, se cotejado com as conclusões do estudo do IBGE citado no parágrafo anterior, indica a existência de discriminação racial nos processos seletivos para empregos mais qualificados.

Dessa forma, fatores macroestruturais são aqueles que, no geral, mais peso têm na vida dos indivíduos. Afinal, o nível de instrução dos indivíduos parece determinar, mais do que tudo, suas oportunidades no mercado de trabalho. Por sua vez, tais oportunidades são aquelas que permitem a cada um elevar ou não a sua renda; elevando a sua renda, podem aumentar as oportunidades de seus descendentes, seja por meio dos bens materiais, seja com o capital cultural no qual o capital monetário é capaz de ser convertido. Os grupos que não entram nessa ciranda ficam cada vez mais em desvantagem ao longo das gerações, pois as políticas públicas que poderiam incluí-los no círculo virtuoso da prosperidade são falhas. Mas, inquestio-

---

[14] RIBEIRO, Carlos Antonio Costa. "Classe, Raça e Mobilidade Social no Brasil." Disponível em: <www.iuperj.br/site/carloscr/textos/raca.pdf>. Acesso em 7 de maio de 2007.

navelmente, em sua origem o problema é racial – ou seja, o *racismo como processo* –, na medida em que os negros eram ou escravos ou homens livres marginalizados em virtude de uma condição supostamente inferior.

Isso tudo faz com que se considere que a situação expressa pelo *gráfico 3.15* pode ter outras origens além da discriminação de fato, direta, fruto do *racismo como fato*. Segundo um estudo do Ipea, publicado em 1995: dos elementos de diferenciação social que determinam as desigualdades salariais, a raça está em último lugar. A discriminação em virtude dela é responsável por apenas 2% de tais desigualdades. Por outro lado, a escolaridade responde por 35% a 50% delas,[15] sendo o principal fator de diferença. Entre os demais, estão tempo de experiência na função e na empresa, além da região do país onde o indivíduo trabalha.

Em certa medida, é plausível considerar que o mesmo ocorra no ingresso na universidade, até mesmo porque, nos processos seletivos, a raça do candidato não é levada em conta. Assim, o único impacto que a discriminação pode causar está restrito a possíveis tensões e deficiências do candidato, as quais são fruto da discriminação sofrida durante toda a sua vida, em virtude de sua condição racial. Por exemplo, estudo de Carlos Antonio Costa Ribeiro, citado anteriormente, mostra que brancos têm pouco mais que o dobro de chances de concluir o Ensino Superior em relação a negros, independentemente da classe social.

Além disso, brancos mais pobres têm vantagem sobre negros de mesma condição social, em virtude de um capital cultural mais elevado. Ressalta-se que a idéia de capital cultural não está relacionada à suposta qualidade ou complexidade daquilo que o senso comum entende como manifestações culturais, expressões no campo artístico, como música e artes plásticas. Antes, o conceito remete ao nível educacional, sobretudo às habilidades de leitura, escrita, cálculo e

---

[15] PAES E BARROS, R; MENDONÇA, R. "Os determinantes das desigualdades no Brasil." Rio de Janeiro: IPEA, 1995. "Texto para Discussão 377." *Apud* PAIXÃO, Marcelo. *Desenvolvimento Humano e Relações Raciais*. Rio de Janeiro: DP&A, 2003, p. 106.

raciocínio lógico, e a outras habilidades e características que aumentam as chances de sucesso de um indivíduo numa sociedade competitiva. Tais habilidades e características, porém, não são exclusivas de um povo com determinada origem, podendo aparecer ou ser desenvolvidas em qualquer indivíduo, dependendo das condições às quais ele estiver submetido e às suas aptidões".

"Aliás, o conceito de capital cultural também explica a diferença entre pretos e pardos. Estes últimos, mestiços, tendem a ter mais incentivos do que os pretos, em cujas famílias raramente há brancos ou uma herança não-ligada à chaga da escravidão. Ressalta-se que tais diferenças no capital cultural não têm fundamento biológico algum e tampouco estão relacionados a uma suposta superioridade da cultura européia! O fato de pretos e pardos terem, em média, segundo esse raciocínio, um capital cultural menor do que brancos é uma conseqüência da escravidão, a qual fragilizou a humanidade de seus antepassados. A manutenção das diferenças, conforme dito, relaciona-se à baixa qualidade das políticas públicas, o que, antes de ser uma atitude de discriminação apenas contra negros, prejudica a todos os mais pobres. As diferenciações entre os indivíduos de uma mesma faixa ocorrem em decorrência de fatores externos a tais políticas, entre eles a estrutura familiar, o próprio capital cultural e, no caso dos negros, o *racismo como fato*, que tende a desenvolver neles um complexo de inferioridade, com repercussões nas mais diversas esferas da vida, inclusive, no caso dos estudantes, no que se refere ao desempenho escolar, o qual acaba por ser prejudicado.

Tais observações são corroboradas pelo caso dos orientais, classificados no Brasil como amarelos. Em virtude da baixa amostragem em todo o território nacional, é possível apenas mostrar, com relativa segurança, segmentados por faixa de renda familiar *per capita*, os dados para São Paulo (*tabela 3.2*), que possui uma colônia oriental considerável. Ainda assim, a amostra é pequena, a ponto de negros e amarelos terem, em algumas faixas de renda, nenhum representante na universidade, segundo a PNAD. Nesse estado, a tese do capital cultural e das políticas sociais falhas fica clara com o desempenho desse grupo.

Tabela 3.2
População entre 17 e 25 anos na sociedade e no Ensino Superior
– estado de São Paulo, 2002

Renda familiar per capita	Brancos		Negros (Pretos+Pardos)		Amarelos	
	Total	Universidade	Total	Universidade	Total	Universidade
Até 1SM	58,87%	88,89%	40,56%	6,67%	0,36%	4,44%
1SM-2SM	68,05%	81,42%	31,64%	16,81%	0,27%	1,77%
2SM-3SM	74,40%	88,24%	24,50%	11,76%	0,99%	0,00%
3SM-5SM	84,22%	92,96%	14,44%	7,04%	0,94%	0,00%
5SM-10SM	88,94%	90,45%	6,86%	3,93%	3,98%	5,06%
10SM-20SM	94,53%	93,75%	2,34%	0,00%	3,13%	6,25%
Total	69,06%	89,79%	30,03%	7,78%	0,76%	2,31%

Fonte: PNAD. Op. cit.

A tese é corroborada por um estudo feito por Eunice Durhan. Ela descobriu que, independentemente da faixa de renda em que se encontram, os amarelos têm níveis de escolaridade mais altos do que brancos e negros que se encontram na mesma situação socioeconômica. "Os orientais lideram em todos os quartis", afirma a antropóloga. "A diferença entre os orientais e os brancos é muito maior que entre os brancos e os negros. Se nós tivéssemos um país com predominância de imigração japonesa, teríamos que pedir cotas para os brancos, porque estes não competiriam com eles [orientais]", analisa.

Em termos de renda, o fato de haver, conforme visto páginas atrás, proporcionalmente, mais amarelos do que brancos na classe média, é mais uma evidência de que o capital cultural – nos termos explicados – é importante nos processos de ascensão social. Outra razão para uma maior participação dos orientais na classe média é sua concentração num estado rico (São Paulo). Além dos dados da PNAD 2002, outros demonstram a vantagem de japoneses, coreanos e chineses. Segundo a PNAD 1997, nesse ano, o rendimento médio mensal variou "em função de cor ou de raça, entre R$ 466,12 para pardos e R$ 1130,00 para 'amarelos' ou orientais, um aumento de 2,4 vezes". Por outro lado, o mesmo indicador variou entre "R$ 178,00 e R$ 1762,00 entre os que não têm educação e os mais educados, uma diferença de 9,9 vezes"[16] A isso, adicionamos que, embora em termos culturais os orientais sofram discriminação, já que são estereotipados, como mostram, por exemplo, realizações da indústria cultural, não se pode dizer que o mesmo ocorra em termos econômicos. Uma baixa auto-estima que supostamente afetaria o grupo seria neutralizada por fatores culturais, entre eles a valorização do estudo.

3.3. Conclusão

Neste capítulo, foram tiradas as seguintes conclusões, sempre à luz do processo de formação racial brasileiro, que começou a ser descrito no *capítulo 2*:

1) Se implantadas, as políticas de correção das desigualdades sociorraciais devem considerar a composição populacional de cada unidade da federação (UF);

2) A melhoria das políticas públicas universais acaba por beneficiar a população mais pobre e, conseqüentemente, os pretos e pardos, que perfazem grande parte das classes menos abastadas;

3) Mas, não havendo qualidade nos serviços públicos, como ocorre hoje, a renda passa a atuar como um determinante ainda mais forte nas oportunidades de vida dos indivíduos;

4) Independentemente da renda do indivíduo e, por conseqüência, das conquistas advindas do poder econômico, há fortes indícios de que a raça continua a ser um fator de diferenciação, no sentido de o indivíduo ser discriminado ou sofrer outras conseqüências negativas na vida apenas em virtude de sua raça, inclusive de ter um eventual nível de capital cultural condicionado por sua ancestralidade. Ressalta-se que não se trata de uma diferença biológica, inata, como uma menor capacidade intelectual. É uma questão de acessibilida-

---

[16] SCHWARTZMAN, Simon. Op. cit. p. 113.

de ao conhecimento, uma vez que há evidências suficientes para dizer que o primeiro contato com ele se dá através da família. Se esta não tiver um elevado capital cultural, o indivíduo acaba por ficar em desvantagem.

Em relação ao primeiro item, os índices analisados até agora apontam para uma dinâmica racial menos desigual nos estados da região Norte, justamente aquela onde a *denominação de negros para o agrupamento de pretos e pardos é mais controversa*, já que os que se classificam nessas duas categorias do IBGE tendem a ser, em sua maioria, mestiços de brancos com índios ou simplesmente indígenas que não se definem como tais devido à ausência de vínculos culturais que caracterizam o referido grupo. No entanto, ressalta-se mais uma vez que, à exceção de Tocantins, os dados da região Norte referem-se apenas às áreas urbanas, o que torna possível a existência de distorções, as quais, caso existam, são mínimas e, por razões já explicadas, não comprometem as linhas gerais da análise, segundo as evidências demonstradas até aqui, sobre a natureza das relações raciais no Brasil.

Por tudo o que já foi visto, dois fatores podem explicar essa situação: o primeiro, para a manutenção da dinâmica, e o segundo, para formação dela:

1) *Preconceito pelo fenótipo*: ainda que tenham pele escura, indivíduos com ancestrais europeus e indígenas tendem a ter caracteres icônicos bastante distintos dos daqueles cujos ancestrais vieram da África Subsaariana. Aproximam-se mais do estilo de rosto (traços finos) e cabelos (lisos) de indivíduos brancos. Assim, confirmada essa hipótese, põe-se em xeque a idéia de que a classificação e, conseqüentemente, o preconceito racial no Brasil dão-se em função da cor do indivíduo. Essa idéia será mais bem desenvolvida no *capítulo 4*.

2) *Formação racial*: tendo sido uma região em que a presença do colonizador europeu era escassa – se comparada à ação deste nas demais regiões do país –, é provável que indivíduos mestiços (locais ou migrantes) tenham tido, historicamente,

maiores oportunidades de ascensão social, o que teria se perpetuado até hoje.

Ainda em relação às especificidades das UFs, não basta que elas tenham um alto número de negros para que estes estejam bem representados nas classes mais altas. Daí a importância de analisar as relações raciais além do uso de indicadores médios. Para constatar as reais dificuldades dos negros, é necessário, por exemplo, verificar a relação, na classe média, entre a soma de pretos e pardos (negros) e a quantidade de brancos. Por meio desse índice, descobre-se que na Bahia, estado com elevado número de negros na população, embora a classe média tenha uma alta presença de pretos e pardos, isso se dá numa proporção menor do que a participação do grupo na população total. Por fim, *no que se refere às desigualdades regionais, políticas capazes de reduzi-las tendem a beneficiar os que se declaram pretos e pardos*, já que a maior parte deles reside em UFs do Norte e do Nordeste, regiões menos desenvolvidas.

Tais conclusões estariam, no entanto, mais bem respaldadas caso houvesse séries históricas para comparar os indicadores analisados. No máximo, há dados similares referentes a apenas os últimos 30 anos, pois a primeira PNAD foi feita em 1976. Ao contrário dos Estados Unidos, o Brasil não tem uma tradição histórica de elaboração de estatísticas precisas e detalhadas. De qualquer forma, fica claro que as relações raciais brasileiras devem ser distingüidas em dois níveis, conforme mencionado no *capítulo 1*: *macro*, representado pelas instituições, sejam elas, para usar uma linguagem hegeliana, da superestrutura (campo da intenção, das idéias) ou da infra-estrutura (campo da ação); ou *micro*, representado pelos indivíduos, os quais agiriam sozinhos ou em grupo. Neste último, há dois tipos de relações: *verticais* e *horizontais*. Enquanto as primeiras envolvem hierarquia, como nos locais de trabalho ou em outras esferas em que há uma diferenciação social, as últimas ocorrem entre atores situados num mesmo nível, como o ato de casar-se ou relacionar-se com vizinhos, por exemplo.

Embora, conforme visto no *capítulo 2*, a taxa de casamento inter-racial no Brasil fique em torno de 20%, ela é maior do que em outros países em que há brancos e negros, como os Estados Unidos e a África do Sul.[17] Essa e outras constatações dão a impressão de que não há discriminação nesse nível, enquanto, na verdade, o que não há é um racismo explícito. Mas essas microrrelações também comportam uma superestrutura e uma infra-estrutura. A primeira é influenciada pela superestrutura das macrorrelações, impregnada de elementos que estimulam o preconceito na microestrutura. Por sua vez, esta, ao ser um palco para a discriminação, acaba desenvolvendo padrões específicos de preconceito, que acabam por atualizar a superestrutura e os padrões de discriminação. Mas o macronível e a infra-estrutura, tais como as políticas sociais, são *color-blind* (cega à cor) – como é de se esperar num estado universalista. Mas, graças às deficiências de tais políticas, elas mesmas não rompem o círculo da 'negritude e da pobreza', sendo, portanto, também *racism-blind* (cegas ao racismo), ainda que indiretamente.

Como diz o sociólogo Octávio Ianni, no que se refere à discriminação racial, "(...) temos dois grupos principais de fatores a distinguir: um deles está ligado ao acúmulo de experiência social, principalmente aquela ligada às relações de raças; o outro depende dos padrões socioculturais herdados do passado (...)".[18] O primeiro fator relaciona-se às microrrelações sociais, enquanto o segundo, às macrorrelações, as quais são fruto de um processo diacrônico e atualizadas por um processo sincrônico, uma vez que as macroestruturas de poder reforçam os estereótipos já existentes e, por vezes, criam outros. Isso não quer dizer, porém, que as macroestruturas não influenciam o acúmulo de experiência social do qual Ianni fala: são elas que pautam as ações dos indivíduos no cotidiano, as quais repercutem naquelas, numa dialética constante. Há, portanto, a reprodução e a atualização das tendências passadas.

[17] TELLES, Edward. Op. cit. p. 158.
[18] IANNI, Octávio. Op. cit. p. 60.

Quadro 3.1

Estruturas de preconceito e discriminação racial – Brasil

Nível		Superestrutura	Infra-estrutura
Macro		Preconceituosa	Tende a não discriminar
Micro	Relações verticais		Tende a discriminar
	Relações horizontais		Tende a não discriminar

Fonte: elaboração própria.

Contraditoriamente – embora o foco da demanda das ações afirmativas seja a mudança nas relações verticais da sociedade a partir de alterações nas instituições, isto é, o macronível –, o debate sobre o assunto trouxe à tona uma questão referente ao microuniverso de tais relações da qual o brasileiro não gosta muito: a existência de racismo (que envolve preconceito e discriminação), o qual, também de maneira contraditória, ocorre mais no micronível. Este, por sua vez, é influenciado pela superestrutura. Assim, teria de haver um trabalho na superestrutura para combater a discriminação e, conseqüentemente, a parcela da desigualdade que é fruto dela. Mas como alterar o "mundo das idéias"?

Tal discussão será feita nos *capítulos 5 e 6*. Antes, será dada continuidade à análise do processo de formação racial brasileiro, agora com foco nas categorias raciais, lembrando que o projeto nacional-desenvolvimentista fomentou a idéia de democracia racial. Esta, apesar de o discurso multiculturalista ser cada vez mais forte, ainda possui vestígios que sobrevivem no imaginário e na realidade do país. Indício disso é a inexistência de uma linha de cor *nacionalmente* definida, aplicável a todos os contextos sociais. Ela varia conforme a região e as diversas situações em que o indivíduo se encontra, como será visto no capítulo a seguir.

4 | CONTRADIÇÕES NO *MELTING POT* BRASILEIRO

Em meados de 2005, o jogador Ronaldo *Fenômeno* declarou, em uma reportagem publicada pela imprensa espanhola, que não sofria discriminação racial em campo porque não era negro. A afirmação (melhor dizendo, a negação) teve repercussão imediata no Brasil. Ronaldo fôra, inclusive, incluído num *ranking* dos negros mais poderosos do país, elaborado e publicado pela revista *Raça*, voltada para o público afro-brasileiro. Logo depois, ainda sob a polêmica de sua declaração, ele se "retratou", dizendo que se considerava branco e negro, por causa de seus ancestrais. Apesar de toda a polêmica decorrente das declarações de Ronaldo, pode-se dizer que elas apenas refletem as contradições da classificação racial brasileira.

Contrariando a experiência americana do *one drop rule*, regra segundo a qual um indivíduo, ainda que sem nenhum traço de ancestralidade não-branca, mas com antepassados não-brancos, é considerado não-branco, o Brasil acabou por desenvolver um sistema de classificação racial flexível, no qual determinados indivíduos podem ser vistos como integrantes de um grupo apenas em contextos específicos. Isso, no entanto, não é indício de que raça não seja um conceito relevante na sociedade brasileira. Embora alguns argumentem que se trata de uma categoria apenas empregada em estudos acadêmicos, ela é sim nativa, só que não reconhecida como tanto. Ela está camuflada por uma série de códigos sociais tácitos e não-explícitos, componentes do chamado *racismo à brasileira*.

Neste capítulo, são discutidas as nuances do sistema de classificação racial, ou, melhor dizendo, dos sistemas de classificação racial empregados no Brasil. Primeiramente, é necessário contextualizar historicamente o surgimento das categorias raciais, não apenas no país, mas nas Américas como um todo. Depois, parte-se para a análise das contradições entre as classificações oficiais e populares, quadro que se mantém até hoje. Por fim, adiantando a discussão do *capítulo 5*, serão feitas algumas considerações sobre as propostas de ações afirmativas baseadas em raça, no Brasil, num contexto em que não há grupos raciais estanques, fechados.

4.1. Critérios de classificação racial

Dentre os que se debruçaram sobre as questões sociorraciais nas Américas, o antropólogo Charles Wagley é o que parece ter melhor explicado a origem dos diferentes critérios de classificação racial do Novo Mundo, onde, não obstante a estratificação por raça, havia mobilidade social. Um indício dessa aparente dubiedade é a existência, originalmente, da "classificação de um indivíduo tanto pela aparência quanto por critérios sociais e culturais",[1] complicando ainda mais os mecanismos de classificação racial e a manutenção das relações de poder. Como então justificar que uma pessoa com traços não-brancos houvesse chegado a uma posição de destaque, adquirindo, inclusive, hábitos europeus? Novamente, a forma de colonização e as tradições do colonizador influenciaram a estruturação dos recém-fundados estados nacionais do século XIX, determinando a formação de três sistemas classificatórios nas Américas, respectivamente fundamentados na: 1) ancestralidade; 2) aparência física e 3) status sociocultural.

Nessa época, aponta Wagley, "em todo lugar parece ter havido uma simplificação dos sistemas de classificação de acordo com

---

[1] WAGLEY, Charles. "The Concept of Social Race in the Americas." In:_____. *The Latin American tradition: essays on the unity and the diversity of Latin American Culture*. New York: Columbia University Press, 1965, p. 163.

a raça. Vários tipos intermediários baseados primordialmente na ancestralidade e na cor desapareceram oficialmente, mas não totalmente, do vocabulário popular de muitos países e regiões".[2] Isso foi levado ao extremo nos Estados Unidos, país que se enquadra no primeiro tipo de sistema. Lá, qualquer indivíduo com um ancestral não-branco é considerado não-branco. Nos estados americanos do Sul, nos 30 anos que se seguiram à Guerra de Secessão (1861-1865), foi instaurado paulatinamente um regime de segregação racial, baseado na oposição brancos *versus* negros. Destaca-se que, pelo menos nos primeiros 12 anos após o conflito, houve igualdade sob o ponto de vista formal na região, pois, até 1877, os estados do Norte, vencedores da guerra, impuseram sua vontade no local, durante a chamada Reconstrução.

A manutenção, no Sul, da supremacia dos grandes proprietários de terra, por meio do fomento da rivalidade e da segregação entre brancos e negros, impediu que os mais pobres, independentemente da cor, se unissem contra esses mesmos proprietários, que eram um dos vestígios de uma sociedade aristocrática abalada pela Guerra Civil. Tal polarização oficial foi assim estruturada também para satisfazer a questões práticas, afinal, o reconhecimento de categorias intermediárias teria tornado impossível a instalação de equipamentos segregativos, tais como banheiros públicos. Mas, como será visto ainda neste capítulo, as classificações intermediárias, na prática, não deixaram de exisitir, conforme se constata a partir das diferenças de renda entre os negros americanos, segundo a tonalidade da pele.

Já o *status* sociocultural consolidou-se como o principal parâmetro de classificação racial naquelas regiões com grande quantidade de indígenas e descendentes mestiços, como México, América Central, Países Andinos e, por que não, os europeizados Argentina, Uruguai e, em menor escala, Chile. São evidentes os traços não-europeus de indivíduos que, nestes três últimos países, são considerados brancos. Traços que, não se sabe, podem ser indígenas

[2] *Idem*, p. 163-164.

ou mesmo da já conhecida mestiçagem dos europeus do Sul com outros povos. Isso tudo é mais um indício de que há uma maior tolerância aos nativos do continente americano que aos negros, cujo fenótipo é mais distante do, como antropólogos diriam em outros tempos, caucasiano.

Nesse sistema classificatório, há também o branqueamento físico: Wagley lembra que famílias tradicionais das regiões mencionadas escondem que, em suas veias, corre sangue indígena. O branqueamento, porém, predomina no sistema fundamentado na aparência. Considerando as explicações do *capítulo 2,* o Brasil está entre os países que o "adotaram". Outro lugar em que a aparência prepondera é o Caribe, onde também "características como cor da pele, formato dos lábios, textura do cabelo e formato do nariz são observadas para se classificar um indivíduo".[3] Os indivíduos que recebem uma classificação similar não formam um grupo entre si, havendo ainda outros fatores, além da aparência, que determinam a entrada de uma pessoa ou não numa categoria. Entre esses fatores, estão o nível de escolaridade e o *status* socioeconômico, o que remete ao terceiro sistema mencionado por Wagley. "Nem negros, mulatos, pardos, brancos ou outra raça social age com um grupo ou atua de modo a melhorar sua situação como grupo. Assim, a situação é menos favorável à discriminação e à segregação com base na raça social".[4]

Há uma mobilidade social em que o indivíduo, se não ascende na categoria racial porque não passou pelo branqueamento físico, o faz na esfera socioeconômica. De fato, a maioria dos mestiços, independentemente da classe, passou por um branqueamento cultural, melhor dizendo, um "abrasileiramento", pois, tal como Gilberto Freyre mostrou, as fronteiras das influências européias e africanas em nossos hábitos tornaram-se bastante tênues. Esse era o passaporte para que os outros (ou a maioria dos outros) dissimulassem sua aparência, branqueando-o de fato. E era vantajoso para o não-branco aceitar essa condição, a menos

---

[3] *Idem,* p. 169-170.
[4] *Idem,* p. 172.

que criasse uma identidade reativa junto com seus pares. A questão é que ela poderia (e pode) gerar outros ranços para além da aparência. Há como afirmá-la sem uma base cultural? Como reconstruí-la, se é que um dia ela existiu de fato, como qualquer outra identidade ou mito fundador? Parece que, no Brasil, a idéia de rigidez de categorias raciais e a conseqüente formação de identidades com base nisso caracterizou-se como algo fora do lugar, tanto quanto a noção de democracia racial (isto é, *o projeto como mito*) que encobre o racismo.

Racismo fundamentado na aparência dos indivíduos, fruto de um preconceito de marca, como bem definiu Oracy Nogueira. Discrimina-se alguém em função de seus caracteres físicos, e não por sua ancestralidade (origem), tal como ocorre em sociedades onde as raças são grupos fechados e cuja pertença a eles é determinada por regras de hipodescendência.[5] No Brasil, em vez de categorias estanques, há um *continuum* de cores denominadas das mais diversas formas. Os elaboradores e defensores da maioria das propostas de políticas de correção das desigualdades raciais parecem ignorar a existência de tal *continuum*. O texto do Estatuto da Igualdade Racial estabelece que, "para efeitos deste Estatuto, consideram-se afro-brasileiras as pessoas que se classificam como tais e/ou como negros, pretos, pardos ou definição análoga".[6] Mas como as pessoas se encaixam no *continuum* de cores, qual parece ser a hipótese mais plausível para descrever a realidade racial no país? Para melhor entender isso, devem ser analisadas três variáveis que influenciam na classificação racial brasileira: 1) a cor/fenótipo; 2) a classe social e 3) as identidades culturais ou étnicas; e isso tudo resulta nas contradições entre hétero e autoclassificação e na formação de contextos regionais, os quais, por sua vez, desdobram-se em contextos sociais dentro de cada região.

[5] Veja NOGUEIRA, Oracy. *Preconceito de Marca: as Relações Raciais em Itapetininga*. São Paulo: Edusp, 1998.
[6] SENADO FEDERAL. *Estatuto da Igualdade Racial*. Disponível em: <*www.senado.gov.br*>. Acesso em 20 jun. 2006.

Pode-se dizer que, predominantemente, a aparência (cor/fenótipo) e a classe social são os dois elementos que mais caracterizam a categoria raça no Brasil, em virtude de construções históricas. A última era predominante até o Império, e outra, emergente na República Velha, embora seja certo que já existia, entre os homens livres não integrantes da aristocracia, desde o período colonial: 1) a percepção de inferioridade associada à pele escura e a fenótipos não-europeus, sobretudo o africano-subsaariano e 2) a tese de que essa inferioridade poderia ser superada por meio do branqueamento físico, das gerações ou do disfarce das características que remetem à ancestralidade africano-subsaariana.

Para o antropólogo Marvin Harris, uma conseqüência do *continuum* é que a classe acaba por influenciar na classificação racial dos indivíduos.[7] O também sociólogo Donald Pierson, em seu estudo sobre relações raciais na Bahia, foi além, dizendo que há uma sociedade mutirracial de classes naquele estado, não existindo casta baseada em raça, mas apenas classes.[8] Tal teoria, porém, encontra cada vez menos adeptos e talvez o ponto inicial para seu descarte tenha sido a constatação de Nogueira. Sobre o trabalho deste, intitulado *Relações raciais no município de Itapetininga*, Nilma Gomes comenta que "a ideologia brasileira das relações raciais constrói um gradiente de cores como forma de classificar os indivíduos, aproximando-os ou distanciando-os da ascendência africana. Na construção desse sistema de classificação, há uma combinação entre o tipo de cabelo e a cor da pele (e outros sinais diacríticos) com outras condições, inatas ou adquiridas, vistas socialmente como de valor positivo ou negativo, tais como: grau de instrução, ocupação, aspecto estético, trato pessoal, dom artístico, traços de caráter etc. (...)".[9] Assim, prossegue

[7] HARRIS, Marvin *et al*. "Who are the whites?: imposed census categories and the racial demography of Brazil." *Social Forces*, n. 2, v. 72, dec. 1993.

[8] PIERSON, Donald. *Brancos e Pretos na Bahia*. São Paulo: Companhia Editora Nacional, 1971, p. 358.

[9] GOMES, Nilma. "Uma dupla inseparável: cabelo e cor de pele." In: BARBOSA, Lúcia; SILVA, Petronilha; SILVÉRIO, Valter (Orgs.). *De Preto a Afro-Descendente: Trajetos de pesquisa sobre relações étnico-raciais no Brasil*. São Carlos: EdUfscar, 2003, p. 146.

Gomes, "as oportunidades de mudança social são determinadas pela posição do sujeito numa 'escala étnica', e o seu sucesso depende da forma como a sociedade vê e de como estão inscritos, no seu corpo, alguns elementos menos mutáveis, considerados símbolos de *status* e de 'superioridade' racial, como: o cabelo, a cor da pele, o formato do nariz etc.".[10]

A respeito das relações raciais no Brasil do início do século XX, Thomas Skidmore diz que "a soma total das características físicas – o fenótipo – era o fator determinante, embora sua aplicação pudesse variar de região para região, conforme a área e o observador".[11] "A cor da pele, a textura do cabelo e outros sinais físicos visíveis determinavam a categoria racial em que a pessoa era posta por aqueles que ficava conhecendo." Porém, "a reação do observador podia também ser influenciada pela aparente riqueza ou provável *status* social da pessoa julgada, então, pelas suas roupas e pelos seus amigos. Donde o cínico adágio brasileiro: 'dinheiro branqueia' – se bem que isso, na prática, só se aplicasse a mulatos disfarçados".[12] Ao analisar estatísticas de escolaridade da população, segmentada por raça, na cidade do Rio de Janeiro, em 1940, e constatar a predominância quase que absoluta dos brancos entre os que concluíram o nível superior, Costa Pinto pondera que "não resta a menor dúvida de que a condição de portador de um diploma universitário, na situação racial peculiar ao Brasil, seria razão bastante para levar um pardo ou mulato de pele mais clara a declarar-se branco – e mesmo a ser considerado como tal nas relações de etiqueta com outras pessoas (...)".[13]

4.2. As estatísticas de raça

Há um debate acirrado sobre incluir ou não, em pesquisas populacionais, perguntas relativas a classificações de qualquer forma, sejam elas étnicas, raciais ou religiosas. Na França, por exemplo, os

---

[10] *Idem*, p. 146.
[11] SKIDMORE, Thomas. Op. cit., p. 55.
[12] *Idem*, p. 55
[13] COSTA-PINTO, L. Op. cit., p. 159.

recenseamentos oficiais não possuem questões desse tipo. Porém, conforme visto em 2005, há uma clivagem clara na sociedade francesa, com a marginalização de imigrantes, sobretudo árabes e subsaarianos, e seus descendentes, não obstante boa parte destes últimos ter cidadania francesa.

Segundo o economista Marcelo Paixão, "não adianta em nada esconder das populações os aspectos atinentes à sua realidade, pois não são as pesquisas e os estudos que produzem os conflitos – inclusive os étnicos, mas sim as realidades injustas e cruéis que apartam na prática as pessoas, gerando entre elas todo o tipo de ressentimento".[14] Por isso, classificações como as étnico-raciais e as religiosas seriam necessárias na elaboração de estatísticas oficiais que servem de base para a implantação de políticas públicas. Nesse sentido, Michael Banton diz que, "quando alguém registra um nascimento ou preenche um formulário do censo e exige-se a classificação racial do indivíduo em questão, um critério precisa ser estabelecido de modo a ser utilizado de maneira confiável num determinado contexto".[15]

A princípio, o critério empregado no Brasil é a *autoclassificação*. No entanto, ela nem sempre coincide com a percepção que outros possuem em relação ao indivíduo em determinado contexto, em virtude das inúmeras variáveis que fazem com que se ponha alguém em determinada categoria. O fato é que – conforme visto no *capítulo 1* – todos os habitantes do país devem escolher uma das cinco categorias de cor ou de raça do IBGE, quando um entrevistador do instituto bate à porta de sua residência. São elas, em ordem alfabética: amarela, branca, indígena, parda e preta. Há ainda a possibilidade de, em alguns levantamentos, não se dar resposta alguma à questão (categoria ignorada). Como é provável que uma pessoa responda no lugar das demais da residência, seja porque elas não se encontram em casa no momento da pesquisa ou pelo fato de ainda serem crianças, acaba, na prática, havendo heteroclassificação.

---

[14] PAIXÃO, Marcelo. Op. cit., s/p.
[15] BANTON, Michael. Op. cit., p. 265.

E, embora nunca tenha havido no Brasil um sistema de classificação racial com regras bem-definidas, tal como o *one drop rule* americano, a população foi obrigada a escolher uma cor ou raça na maioria dos recenseamentos realizados. O primeiro ocorreu em 1872, ainda no Império. Neste, a classificação por cor dispunha de quatro alternativas de resposta: branco, preto, caboclo (para descendentes de brancos e índios) e pardo, categoria que se referia a vários tipos de mestiço e, como se verá adiante, é apontada por muitos como artificial, já que não seria empregada pela população. No entanto, o sociólogo Rafael Osório diz que o censo "simplesmente lançou mão das categorias que a sociedade brasileira utilizava corriqueiramente como forma de classificação e hierarquização racial de seus membros".[16] Por outro lado, ainda eram tempos de escravidão. "A cor do escravo definia o seu lugar social: preto e escravo eram quase sinônimos. *Preto livre e pardo*, até mesmo no início do século XX, embora fossem termos de cor, declaravam o lugar social. Os pardos eram os negros forros".[17] Nesse contexto, uma categorização por ancestralidade não corresponderia à realidade, já que, segundo já mencionado, um homem livre não poderia ser um *negro*, termo que remete a uma noção mais ampla de identidade, englobando não apenas a aparência do indivíduo, mas uma história e uma cultura que o une a outras pessoas.

Porém, em 1890, após a escravidão e já na República, com a política de branqueamento a todo vapor, com a entrada de milhares de imigrantes no país, o termo mestiço substituiu a categoria parda, fazendo com que houvesse "a utilização de dois critérios simultâneos na classificação da população no mesmo quesito: um que aponta para o registro da 'cor' do entrevistado, utilizando as categorias de branco e preto, e outro que remete à ascendência ou origem racial, manifestando-se na utilização do termo caboclo para classificar os ameríndios

---

[16] OSÓRIO, Rafael. "O sistema classificatório de 'cor ou raça' do IBGE." In: BERNARDINO, Joaze; GALDINO, Daniela (Orgs.). *Levando a raça a sério: ação afirmativa e universidade*. Rio de Janeiro: DP&A, 2004, p. 105.
[17] MAGGIE, Yvonne. "Aqueles a quem foi negada a cor do dia: as categorias cor e raça na cultura brasileira." In: MAIO, Marcos; SANTOS, Renato (Orgs.). *Raça, Ciência e Sociedade*. Rio de Janeiro: Fiocruz-CCBB, 1996, p. 227.

e descendentes de mestiço para os produtos das uniões de pretos e brancos".[18] A característica confusão, no Brasil, entre os termos cor e raça, ora sinônimos, ora palavras com significados diferentes, fica evidente nesse período. A identificação racial foi deixada de lado nos dois recenseamentos seguintes, ocorridos em 1900 e 1920, período dos debates entre a elite intelectual sobre a questão racial brasileira. Alguma forma de categorização racial volta a ser feita em 1940, na ditadura do Estado Novo, período em que as idéias reunidas sob o termo democracia racial já estavam relativamente popularizadas, no bojo do projeto de Vargas de criar uma identidade nacional una, que se sobrepusesse a variações regionais ou étnicas. As categorias disponíveis eram branca, parda, preta e amarela, sendo que esta última foi em decorrência da imigração japonesa. Segundo o pesquisador do IBGE José Luis Petrucelli, "a instrução para o preenchimento do quesito foi de que se considerassem só as categorias branca, preta e amarela das respostas, lançando um traço no espaço correspondente nos casos restantes. Desta maneira, uma quarta categoria residual, a de cor parda, foi definida para os que utilizaram outras denominações de cor".[19]

Segundo Rafael Osório, a classificação referia-se apenas à cor.[20] Isso pode ser entendido como parte da estratégia de ignorar as noções de etnia e raça, as quais, como dito, representam e fomentam uma identidade comum entre os indivíduos, enquanto a cor pode ser interpretada como um atributo pessoal. Nesse contexto, é provável que não apenas os que possuíam ancestralidade negra se classificavam como pardos. Afinal, a categoria caboclo fora extinta, deixando os mestiços de branco com índio e os indígenas propriamente ditos sem classificação. Ademais, o Brasil já havia recebido significativos contingentes de imigrantes árabes, sobretudo sírios e libaneses, e de europeus do Sul, cuja raça ou mesmo tonalidade de pele, mesmo em seus locais de origem, não era considerada propriamente branca, levando-os a se declararem como pertecentes a outro grupo de cor.

---

[18] PETRUCELLI, José Luis. *A Cor Denominada: Um estudo do suplemento da PME de Julho/98*. Rio de Janeiro: IBGE, 2000, p. 17.
[19] *Idem*, p. 17.
[20] OSÓRIO, Rafael. Op. cit., p. 105.

A pergunta foi mantida nos recenseamentos de 1950 e 1960. Em 1970, um novo censo voltou a ser feito, sem, porém, qualquer pergunta que remetesse a alguma classificação racial. Era o auge do regime militar de 1964, mas, conforme visto, a *democracia racial como mito (e até mesmo como projeto)*, já não mais se sustentava com o mesmo vigor. Dez anos mais tarde, em 1980, a pergunta "qual é a sua cor?" retorna aos questionários, com as opções existentes em 1940, acompanhadas da categoria indígena. Em 1991, a questão é alterada para "qual sua cor ou raça?", mantendo-se, porém, as mesmas categorias anteriores, inclusive para a PNAD, que as usa em todas as edições realizadas desde 1987. Onze anos antes, em 1976, a PNAD já continha o quesito, tendo sido feita, como se verá adiante, num formato inovador, em que o entrevistado escolhia uma das categorias, enquanto o entrevistador classificava-o também (heteroclassificação).

"Quando nós perguntamos 'qual sua cor ou raça?', as pessoas não se preocupam em responder sobre a raça", diz Suzana Rezende, técnica do IBGE em São Paulo, referindo-se ao fato de que os entrevistados não se preocupam com outros fatores além da cor da pele para se classificar. "Elas dizem 'minha cor é branca', 'minha cor é preta', 'eu sou indígena', 'eu sou amarelo'", relata. Segundo Rezende, os pesquisadores são orientados a preencher o formulário conforme as respostas das pessoas. Mas, se uma pessoa se declara, por exemplo, mulata, que é uma categoria que não existe, conta a técnica, "a gente entra com a pergunta 'o que está no seu documento?'. Se estiver registrado branco, por exemplo, colocamos branco", diz. Oficialmente, o IBGE diz trabalhar apenas com a autodeclaração.

Aliás, diferentemente do que muitos dos opositores às políticas racialistas pensam, o Estatuto da Igualdade Racial não vai introduzir a classificação obrigatória da cor ou raça dos indivíduos. Isso já existiu em algumas esferas legais, entre elas o registro dos nascimentos, como a técnica do IBGE bem lembrou. Segundo a lei federal 6.015, promulgada em 31 de dezembro de 1973, entre os itens que devem constar nos registros de nascimento está a "cor do registrando". Contraditoriamente, a regra entrou em vigor durante o regime militar, o mesmo que, no censo de 1970, não perguntou à população qual a sua cor ou raça. Dois anos depois, uma nova lei (6.216), promulagada ainda durante a ditadura, revogou a obrigatoriedade do item, que a versão atual do Estatuto da Igualdade Racial retoma. Mesmo com a revogação, muitos cartórios continuaram a indicar a cor ou a raça dos indivíduos. Assim, o Estatuto apenas regulariza e amplia essa regra tácita a outras esferas legais.

Mas a classificação das certidões é a mesma da vida real? Ou ainda as respostas registradas pelo censo se aproximam da classificação racial da rua? "No Brasil", explica o sociólogo Demétrio Magnoli, "a intensidade da miscigenação ao longo do tempo e a intensidade de uma ideologia dessa prática em certa época da nossa História, no final do século XIX e no início do século XX, fizeram com que a percepção social de raça se diluísse". Assim, prossegue, a classificação racial "se tornou difusa, incerta, imprecisa, fulgaz, efêmera. E não comporta classificações rígidas". Mas, para o advogado Thiago Thobias, da Educafro, "quando um mestiço tem características negras, ele sofre discriminação. Se ele vai num espaço onde todos são brancos, ele é facilmente identificado pelo cabelo, pelos traços", argumenta, ecoando a idéia de preconceito de marca.

Dessa forma, a classificação não seria apenas pela cor, tal como a técnica do IBGE nos relatou. "A população, quando fala em raça, não fala só em cor", diz a antropóloga Eunice Durhan. "São quatro traços fundamentais, que as pessoas agrupam em termos de cor: o cabelo, o nariz e lábios [além da própria cor]. Desses, eu acho que é o cabelo sobre o qual recai mais o preconceito", opina. "A cor varia muito no Brasil. Mas se a pessoa tem o cabelo liso, mesmo com uma cor um pouco pronunciada, ela se passa por branca", analisa, ressaltando que esses comentários tratam-se de impressões pessoais. "Nós sabemos como é o processo de racialização no Brasil e como é o processo de discriminação. Ninguém quer se identificar como preto, mas sim como pardo, porque é o que está mais próximo do que é branco, do que é considerado belo, não marginal", constata Eliana Custódio, da ONG Geledés.

"O doutor Hédio Silva Jr., ativista do movimento negro e ex-secretário de Justiça do estado de São Paulo, tem uma fala que eu acho fantástica: 'A polícia sabe perfeitamente quem é negro no Brasil'. A sociedade sabe quem é negro no Brasil. Ela coloca os negros em lugares determinados", avalia Cristina Trinidad, do Centro de Estudos das Relações de Trabalho e Desigualdades (Ceert), ONG especializada em estudos de relações raciais. "Nós, negros, entendemos que os negros são os pretos e os pardos, da mesma forma que existem diversos tipos de brancos: loiro, ruivo e 'branco branco'. É o grupo de brancos. Nós criamos o grupo dos negros. É o argumento que a comunidade negra tem construído nos últimos anos", diz Thobias, numa referência à defesa do birracialismo, feita por grande parte do movimento negro.

"O Brasil é uma nação mestiça", diz Fernando Conceição. "Ocorre que uma parcela importante, influente do movimento negro, rejeita o uso da mestiçagem até hoje, achando que os mestiços seriam uma obra da estratégia branca de dominação, vamos dizer assim, da população afro-descendente. Mas eu não compartilho dessa crença, não." Para Conceição, não se trata de ser a favor ou contra a manutenção de uma categoria intermediária entre os brancos e os pretos. "Tal como o sol nasce independentemente de meu desejo, essa categoria existe. O Brasil é um país mestiço. Isso não é algo negativo. É extremamente positivo. Não é único em todo o mundo, mas é algo extremamente positivo e nós deveríamos nos orgulhar disso. Se, por exemplo, setores do movimento negro não têm competência para atrair essa grande parcela dos mestiços para a sua causa, aí são outros quinhentos", afirma.

De acordo com Edward Telles, "(...) a classificação [racial] popular reflete antes de tudo uma hierarquização, uma relação assimétrica, um *continuum* vertical em que a categoria branco se situa no topo, e a categoria negro, embaixo".[21] Esse *continuum* pode ser traduzido de três formas diferentes: a primeira refere-se às três principais categorias empregadas pelas estatísticas oficiais brasileiras para definir a cor ou raça (branca, parda e preta). Na fronteira entre cada uma delas, há zonas cinzentas, de indefinição, fruto da mestiçagem

[21] D'ADESKY, Jacques. Op. cit., p. 137.

e das construções históricas elaboradas a respeito dessa prática. O segundo é composto pelo amálgama de classificações populares, as quais podem ser sintetizadas em três termos: branco, moreno (com suas variantes claro e escuro) e preto.

Ressalta-se que, por motivos que serão discutidos adiante, a classificação moreno reúne um amplo espectro, desde brancos não tão claros até pretos não muito escuros, com traços faciais mais próximos aos europeus. Nos limites das categorias, que podem ser móveis conforme as circunstâncias, também há zonas cinzentas. Por fim, o birracialismo do movimento negro, que apesar de ser composto por categorias estanques, rígidas, ainda assim encontraria limites práticos que determinariam uma zona de transição, exceto se for imposta uma fronteira com base em regras de descendência. Isso, todavia, não parece estar nos planos do movimento, cuja maioria é favorável à autoclassificação, até mesmo porque pesquisas mostram que até 86% dos brasileiros têm pelo menos 10% de ancestralidade africana.[22] O *quadro 4.1* sintetiza as três representações do *continuum* de cores ou raças.

Quadro 4.1
Continuum de cores ou raças - Brasil

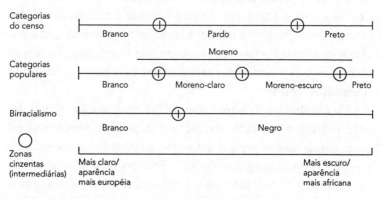

Fonte: TELLES, Edward. Op. cit. p. 112, com adaptações significativas.

[22] PENA, Sérgio; BORTOLINI, Maria Cátira. "Pode a genética definir quem deve se beneficiar das cotas universitárias e demais ações afirmativas?" In: *Estudos avançados*, v. 18, n. 50, São Paulo, 2004.

Não obstante esse *continuum*, um dos principais argumentos daqueles que procuram relativizar a fluida classificação racial brasileira é que, se alguém sofre discriminação racial e tem traços que remetem a indivíduos da África Subsaariana, passa a classificar-se como preto ou pardo (nos levantamentos oficiais não há a categoria negro), ou, melhor dizendo, não se classifica como branco, num processo de mudança de identidade. No entanto, a troca de categoria pode traduzir-se apenas numa mera formalidade, em circunstâncias em que é necessário classificar-se racialmente, como em pesquisas estatísticas – tais como a PNAD e o Censo, e trabalhos acadêmicos. Afinal, as categorias oficiais nem sempre correspondem àquelas informais.

Em 1995, ano do tricentenário da morte de Zumbi, o jornal *Folha de S. Paulo* lançou um livro sobre racismo no Brasil. Seguindo os moldes da PNAD 1976, em que foram coletadas respostas espontâneas e induzidas, referentes ao item cor ou raça, o Datafolha, instituto de pesquisas vinculado ao jornal, realizou um levantamento com cerca de 5 mil pessoas. Menos de 50% dos entrevistados escolheram, espontaneamente, uma das categorias do IBGE.[23] Na pesquisa espontânea, os que se classificaram induzidamente como pardos foram os que mais escolheram categorias alternativas, com destaque para o termo "moreno", mencionado por cerca da metade dos pardos, correspondente a 18% da amostra. São indícios de que a cor parda não corresponde a uma categoria nativa, usada correntemente entre a população, em todas as regiões do país. Por outro lado, como lembra o sociólogo Nelson do Valle Silva, "(...) é certo que o termo moreno não é um simples substituto para a categoria pardo, embora possa abrangê-la",[24] algo que será discutido mais adiante.

Também chama a atenção o fato de que 35% dos que se consideram brancos na pesquisa induzida tenham escolhido outras categorias nas respostas espontâneas, principalmente moreno e

[23] TURRA, Cleusa; VENTURI, Gustavo. *Racismo Cordial: a mais completa análise sobre preconceito de cor no Brasil*. São Paulo: Ática, 1995, p. 117.
[24] SILVA, Nelson do Valle. "Morenidade: modo de usar." *Estudos Afro-Asiáticos*, 30, p. 79-95, dez. 1996. p. 80-81.

moreno-claro, que somam 11% do total de entrevistados. Os percentuais referentes ao termo "negro" não foram sequer separados da categoria outros na pesquisa espontânea. É, portanto, uma categoria que está longe de ser nativa no Brasil. Porém, em estudos acadêmicos, quase sempre os pesquisadores agrupam pretos e pardos sob esse termo. Isso se justifica principalmente pelo fato de esses dois grupos apresentarem perfis socioeconômicos bastante parecidos, o que, para alguns, contraria a tese de que indivíduos "mestiços", isto é, aqueles cuja aparência não é totalmente européia nem totalmente africano-subsaariana, sofreriam menos os efeitos da discriminação racial. Por outro lado, não há indícios suficientes para concluir que tais "mestiços" classificam-se sempre como pardos.

Afinal, como diz Osório, "a agregação de pretos e pardos tem a vantagem de dissolver o problema do tipo limítrofe entre essas duas categorias, mas acentua o problema da fronteira entre pardo e branco. A representação do negro, ainda que varie circunstancialmente, aponta para o extremo preto das gradações de cor. Assim, fica difícil conceber o pardo na fronteira do branco com o negro, pois os traços que o relacionam ao 'fenótipo' negro estão extremamente diluídos".[25] O autor, porém, ressalta "que o propósito da classificação racial não é estabelecer com precisão um tipo 'biológico', mas se aproximar de uma caracterização sociocultural local. O que interessa, onde vige o preconceito de marca, é a carga de traços nos indivíduos do que se imagina, em cada local, ser a aparência do negro. Pardos têm menos traços, mas estes existem, pois se não fosse assim não seriam pardos, e sim brancos; e é a presença desses traços que os elegerão vítimas potenciais de discriminação".[26]

A tese choca-se com algo constatado por Marvin Harris em pesquisa realizada em 1992, numa cidade do interior da Bahia. "(...) Quem são os brancos? (...) Em Rio das Contas, o uso da categoria moreno em vez de pardo faz com que haja de 25% a 60% menos pessoas que se classificam como brancos. Uma conclusão similar é

[25] OSÓRIO, Rafael. Op cit., p. 113.
[26] *Idem*, p. 113-114.

derivada do fato de que (...) 31% dos que escolheram espontaneamente a categoria moreno declaram-se brancos quando era necessário escolher categorias pré-determinadas. Então, pode-se dizer com segurança que, em Rio das Contas, há muitos não-brancos entre os brancos de fato enquanto entre os brancos há muitos não-brancos de fato".[27] E não há nenhuma razão para acreditar que uma confusão similar não predomine no país todo.

Os dados do Datafolha também apontam para uma realidade mais complexa: considerando-se as variáveis, não necessariamente todo indivíduo com pele escura, elemento que sem dúvida remete à negritude, e entre os quais certamente estão algumas das pessoas que se declararam morenas, mas se classificaram como brancas na pesquisa, tem ancestralidade africano-subssariana. Mas, na medida em que metade dos pardos também se considera morena, alguns dos brancos, isto é, aqueles que se classificaram morenos, compartilham algo em comum com esse grupo. A hipótese é que sejam alguns traços físicos. Resta saber quais são eles e o que permite que um mesmo grupo espontâneo (morenos) divida-se em dois induzidos ("brancos-morenos" e "pardos-morenos").

Antes de prosseguir o raciocínio, é preciso retomar a origem e os signifcados do termo moreno. Tendo surgido na Península Ibérica, a palavra referia-se originalmente aos mouros, os árabes do Norte da África, que ocuparam entre os séculos VIII e XVI aquela região européia onde hoje estão Portugal e Espanha. Com a reconquista dos territórios ocupados, mouros e descendentes que permaneceram na península foram, conforme visto no *capítulo 2,* incorporados aos dois recém-nascidos estados-nações e primeiros colonizadores das Américas. Disso vem a idéia de que a civilização ibérica teria maior tolerância para com povos de pele mais escura, até porque, como alguns argumentam, os europeus do Sul (espanhóis, italianos, portugueses e parte dos franceses), de ancestralidade latina, não são tão brancos quanto os do Norte, descendentes de povos germânicos. Esse pensamento, que é pertinente em parte (houve de fato a incor-

---

[27] HARRIS, Marvin *et al.,* Op. cit.

poração dos mouros, e os morenos não são considerados uma raça à parte dos que possuem pele branca), mas que também é em parte mito (em virtude da ausência de estatísticas, não se sabe se indivíduos de pele mais escura, nesses países, sofrem discriminação), foi uma das principais bases para a formação teórica da democracia racial.

O fato é que há caracteres icônicos que permitem uma identificação maior entre mouros e brancos, notadamente os traços faciais (formato do nariz, boca, olhos), do que entre os últimos e os africanos-subsaarianos. Além disso, apesar das diferenças culturais entre a Europa cristã e o Norte da África, aos olhos do homem europeu, a civilização muçulmana se aproximava de si, em termos de complexidade, mais que as da África Subsaariana. Todavia, isso não o impediu de formular doutrinas racistas para justificar a dominação de outros povos em sua expansão pelo mundo. Separados pela cor, mas unidos numa mesma cultura, europeus do Sul e mouros (os incorporados na época da reconquista) compartilham elementos fenotípicos.

Assim, se o tom da pele é o único elemento que, no Brasil, diferencia um "branco-branco" de um "branco-moreno", conclui-se que o principal elemento caracterizador da idéia de raça no Brasil, pelo menos antes da imigração predominantemente européia dos séculos XIX e XX, era o fenótipo, compreendido principalmente pelos caracteres faciais, inclusive o cabelo. Teria sido uma herança da cultura ibérica, a qual incorporou povos de pele mais escura que seus criadores e foi legada aos brasileiros pelos portugueses. Nessa lógica, o "branco-moreno" diferencia-se do "pardo-moreno" pelo fenótipo, sendo o deste último próximo ao do negro. Por sua vez, desde que a classificação racial à portuguesa ainda valha, "brancos-morenos" são "mestiços" de brancos com negros sem marcas de ancestralidade africana (exceto a pele menos clara que a dos demais brancos) ou descendentes de europeus do Sul e de árabes, como sírios e libaneses, povos que migraram para o Brasil, e até mesmo orientais e mestiços com antepassados orientais. Disso tudo, num primeiro momento, conclui-se que, no geral, os pardos compartilham com pretos o fenótipo, (aqui entendido como o conjunto de caracteres icônicos, como nariz e lábios, além do tipo de cabelo). mas, não necessariamente, a cor da pele.

Por outro lado, os "dois grupos brancos" podem estar separados por outros elementos além da cor da pele e são "unificados" em algumas circustâncias, tais como quando for conveniente aos indivíduos ou por conta de variações regionais. Assim, "brancos-morenos" seriam, em sua maioria, tão detentores de traços africano-subsaarianos quanto os "pardos-morenos". Essa hipótese pode ser verdadeira se retomado um elemento muito importante da formação racial brasileira: o branqueamento físico. Tendo, nesse contexto, o termo negro passado a ser ofensivo para alguns indivíduos, inclusive brancos que não se sentiam bem em usá-lo em suas relações sociais com medo de provocar a ira alheia – algo bastante característico da "etiqueta racial" brasileira – a palavra moreno teria se tornado um eufemismo para designar pessoas com aparência africano-subsaariana, o qual pode persistir ainda hoje em determinados contextos sociais e regiões do país.

Essa tese encontra respaldo nas idéias do antropólogo Jacques D'Adesky: "se, de maneira específica, a categoria moreno remete a branco de cabelos pretos ou escuros, revela-se, principalmente, sob a égide da ideologia do branqueamento, como uma classificação que designa as pessoas de cor que têm, em geral, cabelos lisos, cacheados ou ondulados. Assim, o negro de pele escura, tendo cabeleira lisa, pode ser considerado moreno. Da mesma forma, o indivíduo mestiço de pele clara e cabelos lisos pode ser percebido como moreno".[28]

Com base na idéia de branqueamento, também pode-se dizer que um indivíduo que, independentemente da ancestralidade, não possui traços africano-subsaarianos, mas tem a tonalidade da pele mais próxima da branca, pouco provavelmente considerar-se-ia pardo nas estatísticas oficiais, exceto se quisesse assumir uma identidade negra com base nos ancestrais (no caso dos afro-descendentes) ou num modismo (no caso descendentes de europeus do Sul e árabes).

Enfim, a partir das proposições apresentadas, é possível deduzir o seguinte: pode haver, entre os brancos das estatísticas, pessoas cuja aparência denote mestiçagem entre brancos e negros em determinado contexto, mas nas quais predominam traços africano-subsa-

---

[28] D'ADESKY, Jacques. Op. cit. p. 148.

arianos. E – ainda que essa hipótese seja menos provável – entre os pardos das estatísticas, existiriam indivíduos considerados brancos num contexto, em virtude do processo de branqueamento que faz com que as pessoas, independentemente da ancestralidade, tendam a não se associarem a categorias não-brancas. E, sobretudo na fronteira entre brancos e pardos, há os morenos, uma categoria abrangente demais, reunindo uma série de indivíduos com características tão diversas, uma decorrência dos significados que a palavra possui. É uma *categoria nativa*, empregada correntemente, porém imprecisa.

Assim, a categoria pardo parece ser mais precisa para fins estatísticos, não obstante seu caráter intermediário. Sua origem está na noção de que o mestiço seria um tipo diferente do negro, identificado com o termo preto, situado no extremo "negativo" do *continuum* de cores e fenótipos existente no Brasil. Porém, pardo, assim como moreno – embora, como visto, esses termos não sejam necessariamente sinônimos –, acaba por transformar-se num eufemismo para os que não querem se reconhecer pretos.

Contra as ponderações aqui apresentadas, há o argumento de que, nas estatísticas oficiais, as pessoas escolhem cada uma das categorias pré-existentes em função de como são classificadas. Porém, nem sempre a autoclassificação corresponde à heteroclassificação, conforme Harris constatou. É o que também se conclui a partir da análise de duas pesquisas, uma realizada pelo Datafolha e outra pelo IBGE, a Pesquisa Nacional de Demografia e Saúde de 1996.[29]

Tabela 4.1
Cor atribuída *versus* cor heteroatribuída – Brasil, 1995 (em %)

Cor ou raça heteroatribuída	Cor ou raça auto-atribuída				
	Branca	Parda	Preta	Outras	Total
Branca	44	6	0	3	53
Parda ou Mulata	6	20	5	5	35
Preta	0	3	7	1	10
Outras	0	1	0	1	2
Total	50	29	12	9	100

Fonte: OSÓRIO, Rafael. Op. cit., p. 100.

[29] OSÓRIO, Rafael. Op. cit., p. 100-101.

A pesquisa do Instituto Datafolha foi realizada em 1995, também para o livro sobre racismo editado pela *Folha de S. Paulo*. Em 72% da amostra, há concordância entre hetero e autoclassificação. Dos 28% ambivalentes, 12 pontos percentuais são ou brancos declarados classificados por um observador como pardos ou vice-versa. Interessante notar, na auto-atribuição, o significativo percentual de pessoas que escolheram outras classificações que não as oficiais (*tabela 4.1*). Os totais das categorias oficiais da pesquisa não correspondem à proporção delas na pesquisa do IBGE. Nesta, porém, a ambivalência na fronteira brancos-pardos persiste: 8,4%, sendo 3,5% brancos autoclassificados considerados pardos, e 4,9% pardos autoclassificados, vistos como brancos por terceiros. De fato, o percentual da população ambivalente é pequeno nas pesquisas analisadas. No entanto, sem "regras claras" para a autoclassificação, não há garantias de que os demais não transitem entre as categorias (*tabela 4.2*).

Tabela 4.2
Cor atribuída *versus* cor heteroatribuída – Brasil, 1996 (em %)

Cor ou raça heteroatribuída	Cor ou raça auto-atribuída					
	Branca	Parda	Preta	Amarela	Indígena	Total
Branca	39,1	4,9	0	0,1	0	44,1
Parda	3,5	46,2	0,9	0,1	0	50,6
Preta	0	1,8	3,1	0	-	4,9
Amarela	0	0	-	0,3	-	0,3
Indígena	-	0	-	-	0	0
Total	42,7	52,9	4	0,4	0	100

Fonte: OSÓRIO, Rafael. Op. cit., p. 101.

A partir do raciocínio exposto até agora, chega-se às seguintes conclusões e perguntas: 1) os dados do IBGE apontam para uma direção contrária ao branqueamento por parte do indivíduo, uma vez que há mais pardos autodeclarados considerados brancos do que o contrário; 2) mesmo assim, isso pode significar uma persistência do branqueamento por parte dos observadores, sobretudo pelos mais velhos – se possível, prefere-se associar alguém à raça branca que à negra, por questões de "etiqueta"; 3) de qualquer forma, se os pesquisadores forem da região onde os dados foram colhidos, há indícios de variações mesmo em contextos regionais; 4) nada impede que os entrevistados assumam outras categorias em outros microcontextos, como em processos seletivos com ações afirmativas, ainda que não tenham sido prejudicados pela discriminação racial.

Osório argumenta que, se há tantas variáveis que determinam a classificação racial, basta considerar o contexto no qual ela ocorre. O autor dá o seguinte exemplo: "que se imagine, então, gêmeos idênticos, cuja aparência os colocasse na fronteira entre o pardo e o branco, e que tivessem sido separados, na infância, um crescendo em Salvador, e o outro em uma cidadezinha de colonos alemães do interior de Santa Catarina. Suponha-se ainda, o que é bem plausível, que o de Salvador sempre fora considerado branco, e nunca tenha sido discriminado racialmente, e o do interior, tenha sido – desde a mais tenra infância – conhecido como 'negão'. Interessaria que essas pessoas com aparência física rigorosamente idêntica (mesmo fenótipo) fossem classificados de forma precisa como pardos, ou como brancos, nos dois lugares? Obviamente não, pois o resultado de interesse seria que eles fossem classificados de acordo com o que são nos contextos em que estão inseridos: o sujeito de Salvador como branco, e o outro como pardo, quiçá preto".[30]

Porém, há aspectos relevantes que põem em xeque esse exemplo: 1) a mudança de contexto, o que tende a ocorrer com freqüência na sociedade contemporânea; 2) disso, há uma reconstrução permanente da identidade; o que pode gerar o uso deliberado de identidades ou categorias conforme as circunstâncias, como a própria história dos gêmeos sugere. Embora esses pontos sejam aparentemente laterais, eles podem tornar-se relevantes num país como o Brasil, que vem adotando políticas de ações afirmativas baseadas em raça e com um conhecido histórico de

---

[30] OSÓRIO, Rafael. Op. cit., p. 112.

migração interna, e, principalmente, com uma alta proporção de indivíduos que, em virtude de receberem classificações distintas daquelas por eles escolhidas, podem reivindicar um direito que é direcionado à parcela da população que de fato é discriminada. Essa prática recebe o nome de *oportunismo racial* e será discutida mais adiante.

Isso para não lembrar que, mesmo numa determinada localidade, há contradições na percepção dos indivíduos que vivem nela. Por exemplo, em sua pesquisa sobre relações raciais em Florianópolis, Octávio Ianni aplicou duas perguntas referentes aos caracteres físicos que permitiriam diferenciar indivíduos brancos, mulatos (pelo contexto, pode-se fazer uma equivalência com o termo pardo) e pretos um do outro. A primeira solicitava ao entrevistado mencionar o que, fisicamente, distingue o branco do mulato. Do total, "43% das declarações mostram que a 'cor da pele' é o mais importante elemento distintivo do mulato em face do branco. Em segundo lugar, vem o cabelo, com 38% das respostas. O nariz e os lábios vêm depois, com 12% e 7% respectivamente". A segunda pergunta referia-se aos caracteres físicos que diferenciam o mulato do preto. Novamente a cor da pele aparece em primeiro lugar, com 49% das respostas, só que bem à frente do segundo caracter mencionado, o tipo de cabelo (31%), seguido pelo nariz e pelos lábios (11% e 9% respectivamente).[31]

Relevante destacar que a pesquisa foi feita no auge da noção de democracia racial e num contexto em que uma identidade nacional já havia sido difundida pela indústria cultural, notadamente as emissoras de rádio – embora seja plausível considerar que, nas regiões com predominância de imigrantes recém-chegados, as teses de integração racial provavelmente não tenham tido tanta aceitação. O fato é que, para 57% da amostra, os elementos do fenótipo diferenciam o branco do negro. Mas, para 49%, a cor é o que diferencia o preto do mulato, considerando este último equivalente à categoria pardo. Na confusão, vale tudo: na diferenciação entre o branco e o mulato,

---

[31] IANNI, Octávio. Op. cit., p. 114.

uma ligeira vantagem deixa o fenótipo à frente, mas não o suficiente para ser o diferencial predominante com segurança; no outro caso, um "empate técnico" torna impossível dizer que um dos parâmetros predomina para diferenciar o negro do mulato.

Já no Rio de Janeiro, segundo pesquisa feita por D'Adesky, o critério predominante para um indivíduo ser considerado negro é a presença de traços e cor diferentes do branco. Em seguida, o que caracterizaria um negro seriam as tonalidades de pele escura e preta. De acordo com a metodologia empregada na pesquisa, pode-se dizer que a maioria dos entrevistados concorda totalmente, nessa ordem de preferência, com tais afirmações. Tal maioria também concorda, apenas parcialmente, que negro é aquele com ancestrais ou antepassados africanos, e discorda totalmente que ser negro signifique militar no movimento negro. Novamente, o conjunto dos caracteres fenotípicos é mais relevante na classificação racial do que a cor da pele sozinha ou qualquer outro traço físico ou cultural.[32] A ancestralidade tampouco é indicador da percepção de negritude ou definidor preponderante dela.

Outra pesquisa, feita em todo o estado do Rio de Janeiro pela Universidade Federal Fluminense (UFF), também mostra que a associação entre cor ou raça e ancestralidade não é automática. Como se pode ver na *tabela 4.3, entre aqueles que se autodeclaram pardos, há indivíduos que dizem ter ascendência exclusivamente européia* (6%). Dos brancos, apenas a metade (48%) declarou ter somente antepassados europeus, reiterando que, de fato, a aparência e as construções sociais em torno dela são o fator preponderante para que as pessoas escolham uma das categorias raciais, caso contrário, não haveria uma clivagem entre "mestiços", distribuídos nas três categorias de cor ou de raça incluídas na pesquisa. Destaca-se, ainda, o elevado número de entrevistados com ancestralidade indígena e o fato de a maioria desses "índio-descendentes" estarem no "grupo" pardo, mais um indício de que parte dessa categoria intermediária não tem fenótipo africano-subsaariano, ou seja, propriamente identificado como negro.

---

[32] D'ADESKY, Jacques. Op. cit., 146.

Tabela 4.3

Ascendência e cor da população – estado do Rio de Janeiro, 2000 (em %)

Divisão da ascendência	Autoclassificação por cor		
	Branca	Parda	Preta
Apenas européia	48	6	0
Apenas africana	0	12	25
Apenas indígena	0	2	0
Africana e européia	23	34	31
Indígena e européia	14	6	0
Africana e indígena	0	4	9
Africana, indígena e européia	15	36	35
Alguma ascendência africana	38	86	100
Alguma ascendência européia	100	82	66
Alguma ascendência indígena	29	48	44

Fonte: TELLES, Edward. Op. cit., p. 119, com ligeiras adaptações.

De qualquer forma, ainda que tenha fronteiras maleáveis, o sistema do IBGE é válido para fotografar um contexto específico. Mas ainda há diferenças significativas em relação à heteroclassificação. Elas são explicadas por experiências ímpares dos indivíduos, influenciadas e moldadas pelas mesmas variáveis citadas no início do capítulo. Em termos de médias estatísticas, para fins analíticos, porém, as categorias oficiais são pertinentes, com a ressalva de que, conforme visto no *capítulo 3,* há indícios de que a condição de pretos e pardos varia conforme a faixa de renda em que se situam, sendo que os pretos das classes mais baixas estão em maior desvantagem do que os pardos do mesmo nível social, de modo que nem sempre é válido agrupá-los sob um mesmo rótulo, mesmo em estudos.

Além disso, a tese de que pretos e pardos são igualmente discriminados e, por isso, teriam condição racial semelhante, também é posta em xeque com os dados de uma pesquisa do MEC e da Unesco, realizada entre 2003 e 2004 nas cidades de Belém (Pará), Porto Alegre (Rio Grande do Sul), Salvador (Bahia) e São Paulo, além do Distrito Federal. Intitulado *Cotidiano das Escolas: Entre Violências,* o trabalho constatou que, dos cerca de 13 mil alunos do Ensino Básico entrevistados, boa parte já foi discriminada ou xingada em virtude de sua cor ou de sua raça no ambiente escolar, no qual as manifestações de racismo são freqüentes (*gráfico 4.1*). Enquanto 21,5% dos pretos declaram ter sido xingados em virtude de sua condição racial, apenas 6,1% dos pardos dizem o mesmo, número ligeiramente superior ao da porcentagem de brancos (5,5%) e pouco inferior ao dos amarelos (7,6%), os quais, conforme visto, estão, não obstante, em posição socioeconômica superior àquela dos negros (soma de pretos e pardos). Quanto à discriminação, o padrão se repete, exceto para os amarelos e para os pardos, que trocam de posição. Os últimos (3,8%) são mais discriminados do que os primeiros (2,8%).

Gráfico 4.1

Estudantes que já foram discriminados ou xingados em virtude da cor ou da raça – Brasil, 2003 e 2004 (em %)

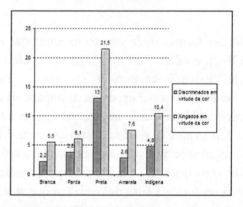

Fonte: GOIS, Antônio; TAKAHASHI, Fábio. "Metade dos docentes já foi xingada por aluno." *Folha de S. Paulo*, 1 maio 2006, p. C-1.

Isso, além de reforçar a tese de que as desigualdades são menos influenciadas pelo preconceito e pela discriminação, e mais por condições determinadas pelas políticas públicas e pelo histórico familiar, também mostra que, não necessariamente, os pardos estão mais próximos dos pretos. Por outro lado, uma menor discriminação sofrida pelos pardos reflete, sem dúvida, os padrões do racismo no Brasil: sutil e escamoteado, em especial para com os mestiços.

4.3. Variações regionais e tons dissonantes

Lembram-se da história dos gêmeos nascidos em Salvador mencionada páginas atrás? Além da variação entre as regiões do país, no que se refere à percepção da raça, os rótulos usados para classificar os indivíduos possuem significados diferentes, conforme a unidade da federação. É o que se conclui a partir da detalhada análise da Pesquisa Mensal de Emprego (PME) realizada em julho de 1998, que perguntou aos entrevistados qual era a sua respectiva cor ou raça auto-atribuída dentre as categorias oficiais (pergunta fechada) e populares (pergunta aberta). Nesse sentido, há uma maior *penetrabilidade* (quantidade de pessoas que escolhem voluntariamente), entre os pardos oficiais, da categoria informal parda nas regiões metropolitanas de Salvador (Bahia), Rio de Janeiro e Porto Alegre (Rio Grande do Sul), do que em São Paulo, Belo Horizonte (Minas Gerais) e Recife (Pernambuco), cuja maioria escolhe volutariamente a categoria informal morena (*tabela 4.4*).

Tabela 4.4
Distribuição dos pardos oficiais entre as categorias informais parda e morena – Brasil, 1998 (em %)

Região Metropolitana	Parda	Morena
Recife	4,2	92,9
Salvador	46,7	46,3
Belo Horizonte	9,8	86,5
Rio de Janeiro	52,2	38,8
São Paulo	33,1	64
Porto Alegre	50,9	36

Fonte: PETRUCELLI, José Luis. *A Cor Denominada: Um estudo do suplemento da PME de Julho/98.* Rio de Janeiro: IBGE, 2000, p. 48-50.

Em Salvador e Recife, cidades localizadas no Nordeste, onde a miscigenação entre brancos e negros foi bastante intensa desde os tempos coloniais, há usos bastante diferentes das categorias intermediárias, oficiais ou populares. Enquanto na capital da Bahia o termo pardo foi usado nas respostas à pergunta aberta por 46,7% daqueles que escolheram a referida categoria na pergunta fechada, em Pernambuco, apenas 4,2% fizeram o mesmo. Uma dualidade similar foi identificada na comparação dos resultados da pesquisa em duas capitais do Sudeste, Belo Horizonte e Rio de Janeiro, também localizadas em estados com um histórico de miscigenação alto. Dos mineiros que se declararam pardos, somente 9,8% mantiveram a opção na pergunta aberta, contra 52,2% dos fluminenses na mesma situação.

Tanto em Belo Horizonte quanto em Recife, percebe-se, nas respostas espontâneas, uma preferência dos pardos pela categoria morena e suas variações (claro e escuro): 86,5% em BH e 92,9% na capital pernambucana. No Rio de Janeiro e em Salvador, as proporções são menores – de 38,8% e 46,3%, respectivamente. Não obstante são percentuais ainda significativos, que indicam um uso razoável desse termo. Porém, morena é a escolha da maioria dos pardos na região metropolitana de São Paulo (64%, contra 33,1% que "permanecem" pardos), enquanto em Porto Alegre registra-se a segunda maior preferência espontânea pelo termo pardo: pouco mais da metade (50,9%) dos que escolheram essa categoria na pergunta fechada mantiveram a opção na pergunta aberta. Por outro lado, 36% deles classificaram-se, espontaneamente, como morenos, percentual pouco menor que o verificado no Rio.

Os resultados sugerem que, em Minas Gerais e Pernambuco, houve maiores oportunidades de ascensão para indivíduos de aparência não-branca, os quais devem ser vistos como um tipo nativo, brasileiro. De fato, são regiões com legados históricos que transcenderam a dualidade entre casa-grande e senzala: respectivamente, há, na origem desses estados, a sociedade urbana dos tempos da mineração, principalmente no século XVIII, e a modernidade administrativa da invasão holandesa, no século anterior. Pode-se dizer, sobre ambas as regiões, que o colonizador português não estava tão presente quanto, por exemplo, no Rio de Janeiro e em Salvador, permitindo – conforme indica o uso predominante de uma categoria que remete à idéia de raça brasileira – a formação de um sentimento nativista, onde talvez se encontrem as raízes do nacionalismo no Brasil. Não deve ter sido por acaso que duas das insurreições que mais ameaçaram o domínio português no Brasil tenham sido a Inconfidência Mineira e a Revolução Pernambucana.

Por outro lado, Salvador também tem um histórico de miscigenação. Isso, no entanto, não permitiu que as relações verticais entre brancos e não-brancos fossem mais integradoras, levando os mestiços a se identificarem com um termo que remete mais à condição de negro, considerado inferior pelos colonizadores, dentre os quais havia morenos de fato, ou seja, descendentes dos povos mouros que ocuparam a Península Ibérica. A predominância da categoria parda no Rio ajuda a sugerir que o termo seja uma herança da colonização. Assim como Salvador, a cidade foi capital do país; as relações entre senhores e escravos teriam sido mais rígidas nos centros de poder.

Porém, em São Paulo e Porto Alegre, localizadas em estados para os quais foram grandes quantidades de imigrantes europeus, há dois quadros praticamente opostos no que se refere à classificação espontânea dos "pardos oficiais". Os paulistas escolheram, principalmente, o termo moreno, enquanto pouco mais da metade dos gaúchos nessa condição "permaneceram" pardos. As interpretações possíveis para esses resultados são menos precisas que aquelas dadas para a situação das quatro outras regiões metropolitanas, agrupadas, implicitamente, em dois blocos: um, onde a colonização teria sido tradicional, com a lógica da casa-grande e senzala (Bahia e Rio de Janeiro), e outro, com a formação de um sentimento nativista, traduzido pela categoria moreno (Minas Gerais e Pernambuco).

No que se refere a São Paulo, terra de migrantes e imigrantes, inúmeras variáveis podem explicar a preferência dos pardos por esse termo: o seu uso corrente na região de origem das pessoas que o escolheram; uma tentativa de branquear-se diante dos mais claros, geralmente descendentes de imigrantes; um resquício dos tempos coloniais: distantes da administração portuguesa, os primeiros paulistas nativos, bandeirantes, eram caboclos, mistura de índio com branco, cuja aparência remete ao tipo mouro. Todas essas explicações são razoáveis a ponto de que, de fato, elas devem ter influenciado em igual proporção para o resultado da pesquisa. Nenhuma delas, porém, aponta para uma integração racial ampla, tal como a que talvez tenha ocorrido em Minas e Pernambuco. Já em Porto Alegre, a manutenção da categoria parda nas respostas espontâneas, por parte da maioria dos "pardos oficiais", aponta para uma menor tendência ao branqueamento, fruto de relações raciais mais rígidas. Em minoria, situação acentuada após a imigração européia do final do século XIX e início do século XX, os afro-descendentes teriam sido compelidos a formar uma identidade, tese corrente no meio acadêmico. Embora a PME de julho de 1998 forneça indícios contrários a isso, poucos escolhem, espontaneamente, a categoria negra. De qualquer forma, o contexto da classificação racial gaúcha requer uma análise mais profunda da pesquisa em questão.

É preciso lembrar que boa parte dos pardos oficiais de Porto Alegre escolheu a categoria morena (36%). Mas, da totalidade dos que se consideram morenos (não incluídos os morenos-claros e morenos-escuros), 33,7% declaram-se brancos quando a pergunta é fechada, o maior índice das regiões metropolitanas pesquisadas. A capital gaúcha também é o local onde há mais pardos oficiais que são brancos espontâneos (3,2%), índice estatisticamente irrelevante, já que corresponde a apenas 0,31% dos brancos espontâneos. Isso sugere que, em Porto Alegre, o termo moreno se refere a qualquer uma das categorias oficiais; os "morenos-brancos" provavelmente são descendentes de europeus do Sul, chamados de morenos em contraste aos europeus do Norte, notadamente alemães e alguns italianos mais claros. Por isso, diz-se que tal categoria morena em Porto Alegre é *abrangente*, pois pessoas de diversas categorias oficiais a escolhem. Porém, isso não passa de uma nuance quando se vê que 95,1% dos brancos oficiais mantiveram-se brancos na pergunta aberta. Esse foi o maior índice entre os locais pesquisados. Porto Alegre também é a recordista em pretos e pardos oficiais que também se declaram assim espontaneamente, o que aponta para uma penetração forte das categorias oficiais. Dessa forma, embora morena seja uma categoria de baixa penetrabilidade entre os gaúchos, ela é bastante abrangente, pois engloba, em grandes proporções, indivíduos de mais de uma das categorias oficiais, nesse caso a branca e a parda.

Tabela 4.5
Proporção de brancos oficiais que são brancos espontâneos – Brasil, 1998 (em %)

Região Metropolitana	Brancos espontâneos
Recife	74,3
Salvador	86,9
Belo Horizonte	75,2
Rio de Janeiro	94,8
São Paulo	93,4
Porto Alegre	95,1

Fonte: PETRUCELLI, José Luis. Op. cit., p. 48-50.

Tabela 4.6
Proporção de morenos que são brancos oficiais – Brasil, 1998 (em %)

Região Metropolitana	Brancos oficiais
Recife	14,4
Salvador	4,6
Belo Horizonte	14,3
Rio de Janeiro	14,9
São Paulo	13,6
Porto Alegre	33,7

Fonte: *Idem*, p. 34.

Vê-se que, em Recife e Belo Horizonte, um quarto dos brancos oficiais não se declara assim na pergunta aberta (*tabela 4.5*), o que corrobora a força da categoria morena nessas cidades, assim como seu caráter fluido. Já no Rio e em São Paulo, a correlação entre brancos oficiais e brancos espontâneos é apenas um pouco menor do que em Porto Alegre (94,8% e 93,4%, respectivamente), mas a penetrabilidade da categoria morena é maior, só que, diferentemente do que ocorre nos estados de Minas e Pernambuco, mais restrita aos grupos preto e pardo oficiais. Salvador, por sua vez, está em uma posição intermediária, com 86,9% dos brancos oficiais declarando-se brancos espontaneamente, mas com apenas 4,5% dos morenos escolhendo a categoria branca, o menor índice dentre os analisados, o que reitera o indício de uma divisão forte entre brancos e não-brancos (*tabe-*

la 4.6). Aliás, foi lá onde houve o registro da maior proporção de negros como categoria espontânea (7,2% dos entrevistados, contra 3,14% nas seis regiões pequisadas como um todo), outra mostra da existência de tal divisão, demarcada, inclusive, com base em atributos culturais.

Assim, pode-se dizer que, em São Paulo, há maior rigidez nas relações raciais, tal como nas sociedades fluminense e baiana. Porém, a gênese de tal rigidez, assim como a do branco paulista, não está na casa-grande: ambos se formam, principalmente, do bandeirante caboclo, com traços predominantemente europeus, e do imigrante, notadamente o italiano e o português, em contraste com os negros forros do meio rural que foram para as cidades, e com os migrantes nordestinos. No caso destes últimos, há, em São Paulo e nos estados do Sul, para com eles uma discriminação fruto do amálgama do preconceito racial com o regional, que, na verdade, tornam-se uma manifestação única, como se vê entre muitos paulistas que usam o termo baiano como sinônimo de preto, pardo ou negro.[33] Porém, como se verá adiante, o termo baiano também pode ser usado, em São Paulo, para designar qualquer indivíduo que tenha migrado do Nordeste.

Além dessas revelações sobre o significado dos termos pardo e moreno, a PME de julho de 1998 também mostra dados interessantes sobre o significado da categoria amarela. Exceto em Belo Horizonte e São Paulo, a proporção de amarelos espontâneos que se mantêm na categoria quando dadas as opções oficiais nas regiões metropolitanas é inferior a 90%. Por exemplo, no Rio de Janeiro, apenas 69,57% dos amarelos permanecem amarelos quando lhes são apresentadas as categorias do IBGE. A maioria dos que não o fazem migra para a categoria parda, cerca de 21%. Isso indica que o termo não se refere apenas aos orientais. Afinal, não consta que nas regiões metropolitanas pesquisadas, à exceção de São Paulo, tenha havido um histórico de recebimento de imigrantes japoneses, e, mais recentemente, coreanos e chineses. De fato, a proporção de amarelos espontâneos não ultrapassa 1%, tornando a confusão estatisticamente irrelevante

---

[33] IANNI, Octávio. Op. cit., p. 114.

sob um ponto de vista, ainda mais ao ver que justamente na capital paulista também é alta a proporção de amarelos oficiais que também se declaram assim espontaneamente.

Tabela 4.7

Proporção de amarelos que são amarelos oficiais e proporção de amarelos oficiais que são amarelos – Brasil, 1998 (em %)

Região Metropolitana	Amarelos que são amarelos oficiais	Amarelos oficiais que são amarelos
Recife	81,2	27,7
Salvador	77,36	61,2
Belo Horizonte	92,86	40
Rio de Janeiro	69,57	43,2
São Paulo	97,42	92,7
Porto Alegre	75	46,2

Fonte: PETRUCELLI, José Luis. Op. cit. p. 51-54.

Segundo Petrucelli, que fez uma breve análise dos dados aqui apresentados, essas "(...) expressivas diferenças inter-regionais no uso de categorias identificatórias de cor, evidenciam um fato de importância capital para o estudo das características da população brasileira: o da variação regional nos significados dos termos utilizados na classificação que aqui se está analisando. Isso já tinha sido também constatado em estudos anteriores, como o elaborado a partir dos resultados da PNAD de 1976 (...). Por outro lado, nos seus princípios e recomendações para a realização de censos de população de 1959, a ONU 'reconhece estar o levantamento de características étnicas, raciais e de nacionalidade sujeito a condições e necessidades nacionais e, portanto, não recomenda critérios de aceitação universal' (...). Este mesmo raciocínio pode ser aplicado ao nível de agregação nacional, destacando assim as necessidades regionais às quais o levantamento estaria sujeito. As informações analisadas no presente trabalho estariam indicando que o estudo das características de cor da população do país pode ser fragmentado a um nível menor, qual seria o da região, nas atribuições de significados relevantes e diferenciados desta variável".[34]

[34] PETRUCELLI, José Luis. Op. cit., p. 34-35.

Os dados da PME levam à conclusão indubitável de que o termo pardo não é, informalmente, sempre equivalente a moreno. Este, por sua vez, possui conotações distintas, de acordo com a região do país. Haveria tendências discriminatórias iguais, mas com cores distintas? Nada pode ser afirmado nesse sentido, por região, mas há evidências fortes de que a lógica do *continuum* seja mais forte do que a dos grupos rígidos. Nelson do Valle Silva constatou que pessoas que se classificaram como morenas, mas que depois escolheram a categoria branca na PNAD 1976, têm perfil socioeconômico inferior ao da categoria branco-branco, mas superior ao dos morenos-pardos e morenos-pretos.[35] Há também indícios de que há desigualdades dentro do grupo branco na PME de julho de 1998 (*tabela 4.8*).

Ironicamente, as pessoas que declaram ter origem alemã – e, em tese, seriam valorizadas em virtude do fenótipo europeu, no grupo branco e no geral – possuem menor salário mensal médio, à exceção dos que têm origem brasileira, africana, indígena e negra. Dos brancos, os que possuem maior renda têm origem judaica ou árabe e, em outros países, como nos Estados Unidos, não seriam necessariamente classificados nessa categoria. Nota-se que os pardos, independentemente da origem, têm rendas médias baixas e parecidas, com exceção dos descendentes de japoneses, portugueses e italianos. Os amarelos, em sua maioria nipo-descendentes, tal como havíamos mencionado no *capítulo 3,* possuem renda superior à maioria dos demais grupos. Dessa forma, parece que as oportunidades são determinadas em grande parte pela herança familiar, a qual estava mais bem estruturada entre os grupos de imigrantes do que entre as famílias "nativas" mais pobres.

---

[35] SILVA, Nelson do Valle. Op. cit., p.91.

Tabela 4.8

Salário mensal médio, por cor ou raça e origem – Brasil, 1998 (em R$)

Origem	Cor ou Raça						
	Branca	Preta	Amarela	Parda	Indígena	Sem resposta	Total
Alemã	976,59	490,06	-	504,98	456,60	-	931,06
Árabe	1.759,26	-	-	562,22	-	-	1.654,52
Africana	698,84	515,30	230,00	496,14	469,63	337,79	535,99
Brasileira	778,09	384,81	1.379,03	431,64	495,05	702,93	630,43
Espanhola	1.134,55	589,15		584,48	531,26	1.037,93	1.058,16
Indígena	645,93	404,91	363,95	464,77	493,36	521,20	537,53
Italiana	1.135,66	571,52	286,83	655,50	597,97	1.051,63	1.080,17
Japonesa	1.038,87	-	1.719,14	978,07	-	-	1.505,66
Judaica	2.047,24	-	-	547,84	-	-	1.756,47
Negra	651,16	438,77	291,75	437,46	398,12	-	467,19
Portuguesa	1.071,97	583,29	653,34	619,86	489,48	634,93	982,65
Outra	1.260,37	346,46	-	562,01	1.104,71	-	1.161,21
Total	848,41	400,84	1.462,72	440,14	515,07	695,79	688,98

Obs.: A pesquisa foi realizada nas regiões metropolitanas de Recife, Salvador, Belo Horizonte, Rio de Janeiro, São Paulo e Porto Alegre.

Fonte: SCHWARTZMAN, Simon. Op. cit., p. 112.

Uma diferenciação na renda também ocorre entre os negros americanos, aponta Telles. O *gráfico 4.2* mostra que os negros de pele mais escura têm, em média, uma renda menor do que os mais claros, cujos rendimentos se aproximam mais daqueles do grupo branco. "Apesar de a distinção entre negro e branco (...) ser baseada em ascendência (...), os norte-americanos 'negros' de pele clara têm, em geral, melhores chances na vida que indivíduos de pele mais escura e, no âmbito da beleza física, são vistos como mais atraentes".[36] Em 1980, a renda familiar anual média dos pardos e pretos brasileiros equivalia a, respectivamente, 45% e 40% daquela de um branco. Uma década depois, a relação entre a renda média familiar *per capita* de negros (soma de pretos e pardos) e a de brancos era de 44,3%. Em

[36] TELLES, Edward. Op. cit. p. 191.

2001, quase dez anos mais tarde, esse índice era ainda menor: os negros tinham apenas 42% da renda média familiar *per capita* dos brancos. "Ironicamente", como disse Telles a respeito dos dados de 1980, "um *continuum* da cor caracteriza melhor as diferenças raciais objetivas na renda nos Estados Unidos do que no Brasil, ainda que as noções subjetivas de raça sejam baseadas numa dicotomia, no caso dos Estados Unidos, e como um contínuo, no Brasil".[37] Aliás, os diversos tons de pele existentes entre os americanos com ancestrais africano-subsarianos sugerem a existência de mestiçagem nos Estados Unidos numa escala maior do que a imaginada pelo senso comum. Tal "mistura" deve ter ocorrido sobretudo no período colonial, até a abolição, em 1863, fruto, sobretudo, do relacionamento forçado entre senhores e escravas.

Gráfico 4.2
Renda familar anual média dos negros em relação à dos brancos, por tonalidade da pele – Estados Unidos, 1980 (%)

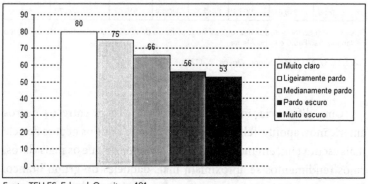

Fonte: TELLES, Edward. Op. cit., p. 191.

Portanto, na prática, em qualquer lugar, o *continuum* deve funcionar mais do que as divisões estanques oficiais. São os limites das próprias categorias diante da (perversa) microfísica do poder, que discrimina os indivíduos, além de ela mesma ser influenciada pela superestrutura do macronível, e das heranças cultural e econômica impostas a seus ancestrais. Categorias que

[37] *Idem*, p. 192.

não existem de fato, e ainda que sejam criadas por decreto ou lei, camuflam a realidade.

4.4. Qual identidade

Ainda que no Brasil não existam grupos raciais estanques ou etnias, conforme já foi mencionado, há um discurso bastante corrente nos últimos anos que vem tentando mudar essa realidade. É em torno da suposta condição racial similar, da qual compartilhariam pretos e pardos, que ativistas do movimento negro pretendem construir uma identidade para unir esses dois grupos em torno de uma causa justa: a luta por melhores condições de vida e cidadania plena.

"A gente é forçado a perder a identidade negra", argumenta Thiago Thobias, da Educafro. "A criança, quando nasce, vai assistir a um programa de televisão e só vê o modelo eurocêntrico. O que é considerado bonito hoje na rua, bonito entre aspas, é o modelo eurocêntrico. Eu, caminhando no sinal do trânsito, quando eu paro, nos finais de semana, recebo vários panfletos de imóveis, lá só tem famílias brancas, sorrindo, felicidade. Então, o modelo bom e bonito é esse modelo branco", diz, numa referência ao padrão estético da cultura de massa no Brasil.

Mas a referida estética branca, européia, reconhecidamente predominante, corresponde a uma ética, isto é, um conjunto de valores *puramente europeus*, representados pelo grupo branco brasileiro, opressor das demais culturas, associadas a outros grupos raciais e étnicos? Se for adotado um discurso que tem como base a oposição entre civilizações dentro do país, isso se torna verdadeiro. "Branquitude" *versus* negritude. Esta, diz D'Adesky, "enquanto discurso dos militantes negros, (...) sustenta uma linguagem que reivindica que a salvação do negro não está na busca da assimilação dos valores do branco, mas sim na retomada de si mesmo, isto é, na sua afirmação cultural, moral, física e intelectual, na crença de que ele é sujeito de uma história e de uma civilização fecunda, digna de respeito".[38]

[38] D'ADESKY, Jacques. Op. cit., p. 139.

"No Brasil, as pessoas compartilham de culturas, no plural. Evidentemente que o país é um exemplo, no mundo, de sociedade multicultural", argumenta o professor Fernando Conceição, destacando, porém, que "os próprios africanos que para aqui vieram eram de várias culturas" e não de uma só, como o discurso da negritude leva a crer. Segundo o sociólogo Roy Todd, "multiculturalismo traz a idéia ou o ideal de coexistência harmônica de diferentes grupos culturais ou étnicos no seio de uma sociedade pluralista (...). No nível ideológico, o multiculturalismo abrange a aceitação de diferentes grupos étnicos, religiões, práticas culturais e diversidade lingüística (...). Quando aplicado às políticas, multiculturalismo envolve uma gama de ações do Estado com dois propósitos principais: manter a harmonia entre diversos grupos étnicos e estruturar as relações entre o Estado e as minorias étnicas".[39]

O professor Conceição fala que a sociedade brasileira é um "mosaico de culturas que se trocam entre si". Além dos negros, diz ele, os índios também tinham várias culturas. "Nos primeiros séculos de construção do Brasil, tínhamos os portugueses que para aqui vieram, tentando dominar o país, além dos holandeses, dos espanhóis e dos franceses, os quais também chegaram a dominar parte do país. "Então", conclui o docente, "tudo isso fez com que o Brasil fosse multicultural". Cristina Trinidad, do Ceert, concorda com o argumento e vai além: "Quando se cria o mito da democracia racial, o objetivo é justamente se criar uma identidade nacional", analisa. Para ela, apesar de essa imagem ter sido vendida, ela é mentirosa. "Agora, caiu a máscara. Esse é um problema que temos de enfrentar", diz. Com base nisso, nos últimos anos vem havendo uma série de projetos que procuram valorizar e estimular a diversidade. Um deles já está incorporado ao aparato jurídico brasileiro: a obrigatoriedade do ensino da história e da cultura africana e afro-brasileira nas instituições de ensino, determinada pela lei federal 10.639.

Na visão da antropóloga Yvonne Maggie, as diretrizes curriculares para a Educação das Relações Étnico-raciais e para o Ensino de

[39] TODD, Roy. "Multiculturalism." In: CASHMORE, Ellis (Org.). Op. cit., p. 244.

História e Cultura Afro-brasileira acabam, porém, por se tornar "um exemplo de como o Estado propõe exacerbar a racialização da sociedade em vez de debelá-la".[40] Elas foram influenciadas por acadêmicos que defendem a perspectiva multiculturalista e as ações afirmativas com base em raça. Segundo o parecer que embasou as diretrizes, o Brasil é formado "por pessoas que pertecem a grupos étnico-raciais distintos, que possuem cultura e história próprias, igualmente valiosas e que em conjunto constroem, na nação brasileira, a sua história". Por isso, o Brasil deve ser um "país multiétnico e pluricultural, de organizações escolares em que todos se vejam incluídos, em que lhes seja garantido o direito de aprender e de ampliar conhecimentos, sem serem obrigados a negar a si mesmos, ao grupo étnico-racial a que pertencem, a adotar costumes, idéias e comportamentos que lhes são adversos".[41]

Uma equipe coordenada por Maggie é responsável por avaliar os efeitos da implantação de tais diretrizes em 21 escolas. Entre elas, está uma instituição pública que oferece Ensino Médio no bairro do Irajá, na zona Norte da cidade do Rio de Janeiro. A escola vem trabalhando as diretrizes na forma de projeto-piloto. Um dos alunos que participa das atividades diz que "a aula é legal, mas não a forma como é dada". Pelo relato dele e de um colega, conclui-se que há uma ênfase exagerada na racialização da sociedade. A professora "fala de um jeito que parece que se alguém falar contra ela é capaz de dar um soco. Ela defende os afro-brasileiros de um jeito que parece que os brancos é que são os escravos. Ela fala de um jeito como se estivesse ofendendo ela", conta o outro aluno. Segundo Maggie, "as professoras responsáveis pela implantação das diretrizes qualificam as opiniões negativas dos alunos em relação ao programa como falta de 'educação' e de 'consciência'. Uma delas chega a dizer que, enquanto alguns estudantes assimilam melhor o conteúdo das aulas por estarem liga-

---

[40] MAGGIE, Yvonne. "Uma nova pedagogia racial." *Revista USP*, São Paulo, n. 68, p. 112-129, dez. 2005, p. 117.

[41] BRASIL, Ministério da Educação. *Diretrizes Curriculares Nacionais para a Educação das Relações Étnico-Raciais e para o Ensino de História e Cultura Afro-Brasileira e Africana*. Brasília: Mec/Secad, 2005, p. 18. *Apud* MAGGIE, Yvonne. Op. cit., p. 117.

dos a manifestações culturais negras, por outro lado há um 'grupo de esconde' ou 'grupo do Michael Jackson', que prefere branquear-se".[42]

Essa mesma professora afirma haver muito racismo na escola. Todavia, os alunos não teriam consciência disso, já que acham que algumas atitudes dos colegas são brincadeiras. "Daí a importância de trabalhar a auto-estima desse aluno para que ele comece a ter essa conscientização", sintetiza Maggie. Ou, como disse a professora da escola, "à medida que essa auto-estima começa a ser intensa, ele começa realmente a se sentir negro ao saber que negro é bom, é bonito, é normal", não havendo, portanto, mais espaço para o *continuum* da sociedade brasileira, pois, como argumentou uma outra docente, "se você tem um aluno que é mulato, entre aspas, se ele for um pouquinho mais claro, ele não vai botar que é preto. Ele vai botar [no formulário do vestibular] que é branco. Por isso, esse trabalho de *reconstrução da identidade* que estamos fazendo na escola é importante" (grifo nosso).[43] "Assim", conclui Maggie, "essas Diretrizes apontam um caminho para o combate ao racismo, afirmando uma saída de reforço de uma identidade bipolar e étnica, e o abandono de muitas das maneiras relacionais de pensar a cor das pessoas (...)".[44]

Maneiras que levaram uma das alunas entrevistadas, apesar de branca, a dizer que é amarela, mais um indício da confusão em torno dessa categoria. Eis o relato da estudante: "[minha cor é] branca-amarela. Minha mãe fala isso. Acho que não sou totalmente branca. Defino-me como branca porque meu olho é claro. Mas eu não acho que eu seja branca. Branco para mim é aquela pessoa muito branca. *Eu me defino como amarela, mas as minhas características são mais pro branco.* Só a cor da pele que eu acho diferente. Meu pai e minha mãe são mais morenos do que eu. Morenos claros. Meus irmãos são da minha cor, só que mais claros do que eu"[45] (grifo nosso).

Demétrio Magnoli concorda com o papel da escola na superação do racismo. Porém, diz ele, atualmente "querem contar uma histó-

[42] MAGGIE, Yvonne. *Uma nova pedagogia racial.* Op. cit., p. 124.
[43] *Idem,* p. 127.
[44] *Idem,* p. 127.
[45] *Idem,* p. 126.

ria idealizada, onde a África é uma entidade una, não é atravessada por conflitos, violência, escravidão, tráfico, e é explorada, de fora, por brancos. Então, a mera instituição de história da África, nesse contexto da campanha por ações afirmativas, é a instituição de uma disciplina ideológica, e que pretende falsificar a história da África, do Brasil e da Europa. Eu sou a favor de ensinarem a história da África, mas aquela que participa da história mundial, e que faz com que a África seja atravessada por violência, assim como outros continentes, por guerras, conflitos, que não seja essa unidade idealizada de oprimidos do mundo", diz o sociólogo. "Por que querem ensinar separadamente? O que se pretende é evitar a conexão dos eventos na África, na Europa e no Brasil, evitando dizer que o tráfico de escravos só podia existir porque havia reinos escravistas africanos, cuja maior fonte de renda era a captura de escravos, onde negros capturavam negros, onde africanos capturavam africanos e os vendiam", afirma.

A África idealizada da qual Magnoli fala encontra ecos no panafricanismo dos anos 1960, fomentado em especial pelo movimento negro americano. "Não tenho dúvida de que temos uma identidade nacional", diz Ali Kamel. "Estou muito mais próximo de um negro que mora ao meu lado do que de um árabe que mora no Líbano, onde meus pais nasceram. Um negro brasileiro tem muito mais identidade com um negro brasileiro do que com um americano. Não existe uma cultura negra universal. Isso é uma sandice. O que existem são culturas nacionais", defende. Porém, como a brasilidade se formou, no que se refere às culturas negras, européias e indígenas que aqui se encontraram, sob a égide do luso-tropicalismo, tolerante à mistura e, ao mesmo tempo, preconceituoso para com o diferente?

Já que o luso-tropicalismo era o credo do colonizador e, depois, da nação brasileira, acabou por sobrepor-se aos demais e, dada sua natureza incorporadora, misturar-se com eles, diluindo-os num *melting pot*. É a face cultural do mito das três raças fundadoras: europeus, índios e africanos. Para Roberto DaMatta, não se pode negá-lo. "Mas o que se pode indicar é que o mito é precisamente isto: uma forma sutil de esconder uma sociedade que ainda não se sabe hierarquizada e dividida entre múltiplas possibilidades de classificação", sejam elas com base exclusivamente na aparência, ou com recursos que a modificam, como o dinheiro.[46] "(...) Quando acreditamos que o Brasil foi feito de negros, brancos e índios, estamos aceitando sem muita crítica a idéia de que esses contingentes humanos se encontraram de modo espontâneo, numa espécie de carnaval social e biológico. Mas nada disso é verdade. O fato contundente da nossa história é que somos um país feito por portugueses brancos e aristocráticos, uma sociedade hierarquizada e que foi formada dentro de um quadro rígido de valores discriminatórios. Os portugueses já tinham uma legislação discriminatória contra judeus, mouros e negros, muito antes de terem chegado ao Brasil; e quando aqui chegaram apenas ampliaram essas formas de preconceito",[47] diz.

Por outro lado, conforme visto no *capítulo 2*, em toda a história nacional houve um percurso contraditório, o que teve repercussões na cultura. Isso fica evidente ao longo do projeto nacional-desenvolvimentista do século XX, o qual se apropriou desse fato histórico, concedendo *soft power* aos negros na medida em que reconheceu, no discurso, manifestações de origem africana como integrantes do repertório nacional, entre elas o samba, embora tantas outras tenham permanecido marginalizadas. Assim, segundo Darcy Ribeiro, a postura que até agora prevaleceu em relação ao negro no Brasil é o assimilacionismo, oposto ao *apartheid*. Este, afirma Ribeiro: "admite que o outro seja diferente (...). Já o assimilacionismo, não: nós não aceitamos que ninguém seja diferente, queremos que todo mundo seja igual", fazendo com que "(...) o negro brasileiro seja muito menos agressivo do que devia ser, menos que o norte-americano".[48] Ou seja, independentemente de como esse processo tenha ocorrido, o fato é que ele é uma realidade que está longe de ter influências *exclusivamente européias no campo ético*, dos valores que dão ao Brasil o caráter de nação. Tanto que, aos olhos do mundo, não fazemos parte do Ocidente, justamente por causa das influências não-européias em nossa formação.

---

[46] DAMATTA, Roberto. *O que faz o brasil, Brasil?* Rio de Janeiro: Rocco, 1986, p. 47.
[47] *Idem*, p. 146.
[48] RIBEIRO, Darcy. Op. cit., p. 211.

Conforme afirma o sociólogo Antonio Risério, "(...) os deuses africanos foram apagados da memória cultural negra norte-americana – e, evidentemente, jamais chegaram a ter uma presença no mundo cultural branco-puritano. É como se os escravos negros, nos EUA, tivessem passado por uma bem-sucedida lavagem cerebral. No Brasil e em Cuba, ao contrário, a vida religiosa sempre foi muito menos pura e disciplinada",[49] diz o autor, em referência ao sincretismo entre tradições religiosas de diversas origens nesses dois países. Como exemplo de nossa mestiçagem cultural, ele ainda cita as contribuições de idiomas africanos que enriqueceram o português falado no Brasil – algo que sequer é notado no inglês americano –, além da presença de personagens negros em nossa literatura, não obstante os estereótipos representados por meio deles.

Outras analogias com os Estados Unidos também são úteis para que se perceba o caráter nacional brasileiro. Por exemplo, até onde se sabe, não há registros de crise de identidade cultural por parte de crianças adotadas, cujos pais oficiais são de uma raça ou cor diferente, embora, dependendo do caso, elas sofram inseguranças em virtude da condição de filhos não-biológicos. Na sociedade americana, há complicadores mais profundos. No livro *Birth Marks*, Sandra Patton investiga as conseqüências da adoção transracial nos EUA, prática que chegou, inclusive, a não ser recomendada por organismos do movimento negro. O principal argumento era que, por mais que famílias brancas estivessem bem intencionadas, não tinham condições de fornecer às crianças negras o aprendizado necessário de modo que estas últimas enfrentassem de maneira bem-resolvida o racismo da sociedade, aprendizado que incluiria desde "técnicas de sobrevivência" (*survival skills*) até elementos da própria cultura negra.[50]

A questão no Brasil, portanto, é até que ponto uma identidade afro-brasileira é necessária para que aqueles que sofrem discrimina-

[49] RISÉRIO, Antonio. Op. cit., p. 150-151.
[50] PATTON, Sandra. *Birth Marks: Transracial Adoption in Contemporary America*. New York: New York University Press, 2000. Uma das adotadas entrevistadas pela autora resume o dilema dos Estados Unidos: adoção transracial é estranha porque vivemos num mundo racista (p. 17).

ção combatam o racismo e, no sentido mais amplo, a sociedade o elimine. Em outras palavras, o indivíduo precisa deixar de ser preto ou pardo (ou até mesmo branco!) – designado por uma cor que, no mínimo, serve para descrever alguém fisicamente, sem necessariamente discriminá-lo – e *se tornar negro ou afro-brasileiro (ou seja, membro de uma etnia) para ser um cidadão de fato?* Sobre qual variável determinar a linha de cor ou, melhor dizendo, a fronteira entre um branco e um negro no país? É um dilema inexistente na experiência dos Estados Unidos, tal como se vê no uso do termo *black* (preto), que engloba cor (um elemento do fenótipo), raça (o conjunto do fenótipo) e etnia (elementos de identidade – reativa – compartilhados, nesse caso, por indivíduos de determinado fenótipo, com condição racial semelhante, com uma história de subordinação).

"Somos todos brasileiros, somos todos iguais", defende Ali Kamel. "Nos EUA, eles são racistas. Aqui, a gente tem mistura. Não existe raça, o que existe é uma pele diferente." Uma pele diferente que, em virtude da superestrutura macro, acaba por delimitar níveis diferentes numa hierarquia. "As pessoas não conseguem se identificar como negras por quê? Porque criaram a imagem de que é ruim ser negro, é negativo. Você não quer aquilo. Muitos dizem 'eu sou pardo, eu não sou negro'", argumenta Eliana Custódio, da ONG Geledés. Isso, como ela bem lembra, acaba sendo reforçado por aquilo que é veiculado pela indústria cultural. Apesar de haver pretos e pardos em elevadas posições, geralmente eles são retratados em lugares nos quais, por razões históricas, perfazem a maioria: funções mal-remuneradas, como os empregos domésticos. "Há programas humorísticos em que ou a mulher ou o homem negro é alcoólatra", critica Custódio.

De fato, constata o cineasta Joel Zito Araújo, "no cinema e na telenovela, o melhor lugar reservado para o mestiço, celebrado na literatura ou nos discursos como representante do verdadeiro brasileiro, é a representação do 'povão'. Os atores marcadamente mestiços, independente da fusão racial a que pertencem, se trazem em seus corpos e em suas faces uma maior quantidade de traços não-brancos, são sempre vítimas de estereótipos negativos (...). Nem mesmo aquelas atrizes que são reconhecidas, por nossos critérios estéticos branqueados, como a mais perfeita representação da beleza resultante das fusões genéticas entre negros, índios e brancos, a exemplo de Camila Pitanga e Juliana Paes, conseguem fugir dos papéis de empregadas domésticas, apesar do lugar especial que já ocupam na indústria da publicidade".[51]

Ressalta-se, no entanto, que Pitanga já interpretou uma jovem de classe média, na novela *A Próxima Vítima* (TV Globo, 1995), e uma médica, em *Mulheres Apaixonadas* (TV Globo, 2003). No entanto, não há registro de que nem ela nem Paes tenham entrado na pele da típica mocinha, papel principal que cabe, na maioria das vezes, a atrizes brancas (talvez Paes tenha chegado perto disso em seu papel na novela *Pé na Jaca*, de 2006). Quanto à questão dos estereótipos negativos, parece haver mudanças nos últimos anos. Talvez o sintoma mais evidente disso seja a abordagem dada pelo autor Aguinaldo Silva ao relacionamento interracial entre os personagens dos atores Débora Falabella e Lázaro Ramos em *Duas Caras* (TV Globo, 2007-08), em que o personagem do ator – um negro que mora numa favela – carrega em si a aura de um mocinho (ainda que não seja o papel principal), altivo e ativo, que luta para ficar com o amor de sua vida, uma jovem branca de classe média.

Mas, se considerado o plano cultural (exceto o campo dos valores relativos à mestiçagem "biológica", os quais valorizam o branqueamento), é inegável a existência de uma "mulatização", se for entendida como um abrasileiramento, qual seja o compartilhamento, por todos, independentemente da origem, de um conjunto de valores sincréticos, mestiços, difundidos sobretudo pela mesma indústria cultural. Ela, que reproduz estereótipos, leva os valores da *sociedade complexa* mesmo àqueles que estão distantes dela ou, pelo menos, não se adaptaram totalmente. "Em princípio, a noção de complexidade está ligada à divisão social do trabalho mais especializada, mas segmentadora na sociedade urbana industrial contemporânea, com a formação de uma rede de instituições diversificadas, mais ou me-

[51] ARAÚJO, Joel Zito. "A força de um desejo: a persistência da branquitude como padrão estético audiovisual." *Revista USP*, São Paulo, n. 69, p. 72-79, mar. 2006, p. 77.

nos ligadas dentro de um sistema, mas com fronteiras discerníveis."[52] Pela descrição do conceito, ele se aplica à realidade do Brasil.

Não obstante isso, a maioria dos cidadãos do país considera-se de origem brasileira, independentemente de sua ancestralidade. Ao analisar os dados da PME de julho de 1998, Simon Schwartzman constatou que "na questão fechada, que permitia múltiplas escolhas, 86,6% dos respondentes se identificaram como brasileiros. No entanto, existe uma grande variação entre os grupos de origem em relação a esta escolha (...). As populações mais antigas no país – negros, africanos e indígenas – marcam mais sua identidade brasileira, enquanto os de migração mais recente ficam entre 40% e 60% (...). Como é de se esperar, existem grandes variações entre as regiões do país quanto a essa identidade brasileira: em Recife, 96% das pessoas se declararam brasileiras, um número que cai para cerca de 83% em São Paulo e para 70% em Porto Alegre". Portanto, como conclui o autor, "não há dúvida de que a origem das pessoas é um fator significativo em sua identidade, sobretudo nas regiões de migração mais recente".[53]

Assim, até que ponto se pode falar em uma cultura nacional? Para Gilberto Velho e Eduardo Castro, "parece-nos (...) que só se pode superar essa dificuldade com a noção de dominância, em que fique claro que nos casos de uma coexistência, em um determinado território com fronteiras políticas, há que não pressupor uma homogeneidade, mas sim identificar os códigos ou culturas ou subculturas existentes (...)".[54] Ainda segundo os mesmos autores, "(....) a noção de subcultura está associada à sociedade complexa, que esteja se falando de classe, região ou etnia, como por exemplo cultura ou subcultura operária, gaúcha ou negra (...)".[55] Nesse sentido, é mais apropriado falar de *microculturas*, praticadas por indivíduos que se reconhecem numa cultura mais ampla, uma *macrocultura*.

Mas qual delas sobressairia? Tudo depende do contexto, apesar de haver evidências suficientes para dizer que, em primeiro lugar, estão

---

[52] VELHO, Gilberto; CASTRO, Eduardo. Op. cit., p. 18.
[53] SCHWARTZMAN, Simon. Op. cit., p. 109-110.
[54] VELHO, Gilberto; CASTRO, Eduardo. Op. cit., p. 23.
[55] *Idem*, p. 19.

os vínculos nacionais. Em seguida, a identificação coletiva que mais prevalece é a regional, embora ao Sul, em virtude do contraste mais forte entre brancos e negros, dada a relativamente recente imigração européia, ela tenha um viés que tende mais à origem étnica ou mesmo regional, como é o caso dos nordestinos em São Paulo. "Houve uma discussão em que alguém falou que os baianos eram uma etnia", conta Cristina Trinidad. "Olha, gente! Que loucura! Como assim baiano é uma etnia?", se questiona. "De fato, em São Paulo, independentemente de um indivíduo ser branco ou negro, ele é chamado de baiano. E, às vezes, o cara nem o é de fato. Só por ser nordestino, a pessoa é chamada assim, o que é um superpreconceito", analisa.

A tendência por uma identidade não-vinculada à origem étnico-racial fica clara no campo religioso, embora isso varie em termos proporcionais, de acordo com a região do país. A *tabela 4.9* mostra o percentual de cada grupo de cor que declarava praticar candomblé ou umbanda, religiões com raízes africanas, em 1980, de acordo com o censo do IBGE, em dez das principais regiões metropolitanas do país. Ainda que esse quadro possa ter mudado, nas décadas seguintes, por causa do avanço evangélico sobre as religiões de matriz afro-brasileira, os dados, sem dúvida, refletem padrões históricos de interação cultural entre membros de grupos raciais distintos. Quanto menor o índice dado pela relação entre o percentual de brancos e o de pretos praticantes, menor a proximidade dos dois grupos nessa questão, isto é, menos brancos pertencem a tais credos. Essa proximidade é menor nas duas regiões metropolitanas do Sul, enquanto é maior no Rio de Janeiro. Quanto à relação entre pardos e pretos, à medida que esta for maior, mais próximos entre si esses grupos estarão, o que indica um assimilacionismo menor dos mestiços – pelo menos em termos religiosos. Isso ocorre mais no Rio de Janeiro, onde também há uma proximidade relativamente alta de brancos em relação aos pretos, e em Porto Alegre, cujos padrões de relações raciais devem basear-se mais na origem, pelas razões já explicadas. Belém, na região Norte, por sua vez, tem os dois índices idênticos, apontando para uma proximidade entre brancos e pardos, indicando, mais uma vez, que estes últimos são principalmente indivíduos sem ancestralidade africana próxima, tendo, provavelmente, antepassados indígenas e europeus. É o mesmo caso de Salvador; porém, lá a tendência é que aqueles afro-descendentes que conservam a religiosidade de seus antepassados se assumam como negros e, não tendo essa opção entre as categorias oficiais, se declarem pretos.

Tabela 4.9
Participação em religiões afro-brasileiras – Brasil, 1980

Região Metropolitana	Brancos (%)	Pardos (%)	Pretos (%)	Relação brancos/pretos	Relação pardos/pretos
Norte/Nordeste					
Belém	0,3	0,3	0,8	0,38	0,38
Salvador	0,2	0,2	0,4	0,50	0,50
Fortaleza	0,2	0,2	0,4	0,50	0,50
Recife	0,4	0,5	1	0,40	0,50
Centro/Sudeste					
Brasília	0,9	0,9	2,1	0,43	0,43
Belo Horizonte	0,4	0,5	0,9	0,44	0,56
Rio de Janeiro	2,7	3,4	4,8	0,56	0,71
São Paulo	0,7	0,8	1,7	0,41	0,47
Sul					
Curitiba	0,3	0,5	1	0,30	0,50
Porto Alegre	1,8	5,4	8,1	0,22	0,67

Fonte: TELLES, Edward. Op. cit., p. 130.

Por isso, a cultura tem relativamente pouca influência na formação das (ocasionais) identidades raciais brasileiras, cujas categorias são, ao contrário, termos usados para descrever a aparência dos indivíduos. Não obstante, a aparência remete a uma série de estereótipos que fundamentam o preconceito e a discriminação. Além disso, há uma hierarquia estética que tende a depreciar o fenótipo africano subsaariano. Apesar de o preconceito ser de marca, ele remete sim a um conjunto de valores, a uma cultura considerada por muitos como inferior, ainda que o indivíduo que sofre discriminação não a pratique. Para desarmar essa armadilha, o caminho menos eficaz e mais tortuoso é impor uma correção por meios legais, tal como o Estatuto da Igualdade Racial faz ao prever, por exemplo, cotas de participação de negros em produções audiovisuais. A via mais clara consiste em realizar um trabalho junto à sociedade e em especial nas escolas, não para impor uma raça a cada pessoa, mas para explicar que, apesar das diferenças, sejam elas estéticas ou éticas, todos têm direitos e deveres iguais.

O Brasil pode e deve sim ser um país multiculturalista, no sentido de ser uma sociedade tolerante às diferentes escolhas de vida, sem que elas determinem a concessão de direitos (bônus) e deveres (ônus) adicionais em virtude das identidades assumidas, pelo menos para aqueles indivíduos integrados às sociedades complexas. Nesse sentido, há uma proximidade com a segunda interpretação da concepção de democracia liberal, citada no *capítulo 1*. Ela permite o estímulo ao desenvolvimento de valores culturais específicos, desde que alguns princípios básicos, como os direitos fundamentais de todos os cidadãos, não sejam violados, e que a aceitação de valores culturais, exceto os necessários a um processo político baseado na tolerância, não seja imposta. Ou seja, caminha-se rumo a um universalismo de fato, sem qualquer centralidade cultural, exceto nas instituições políticas adotadas, cuja origem é claramente européia, assim como ocorre na maioria dos países do mundo, ocidentais ou não.

4.5. Conclusão

Primeiramente, a discussão realizada neste capítulo mostra o quão é imprecisa a pergunta feita pelos pesquisadores do IBGE aos entrevistados, no censo e em pesquisas estatísticas, para traçar o perfil racial da população brasileira. "A cor ou raça do (a) [nome da pessoa] é" pode dar margem a várias interpretações, dependendo da região do país e do contexto social. Nem sempre os termos da questão são sinônimos. Por exemplo, os dados da pesquisa de Octávio Ianni mostram a relevância de outros fatores de diferenciação além da tonalidade de pele. O branqueamento tornou-se parte integrante da maneira como a raça é percebida e confundida com o termo cor. Por isso, uma pessoa pode dizer: "minha raça é branca, mas minha cor morena". Ou, em menor probabilidade, "sou negro, mas moreno". E, se há diferença entre cor e raça, há formas de preconceito e de discriminação distintas, no que se refere a cada uma dessas variáveis, sendo que o conceito cor não deixa de trazer em si a noção de raça e, por conseqüência, o racismo. Indício disso são as nuances do *continuum* de cores, o qual se relaciona com um *continuum* de fenótipos, correspondentes aos outros caracteres icônicos da face, como formato do nariz, cor dos olhos e tipo de cabelo.

Dessa forma, pode-se expressar não a cor, tampouco a raça como grupo estanque, mas a aparência, sobre a qual, porém, há racismo, preconceito e discriminação, em termos desses dois contínuos. A relação entre ambos, *na sua percepção social*, está expressa no *quadro 4.2*. O eixo horizontal corresponde à cor, enquanto o vertical, ao fenótipo. Nos extremos de ambos, as posições $N0$ e $B0$, as quais correspondem a tipos imaginários puros, respectivamente brancos e negros. Tais grupos, na percepção popular, terminam, respectivamente, em $N1$ e $B1$, sendo que $B1$ é igual a $MB0$, e $N1$, a $MN0$. $MB0$ é o ponto a partir do qual há a percepção de mestiçagem, só que com resultados mais próximos do branco. $MN0$ também marca o início do indício de mistura, só que tendo como referencial os mais negros (de aparência africano-subsaariana). No ponto de encontro dos dois eixos considerados, haveria um tipo mestiço "puro", tido como ideal, a síntese perfeita de ambos os grupos ($MN1=MB1$), sendo talvez mais bem exemplificado pelos indivíduos de traços que remetem aos indígenas. Todos esses pontos periféricos, isto é, que não estão nos extremos dos eixos, mas delimitam as percepções de cor e de fenótipo, são as zonas cinzentas das quais falamos antes. Nelas, estão aqueles padrões que, mesmo com base na construção social feita em torno da noção de raça, independentemente do termo pelo qual ela é expressa (cor, aparência), são vistos como pertencentes tanto a um grupo quanto a outro. Os quadrantes, por sua vez, delimitam o pertencimento das intersecções entre cor e fenótipo a uma determinada raça ou aparência – embora nas relações raciais haja outros termos para expressá-las: negra (N), mestiça (M) – que também inclui tipos vistos como intermediários (ou seja, nem brancos nem pretos), os quais não necessariamente são fruto da mestiçagem ocorrida em solo brasileiro, como indígenas, árabes e até mesmo orientais – e branca (B). Assim, mesmo que um indivíduo tenha traços mais negróides, sua cor pode fazê-lo passar por branco e vice-versa.

Quadro 4.2

Representação da aparência das pessoas – Brasil

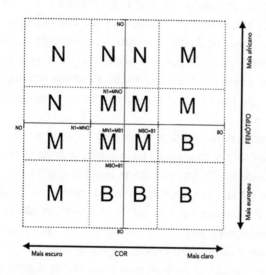

Fonte: Elaboração própria.

Considera-se que o fator predominante para a autoclassificação é como o indivíduo se vê, comparado aos demais, e como estes enxergam o indivíduo, com base nas variáveis descritas ao longo do capítulo (cor, fenótipo, origem, classe e cultura). Na heteroclassificação, a ordem é inversa, isto é, predomina a visão do outro sobre o indivíduo a ser classificado. Tais variáveis predominam, dependendo do contexto, seja ele macro (região, estado), *meso* (uma cidade, bairro) e micro (relações e lugares sociais), colocando o indivíduo em outro "quadrante" do esquema.

O contexto social pode ser entendido como um momento específico das relações interpessoais, único ou freqüente, e é determinado, essencialmente, pela comparação entre aquele indivíduo e seus pares, no que concerne à *aparência física* e à *aparência social*. A aparência física compreende as características do corpo do indivíduo mais evidentes aos olhos dos outros. Já a aparência social relaciona-se com o lugar que o indivíduo ocupa num determinado contexto social, podendo ser influenciado por sua profissão, por exemplo. Assim, o indivíduo é percebido como membro de uma raça e, portanto, potencial portador de alguns atributos fixos, de acordo com o contexto social em que se encontra. Esses são os limites para a formação de uma identidade negra, a qual reuniria os pretos e pardos (os quais não são, necessariamente, afro-descendentes, mas apenas caboclos – descendentes de brancos com índios –, conforme se viu anteriomente, podem sofrer discriminação menor – mas nem por isso menos grave – que os pretos e pardos com traços subsaarianos).

Tal quadro, porém, pode mudar conforme o tempo, por meio de *políticas públicas que estimulem a racialização, tal como há políticas que ignoram o racismo*. De qualquer forma, o trabalho de correção das desigualdades raciais deve considerar a forma como essas relações ocorrem, e não um modelo irreal, em que se projetam vontades políticas de grupos que tomam para si a tarefa de representar a população. Segundo esses setores do movimento negro, o país teria de assumir uma face birracial para corrigir as desigualdades sociorraciais. Alguns chegam a dizer que as ações afirmativas baseadas em raça seriam um estímulo para que parte da população assumisse sua negritude. Porém, seria essa parcela aquela cuja condição socioeconômica é prejudicada em peso em virtude de sua aparência, isso para não lembrar que a maioria das limitações à ascensão social tem origem em estruturas que afetam os mais pobres, independentemente da cor ou raça?

Assim, as nuances da verdadeira realidade racial brasileira fazem com que as ações afirmativas com critério racial sejam aproveitadas por *free-riders* (caronistas). Em política internacional, o termo se refere àqueles países que usufruem benefícios gerados por acordos, sem arcarem com os custos que deles decorrem. Na questão em estudo, é uma boa expressão para caracterizar especialmente aqueles que, por estarem na fronteira entre o grupo branco e o pardo, se classificam de uma forma, mas outros os classificam numa categoria diferente. De acordo com as pesquisas apresentadas, até 12% da população estão nessa fronteira, de modo que, ainda que sejam honestos na hora de preencher um formulário, não estarão traduzindo a realidade. Afinal, tanto eles quanto a sociedade não os colocam numa única categoria, dada a contradição entre auto e heteroclassificação. Essa é a única observação que pode ser feita com relativa precisão a respeito dos *free-riders*, com a ressalva de que ela é válida apenas se a classificação nas pesquisas analisadas for tomada como válida para outros contextos sociais. Mas, já que estamos falando de autoclassificação racial como critério de elegibilidade para tais políticas, todos são *free-riders* em potencial. Independentemente disso, o fato é que aproximadamente metade da população potencialmente transita entre as categorias, por meio daquelas populares, bastante dúbias. Por tudo isso, o grupo de negros a ser beneficiado, formado a partir das políticas de estímulo à racilização, ironicamente, talvez não seja aquele que hoje é discriminado e contra o qual é dirigido o preconceito e os estereótipos.

Ações afirmativas, porém, podem ser vistas como injustas e de fato podem ser não contra um suposto grupo privilegiado – brancos, por exemplo, sem distinção de classe –, mas contra aqueles que, independentemente de sua aparência, são pobres e, em virtude disso, sofrem com as limitações impostas pelas macroestruturas sociais, que são "cegas". De qualquer forma, o reforço do conceito de raça, alguns argumentam, seria a alternativa para corrigir as desigualdades sociais e raciais no Brasil. Porém, será que estas últimas, na medida em que derivam muito mais de macroestruturas sociais, que já são *color-blind*, não podem ser amenizadas ou mesmo eliminadas de outras formas além da ênfade na raça, esse "conceito maldito"? Em outras palavras, é possível deixarmos de ser *racism-blind* (cego ao racismo) sem que nos convertamos ao racialismo?

5 | AFIRMANDO (OU NÃO) A RAÇA

"Tem uma frase interessante de um aluno da Educafro", conta o advogado Thiago Thobias, coordenador da entidade. "Quando perguntaram para ele se a ação afirmativa ia acabar com a discriminação, ele falou: 'se vai acabar, eu não sei, mas eu prefiro enfrentar o problema com o diploma na mão'. Isso porque, sem diploma, ele sabe que vai encarar o preconceito e a discriminação da mesma forma", argumenta. De fato, a tendência é que, com um maior nível de escolaridade e, conseqüentemente, com maior renda, um indivíduo que é vítima de discriminação racial tenda a neutralizar os efeitos negativos dela. No Brasil, conforme visto, graças à ideologia do branqueamento, há uma tendência de que o indivíduo deixe de ser considerado negro, não-branco, e muda de "grupo racial".

No entanto, até que ponto as ações afirmativas vão promover mudanças nos padrões de relações raciais, não para que negros sejam branqueados, mas passem a ser, independentemente de sua classe social, cidadãos plenos? Em outras palavras, essas medidas têm o poder de reduzir as desigualdades sociorraciais, se considerarmos a inclusão de critérios socioeconômicos em tais políticas? Ou criam apenas privilégios, já que, como alguns argumentam, são usufruídas por indivíduos que já têm condições de competir igualmente na sociedade? As respostas existentes podem ser buscadas em três fontes: 1) o conceito de ação afirmativa; 2) experiências estrangeiras – por mais que o padrão de relações raciais no Brasil seja algo *sui generis* em todo o mundo; e 3) experiências nacionais, inclusive no que se refere ao mercado de trabalho, fato que vem sendo ocultado pelo debate sobre acesso à universidade.

5.1. Vestígios teóricos

Segundo o sociólogo John David Skrentny, a idéia de ação afirmativa tem origem no velho conceito inglês de eqüidade. Esta era definida "de acordo com o que era justo numa determinada situação, em oposição a regras rígidas, com resultados desastrosos". Porém, diz o autor, "o termo ação afirmativa apareceu pela primeira vez como parte da Lei Nacional de Relações do Trabalho, promulgada em 1935. Nela, ação afirmativa queria dizer que um empregador que fosse pego discriminando trabalhadores sindicalizados ou membros de diretorias de sindicatos deveria parar de cometer tal atitude e colocar em prática ações afirmativas, para dar as oportunidades que essas vítimas de discriminação teriam tido se não tivessem sofrido discriminação".[1] Ou seja, *originalmente, o termo não tem nada a ver com preferências, mas sim com o reforço da idéia de igualdade de oportunidades e, conseqüentemente, com o universalismo nas políticas públicas.* No entanto, ao mesmo tempo, carrega a concepção de reparação por uma situação desvantajosa. Nota-se que o foco das ações são os indivíduos discriminados em virtude de um atributo que compartilhavam (a sindicalização), e não um grupo. Afinal, não necessariamente todos os sindicalizados haviam sido discriminados por seus patrões.

A professora de Direito Flávia Piovesan diz que há três vertentes às quais a igualdade se refere. A primeira delas é a igualdade formal, garantida pela lei. Tal igualdade, aponta Piovesan, "foi crucial para a abolição de privilégios". Depois, vem a igualdade material, nos termos socioeconômicos. Por fim, há a igualdade material, "correspondente ao ideal de justiça como reconhecimento de identidades", entre os quais o gênero, a idade, a raça, a cor e a etnia.[2] Uma vez que o in-

---

[1] SKRENTNY, John David. *The Ironies of Affirmative Action: Politics, Culture and Justice in America.* Chicago: Chicago University Press, 1996, p. 6.
[2] PIOVESAN, Flávia. "Ações afirmativas e direitos humanos." *Revista USP,* São Paulo, n. 69, p. 36-43, mar. 2006, p. 39.

divíduo abstrato, sem especificidades, é insuficiente para que todos tenham seus direitos garantidos, seria necessário, aponta Piovesan, o direito à diferença, o que garantiria um tratamento especial a determinados grupos, por meio de políticas chamadas ações afirmativas. Mas de quais diferenças a autora fala? Ao nosso ver, tratam-se de imperativos biológicos, os quais, abstraídos em construções sociais, como no caso das crianças, dos idosos e das mulheres repercutem, de fato, em limitações.

"A idéia de que os negros devem ter cota na universidade porque os deficientes têm alguma ação afirmativa, se é que têm ou quando têm, é uma idéia extremamente perigosa, porque é dizer que há um grupo racial que deve ser considerado deficiente. É como dizer que, se existirem escolas públicas de qualidade, os alunos negros dessas escolas, mesmo assim, têm menos chance do que os alunos de pele mais clara. Isso é racismo, é uma idéia preconceituosa. É óbvio que o negro, nesse caso, não tem menos chances: tem as mesmas chances", analisa o sociólogo Demétrio Magnoli. "Além disso, é bem discutível se deficientes devem ter cota em algum lugar. Por outro lado, não é nem um pouco discutível que os deficientes devam ter condições para concorrer em igualdade, o que significa exames feitos em braile, equipamentos especiais em situações de competição e que aumentem a igualdade de oportunidades entre uns e outros", constata.

"Num país como o nosso, as políticas têm que ser voltadas para os mais pobres", defende o jornalista e sociólogo Ali Kamel, numa referência à criação de condições de igualdade de competição, as quais não existem atualmente. Tais condições passam pela universalização de fato dos direitos sociais, nos termos propostos no *capítulo 2*. Não é possível, portanto, garantir tais direitos – básicos para o exercício da plena cidadania – de maneira segmentada. Mas quanto ao reconhecimento de identidades, de especificidades de grupos? Desde que características dos indivíduos que compõem grupos lhes impeçam de competir em pé de igualdade em determinadas situações, deve haver sim ações específicas para acabar com tal situação, como é o caso do racismo. Para o antropólogo Kabengele Munanga, "as propostas de combate ao racismo não estão mais no abandono ou na erradicação de raça, que é apenas um conceito e não uma realidade, nem no uso dos léxicos cômodos como os de 'etnia', de 'identidade' ou de 'diversidade cultural', pois o racismo é uma ideologia capaz de parasitar todos os conceitos".[3] Sem dúvida, mas tampouco o caminho parece estar na ênfase do conceito, seja qual for o termo usado para encobri-lo.

Afinal, como diz o professor de religião Steven Rockfeller, "do ponto de vista democrático, a identidade étnica de uma pessoa não é a sua identidade inicial, e importante como o respeito pela diversidade nas sociedades democratas multiculturais, a identidade étnica não é a base do reconhecimento do valor igual e da relacionada idéia dos direitos iguais. (...) Do ponto de vista liberal democrata, uma pessoa tem o direito de reivindicar um reconhecimento igual antes de tudo pela razão de sua identidade humana universal e potencial, e não primeiramente pela razão de uma identidade étnica (...). Elevar a identidade étnica, que é secundária, a uma posição igual, ou superior, em importância à identidade universal de uma pessoa é enfraquecer as bases do liberalismo e abrir porta à intolerância".[4]

Mais grave ainda é fomentar uma identidade étnica à revelia dos indivíduos: são estes que devem definir, independentemente de sua origem e de sua aparência, qual caminho seguir em suas vidas, sem qualquer vínculo fixo, exceto às instituições que lhes garantem cidadania. Por isso, elas têm de ser, na esfera comportamental, as mais liberais possíveis. "A sociedade pode ser organizada à volta de uma definição de vida boa, sem que tal seja considerado uma depreciação daqueles que, pessoalmente, não partilham dessa concepção (...). Uma sociedade com objetivos coletivos fortes pode ser liberal, segundo essa perspectiva, desde que seja capaz de respeitar a diversi-

---

[3] MUNANGA, Kabengele. *Algumas considerações sobre "raça", ação afirmativa e identidade negra no Brasil.* Op. cit., p. 53.
[4] ROCKEFELLER, Steven. "Comentário." In: TAYLOR, Charles (Org.). *Multiculturalismo: examinando a política do reconhecimento.* Lisboa: Instituto Piaget, 1994, p. 166.

dade, em especial, quando considera aqueles que não partilham dos objetivos comuns, e desde que possa proporcionar garantias adequadas para os direitos fundamentais".[5]

Um exemplo de respeito à diversidade é a concessão de direitos específicos para comunidades não integradas à sociedade complexa, como os povos indígenas. "As novas Constituições do Brasil e da Colômbia reconhecem os povos indígenas numa maneira corporativista, dando a eles não apenas direitos plenos de cidadania (os quais eles já tinham como indivíduos) mas também direitos corporativos para defender suas próprias culturas e tradições",[6] argumenta John Peeler. Outra maneira de enfatizar a diversidade e, portanto, romper estereótipos, é fomentar uma cultura, não como parte exclusiva de um grupo, mas como elemento decisivo na formação da identidade nacional, o que é o caso das tradições africanas, cuja influência ultrapassa supostas fronteiras biológicas, determinadas pela descendência.

O professor e ativista do movimento negro Hélio Santos qualifica esse processo de terapia pedagógica. Mas, em vez de, como o autor diz, "afirmar a identidade racial" de pretos e mestiços, *isso tem que se dar, ao nosso ver, num processo que reforce a identidade brasileira de todos*, mostrando, como o próprio Santos afirma, a riqueza "da nossa forma de contemplar o mundo e a própria vida", uma riqueza maior do que a da "branca Europa".[7] Um ponto de referência da brasilidade, de modo que *microculturas* não suplantem uma *macrocultura*, comprometendo a unidade social e nacional. Tal unidade, porém, não deve ocorrer com base nos padrões atuais, que depreciam o negro, sobretudo na estética. Eis o combate à discriminação.

Mas o que é discriminação? Por exemplo, a partir dos anos 1970, nos Estados Unidos, empresas cujo quadro de funcionários não correspondesse à composição racial do lugar onde funcionavam eram

---

[5] TAYLOR, Charles. "A Política de Reconhecimento." In: _____ (Org.). *Multiculturalismo: examinando a política do reconhecimento*. Lisboa: Instituto Piaget, 1994, p. 78.

[6] PEELER, John. Op. cit., p. 35.

[7] SANTOS, Hélio. "Uma visão sistêmica das estratégias aplicadas contra a discriminação racial." In: MUNANGA, Kabengele (Org.). *Estratégias e políticas de combate à discriminação racial*. São Paulo: Edusp, 1996, p. 118.

consideradas discriminatórias, *ainda que tais diferenças não fossem fruto de uma ação deliberada por parte da companhia, mas sim um reflexo do fato de não haver número suficiente de indivíduos de uma determinada minoria com requisitos para preencher, na mesma proporção em que se encontram na população, as vagas oferecidas.* Sob esse ponto de vista, a discriminação pode ocorrer de maneira não-intencional, como na concepção de Maria Aparecida Silva Bento, apresentada no *capítulo 1*: a própria manutenção das desigualdades raciais numa dada sociedade seria uma forma de discriminação, mesmo por parte dos indivíduos que não tivessem nenhum preconceito racial e nada fizessem para corrigir a situação.

O economista Thomas Sowell critica a maleabilidade do conceito de discriminação, assim como de outros necessários ao debate sobre relações raciais. "Essas definições cambiantes servem para contornar fatos que desafiam o dogma central que está por trás de muitas discussões sobre ação afirmativa e discriminação – o de que as diferenças estatísticas entre grupos se devem ao modo como outros tratam esses grupos, e não à diferença de performance entre grupos".[8] Antes que acusem Sowell de considerar naturais as desigualdades entre grupos étnico-raciais, é necessário esclarecer que ele faz uma constatação. Afinal, em virtude do contexto histórico, uma etnia ou grupo de pessoas com determinada descendência acaba por acumular determinados conhecimentos, os quais podem ser mais valorizados do que outros numa sociedade, fazendo com que os indivíduos desse grupo tenham uma espécie de vantagem comparativa em relação aos demais.

Conforme visto em capítulos anteriores, os imigrantes no Brasil, apesar das duras condições de vida, tinham um capital cultural mais elevado e propício para atuar numa sociedade capitalista. Note-se, mais uma vez, que se trata de uma hierarquia natural, mas de condições históricas. Esses imigrantes, dependendo da origem, tinham *know-how* (*savoir-faire*) específico, uns em ramos mais rentáveis, outros em atividades menos lucrativas. O mesmo ocorreu nos Estados

[8] SOWELL, Thomas. *Ação Afirmativa ao Redor do Mundo: Estudo Empírico.* Rio de Janeiro: UniverCidade Editora, 2004, p. 170.

Unidos, que, em termos de mistura étnica e diversidade de origem, talvez sejam apenas comparáveis ao Brasil. "Muitas das substanciais diferenças econômicas e sociais entre os grupos étnicos nos Estados Unidos refletem diferenças históricas que existiam antes mesmo de eles se encontrarem em solo americano, por exemplo, a sobre-representação dos judeus na indústria têxtil, dos alemães na indústria de cerveja ou dos irlandeses na política e no sacerdócio, para não mencionar diferenças culturais, como variações no recebimento de educação formal",[9] analisa Sowell.

Ele prossegue e, polemicamente, diz que, nos Estados Unidos, "o caso dos negros é obviamente diferente da situação dos judeus, devido aos diversos tipos de razões históricas e outras que estão implícitas. Mas, quanto aos argumentos e provas explícitas citados nos casos de 'ação afirmativa' – e aplicadas aos diferentes tipos de grupos étnicos, sexuais e de outros gêneros –, a história dos judeus, orientais e outras etnias é relevante e fatalmente põe em xeque os pressupostos sobre os quais eles se fundamentam". Ou seja, não obstante a discriminação sofrida por esses grupos, tanto no macro quanto no micronível, eles conseguiram superá-la devido a conjunturas históricas não necessariamente proporcionadas pelo Estado americano.

Mas, pergunta Sowell, "onde a discriminação ilegítima tiver sido constatada, é suficiente retificar as práticas discriminatórias do passado ou devem-se compensar os grupos previamente discriminados? Se sim, como? Pessoas que defendem ações afirmativas acreditam que é insuficiente substituir as práticas discriminatórias como um conjunto de procedimentos legítimos. Elas argumentam que reparações devem ser direcionadas a grupos que sofreram discriminação no passado, mesmo se isso significar *discriminar a favor* das vítimas de discriminação histórica".[10] É a chamada *discriminação reversa*. Para outros, trata-se simplesmente de um racismo às avessas.

[9] SOWELL, Thomas. "Weber and Bakke, and the Pressupositons of 'Affirmative Action'." In: BLACK, W.E.; WALKER, M.A (Org.). *Discrimination, Affirmative Action and Equal Opportunity*. The Fraser Institute, 1981, p. 44-45.
[10] ROBERTS, Lance. "Understanding Affirmative Action." In: BLACK, W.E.; WALKER, M.A (Org.). Op. cit., p. 150.

Por outro lado, afirma a antropóloga Eunice Durhan, "as pessoas que vivem na sociedade de hoje não são responsáveis pelas injustiças do passado". Ela conta que, num dos debates sobre ações afirmativas do qual participou, disse "que não era responsável pela escravidão. Não tenho que reparar nada. Eu sempre tratei os pretos muito bem. Sou filha de imigrantes que chegaram aqui depois da escravidão. Eu não sou responsável por essa situação". De fato, se possível, as desigualdades propiciadas por tais injustiças devem ser corrigidas sem promover outras. A justiça social não é um jogo de soma zero, no qual, para um ganhar, o outro deve perder, a não ser que ela seja realizada num contexto em que não haja expansão das riquezas. Independentemente disso, é possível montar uma estratégia que combine a provisão de direitos básicos, mas que combata de fato o racismo, seja na indústria cultural, seja nas escolas, atacando os vestígios da escravidão e suas atualizações constantes.

Até mesmo porque, no Brasil, retomando a discussão do capítulo anterior, quem teria direito às reparações por erros do passado? Por exemplo, a proposta de indenização em virtude da escravidão, já retirada do projeto do Estatuto da Igualdade Racial, é complicadíssima. Mesmo os brancos com ancestrais escravos teriam direito a ela? No geral, a ausência de uma linha de cor definida nacionalmente faz com que, num primeiro momento, mesmo aqueles indivíduos que não sofrem discriminação tenham acesso aos direitos providos pelo estatuto, caso se autodeclarem afro-descendentes, pelos termos definidos pelo projeto de lei. Inclusive, não necessariamente por agirem de má-fé, longe disso. Afinal, é provável que haja indivíduos que se definem como negros menos por conta de sua aparência, o que tende ser a regra, do que por uma questão de identidade cultural. Porém, ainda que a última situação descrita não ocorra, considerando o fato de que nem todos tendem a agir com honestidade, configurar-se-ia, assim, uma provável situação de privilégios garantidos legalmente. Por outro lado, o estabelecimento de uma heteroclassificação também seria polêmico e, sobretudo, algo moralmente repudiável, pois, sem dúvida, entraria em contradição com as identidades de alguns indivíduos, muitas vezes moldadas a partir de outros elementos não-relacionados à aparência, e faria ecos diretos ao racismo científico.

Mas, como lembra Sowell, "uma das reações dos grupos não-preferenciais tem sido a autoclassificação como membros dos grupos preferenciais (...). Algumas pessoas de origem mesclada e auto-identificadas como membros do grupo A podem decidir por si mesmas se reclassificar como membros do grupo B, quando este último tiver direito a tratamento preferencial e os integrantes do grupo A não. Nos Estados Unidos, durante a era de Jim Crow [discriminação legal no Sul do país, na primeira metade do século XX], alguns negros de pele mais clara simplesmente 'passavam por brancos para escapar das desvantagens legais e sociais derivadas da classificação de negro. Mais tarde, na época da ação afirmativa, brancos com traços de índio americano e de outras minorias da mesma forma reclassificaram-se para aproveitar as políticas preferenciais para grupos em desvantagem".[11] Assim, como já havíamos concluído antes, há o risco de os beneficiados não serem aqueles do grupo original. É o chamado oportunismo racial, já explicado no *capítulo 4*. Além disso, como Wilson Julius Wilson constatou, "a ação afirmativa surte bons efeitos do setor médio das classes sociais para cima, mormente no topo, mas é improvável que faça diferença nas classes mais baixas".[12] Pode-se concluir, portanto, que elas privilegiam aqueles que já têm condições de concorrer por melhores posições através das instituições da macroestrutura social.

De qualquer forma, se a lógica for a compensação pelos sofrimentos dos ancestrais, todos os afro-descendentes – inclusive aqueles que se declaram e, no contexto brasileiro, são considerados brancos – teriam direito a eventuais indenizações. Se, porém, o objetivo das políticas específicas for a compensação por limitações atuais, elas afetam a população mais pobre como um todo. Se, finalmente, tais políticas servirem para contrabalancear e eliminar o preconceito e a discriminação à qual os negros de todas as classes estão sujeitos, o

---

[11] SOWELL, Thomas. *Ação Afirmativa ao Redor do Mundo*. Op. cit., p. 8.
[12] WILSON, William Julius. *The Declining Significance of Race: Blacks and Changing American Institutions*. Chicago: The University of Chicago, 1978, p. 281.

combate ao racismo envolve também ações amplas, não-específicas, pois seu fim depende da mobilização de toda a sociedade. A discriminação reversa, portanto, pode ser imprópria ou ineficaz onde os efeitos da *discriminação de fato* são pequenos.

Independentemente dessa discussão da *origem das desigualdades* e *dos critérios de elegibilidade para as ações afirmativas*, mesmo num contexto em que a discriminação de fato, ou seja, aquela intencional, é relevante, há uma série de discussões morais e legais a respeito da aplicação de tais políticas. De tais critérios, o mais claro é a *meritocracia*. Por exemplo, diz Sowell, sobre o desempenho de membros de minorias no Ensino Superior americano, "a controvérsia sobre preferências e cotas na admissão às faculdades não se refere ao ingresso de estudantes negros no Ensino Superior; mas exatamente sobre a admissão daqueles estudantes negros que não atendem aos padrões normais aplicados a outros estudantes nas *instituições* que freqüentam".[13]

No Brasil, não é necessário fazer nenhuma pesquisa de campo profunda para constatar que, independentemente da cor, boa parte dos jovens que provam ter méritos para ingressar numa universidade pública de qualidade viveram num ambiente com um alto capital cultural, proporcionado em virtude da formação dos pais e da renda familiar. "O aluno pobre, negro, que não tem a mesma situação e nem muitos desses privilégios, ao demonstrar desempenho suficiente para entrar numa universidade, terá o mesmo mérito, pois o que conseguiu foi com dificuldade, e seu mérito talvez não possa ser medido somente no número de acertos nas questões das provas do vestibular",[14] afirma a antropóloga Solange Martins Couceiro de Lima. De fato, talvez haja mérito além das questões de múltipla escolha, as quais perfazem a maioria dos exames. O desafio reside, porém, em definir o que é mérito, de modo a não violar o critério de impessoalidade. Por exemplo, experiências de vida mais ricas podem fazer com que alguém seja um melhor profissional naquela área do que *apenas* alguém que tenha um alto nível de conhecimento acumulado.

---

[13] SOWELL, Thomas. *Ação Afirmativa ao Redor do Mundo*. Op. cit. p. 153.
[14] LIMA, Solange Martins Couceiro de. *"...até canibal vira vegetariano."* *Revista USP*, São Paulo, n. 69, p. 44-59, mar. 2006, p. 53.

Finalmente, há o *problema legal*, evocado principalmente por aqueles que, ao melhor estilo da tradição bacharelesca brasileira, vêem que as ações sociais sempre estão engessadas pelas leis, como se estas não pudessem ser alteradas ou aperfeiçoadas para atender às demandas da sociedade. A Constituição veda qualquer discriminação fundamentada em raça e garante a igualdade de todos perante a lei. Mas, independentemente da posição que se tenha a favor das ações afirmativas como políticas de preferência, o fato é que o Brasil assinou tratados internacionais que, à primeira vista, as respaldam.

O jurista Hédio Silva Jr. lembra que, "de acordo com a interpretação dada pelo Supremo Tribunal Federal à Constituição de 1988, os direitos emanados dos tratados internacionais (...) possuem paridade normativa com as leis de direito interno (...)".[15] Por exemplo, a Convenção Internacional sobre a Eliminação de Todas as Formas de Discriminação Racial estabelece que "não serão consideradas discriminação racial as medidas especiais tomadas com o único objetivo de assegurar progresso adequado de certos grupos raciais ou étnicos que necessitem da proteção que possa ser necessária para proporcionar a tais grupos ou indivíduos igual gozo ou exercício de direitos humanos e liberdades fundamentais, contanto que tais medidas não conduzam, em conseqüência, à manutenção de direitos separados para diferentes grupos raciais e não prossigam após terem sido alcançados os seus objetivos".[16] Resta definir, nesse caso, se o ingresso na universidade – e não o indiscutível direito de se candidatar e concorrer a um curso superior – é um direito humano ou se está compreendido pelas liberdades fundamentais.

Hédio Silva Jr. ainda lembra que reserva de vagas em determinadas instituições não é algo novo no Brasil. Por exemplo, durante a ditadura militar, foi aprovada uma lei, já revogada, que previa que as escolas federais de nível médio e superior com cursos nas áreas de agricultura

---

[15] SILVA JR, Hédio. "Ação afirmativa para negro(as) nas universidades: a concretização do princípio constitucional da igualdade." In: GONÇALVES E SILVA, Petronilha; SILVÉRIO, Valter. *Educação e ações afirmativas: entre a injustiça simbólica e a injustiça econômica*. Brasília: MEC, 2003, p. 111.

[16] ONU. "Convenção Internacional sobre a Eliminação de Todas as Formas de Discriminação Racial." Disponível em: <*www.senado.gov.br*>. Acesso em: 12 nov. 2006.

e veterinária reservassem 50% de suas vagas a agricultores ou filhos destes, desde que residissem na zona rural, e 30% para os que morassem em cidades ou vilas sem instituições de Ensino Médio.[17] Se privilégios já existiram e foram garantidos por lei, isso não justifica a criação de outros. Afinal, como classificar a discriminação reversa senão dessa forma, já que ela tende a não atingir principalmente aqueles que deveriam ser priorizados pelas políticas públicas: os mais pobres?

5.2. Experiências estrangeiras

Olhando os resultados das ações afirmativas em outros países, ficam claros os privilégios que elas proporcionam em detrimento da proporção de igualdades. Na Índia, por exemplo, elas foram implantadas em diversos contextos, inclusive para favorecer nativos de determinada região ou estado, sempre em caráter temporário. "Em todos os casos, houve abundante evidência de que os grupos nativos com menos sucesso simplesmente não possuíam as habilitações, experiências ou atitudes que lhes permitissem impedir que outros viessem e os suplantassem."[18] Depois de quase 60 anos, as ações afirmativas persistem, sugerindo um caráter permanente. Afinal, parece ter havido uma acomodação, de modo que os beneficiados não exigem e tampouco recebem os instrumentos necessários para que não mais dependam delas.

O mesmo discurso da temporalidade das medidas foi adotado em outros lugares, entre eles os Estados Unidos, principal referência para o debate acerca da matéria. Lá, analisa o professor John Smith, "a principal razão pela qual os negros (...) não foram capazes de escapar da pobreza se deve ao fato de que, historicamente, o governo federal recusou-se a lhes oferecer o mesmo sistema de proteção para adquirir propriedade e para obter uma série de oportunidades econômicas, tal como foi propiciado aos brancos".[19]

[17] SILVA JR, Hédio. Ação afirmativa para negro(as) nas universidades. Op. cit., p. 113.
[18] SOWELL, Thomas. Ação Afirmativa ao Redor do Mundo, p. 35.
[19] SMITH, John. The Politics of Racial Inequality: a Systematic Comparative Macro-Analysis from the Colonial Period to 1970. Westport, CN: Greenwood Press, 1987, p. 145.

De fato, a segregação legal em alguns estados e a não-concessão de direitos após a abolição, além de estratégias informais, limitaram por bastante tempo a ascensão dos negros. Por exemplo, no que concerne ao mercado de trabalho, o *National Labor Relations Act* (NLRA,1935), aquele mesmo no qual consta o primeiro registro do termo ação afirmativa, deu aos grupos étnicos oriundos da Europa a oportunidade de ingressarem na classe média. A lei garantiu aos trabalhadores urbanos sindicalizados o direito ao emprego e a demais oportunidades econômicas.[20] Durante as discussões a respeito dessa legislação, foi apresentada uma proposta para excluir desses direitos os membros de sindicatos que promovessem discriminação racial. Porém, a *American Federation of Labor* (AFL), que era então a maior central sindical do país e estava dominada por imigrantes europeus e seus descendentes, não aceitou a proposta.

Assim, os negros ficaram sem um instrumento que lhes teria permitido mais oportunidades de ascensão social. Além disso, os sindicatos tinham o direito de decidir quais trabalhadores podiam exercer as funções mais qualificadas e receber o treinamento necessário para desempenhá-las. O treinamento para essas funções era subsidiado pelo Estado. Indiretamente, ele apoiava uma política que contribuiu decisivamente para o crescimento da desigualdade racial. Esse quadro persistiu no pós-guerra, embora com algumas alterações. Apesar do retorno da mão-de-obra branca que havia lutado nas frentes de batalha, "a contínua expansão da economia que se seguiu à guerra (...) criou um ambiente relativamente favorável para os negros no mercado de trabalho".[21]

Mas, ao invés de os trabalhadores se unirem para lutar por direitos acessíveis a todos os cidadãos, havia uma tendência de que as demandas fossem segmentadas por grupos, geralmente categorias de trabalhadores. Algumas delas eram mais fortes que a média, pois apresentavam um maior nível de organização. "No pós-guerra, sindicatos negociavam contratos com empresas para garantir segu-

---

[20] *Idem*, p. 153.
[21] WILSON, William Julius. Op. cit., p. 89.

ros-saúde privados, planos de aposentadoria e estabilidade no emprego, destinados a trabalhadores brancos pertencentes a categorias industriais de produção em massa, em vez de lutarem por emprego pleno, assistência médica universal, planos de aposentadoria para todos ou pelo fim das práticas discriminatórias promovidas pelos empregadores".[22]

Por outro lado, os benefícios da *Social Security* (o sistema de previdência americano, que, como outros pilares da assistência social nos EUA, foi criado no bojo das políticas de recuperação econômica dos anos 1930, após a Grande Depressão de 1929, foram estendidos aos trabalhadores domésticos e agrícolas durante os anos 1950.[23] É importante observar que muitos negros ainda se encontravam nas áreas rurais, principalmente nas do Sul e, em virtude das deficiências na formação escolar, a maioria dos que migravam para as grandes cidades encontravam ocupações de baixa remuneração. Para as mulheres negras, o trabalho doméstico era um nicho significativo, na medida em que os grupos de imigrantes que o haviam desempenhado nas cidades do Norte, como as italianas e as irlandesas, já haviam ascendido socialmente.

Portanto, tal como no Brasil, a incorporação dos negros na moderna sociedade de classes americana ocorreu de tal modo que a maioria deles não se beneficiara com o desenvolvimento econômico. Num mercado de trabalho em transição, em que a maioria dos postos de trabalho deixava de ser provida pelo setor industrial, migrando para o de serviços e de comércio, os afro-americanos tinham, comparativamente com a maioria dos brancos, deficiências em capital social e cultural, em outras palavras, a ausência de participação em redes de relacionamento, as quais permitiriam ascensão na sociedade.

Porém, para usar um termo empregado por Florestan Fernandes, lá, os negros constituíram, pelo próprio passado de segregação, uma minoria racial integrada. Tal integração foi fomentada, sobretudo, por

---

[22] LIPSITZ, George. "The Possessive Investment in Whiteness: Racialized Social Democracy." In: CALLAGHER, Charles. *Rethinking the Color Line*. 2 ed. New York: McGraw Hill, 2004, p. 140.

[23] No entanto, eles permaneciam em desvantagem, pois os benefícios pagos pela *Social Security* eram proporcionais ao tempo de contribuição ao órgão.

uma pequena classe média negra, predominantemente constituída por descendentes de negros que haviam migrado para o Norte, logo após a abolição. Eles aproveitaram a relativa ausência de barreiras legais para atingir melhores níveis de vida, ainda que por um processo longo e sofrido. Uma consciência grupal, encarnada em associações como a *National Association for the Advancement of Colored People* (Naacp), crescia, contribuindo para aumentar as demandas por mudanças no jogo. A economia americana entrava em seu período mais próspero, estimulando uma pressão dos grupos historicamente excluídos da sociedade por maior participação política e crescimento social. No contexto internacional, a Guerra Fria (1945-1990) realçava a contradição do país defensor da democracia em permitir, em seu território, um *apartheid* racial. A primeira vitória foi o fim da segregação nas escolas, determinado pela Suprema Corte, na sentença do famoso caso *Brown v. Board of Education*, em 1954.

Nos anos seguintes, a classe média negra iniciou e liderou o movimento por direitos civis. O *Civil Rights Act,* em 1964, satisfez demandas desse grupo, no que se refere a esses direitos. "A opinião pública teve um importante papel na aprovação da Lei dos Direitos Civis de 1964. A aceitação do princípio *color-blind* de iguais oportunidades de trabalho era alta nessa época. Sem isso, dificilmente o congresso teria aprovado a carta",[24] entendida como um caminho para afastar os americanos de seu passado, caracterizado pelo profundo ódio racial. Nesse caminho, os indivíduos deveriam ser protegidos de modo a ter as mesmas oportunidades.

"Apesar de os grupos defensores dos direitos civis e compostos por afro-americanos terem preferido as ações afirmativas como política de direitos civis desde pelo menos os anos 1970, elas são fruto principalmente de elites brancas compostas por homens que tradicionalmente dominam a política e a economia", diz Skrentny,[25] que se refere à seguinte situação: tal qual no Brasil, os Estados Unidos já contemplavam alguns grupos, entre os quais idosos e veteranos de guerra, com preferências garantidas legalmente.

[24] SKRENTNY, John David. Op. cit., p. 4.
[25] *Idem*, p. 5.

Nos anos 1960, o termo ação afirmativa foi empregado num contexto de políticas *color-blind*, quando John Kennedy, em sua Ordem Executiva (decreto) 10925, estabeleceu que as empresas contratadas pelo governo federal deveriam "ter uma ação afirmativa para assegurar que os candidatos sejam tratados no trabalho sem levar em conta raça, credo, cor ou origem nacional". Segundo Sowell, esse foi o primeiro de uma série de decretos governamentais que "claramente *não* criava preferências para grupos nem cotas. Ao contrário, mandava que os empregadores contratassem e promovessem *sem levar em conta* filiações a grupos – e que tornassem tal fato evidente para todos. Tratava-se de ação afirmativa genérica".[26] Aliás, a própria Lei dos Direitos Civis citava o termo, estabelecendo que deve haver uma ação afirmativa quando houver a intenção de não contratar uma pessoa por causa de sua raça. Ou seja, conforme dito, o sentido original de tais políticas, assim como o termo, não estava associado à concessão de privilégios, mas sim à garantia da universalização dos direitos.

Depois, o sucessor de Kennedy, Lyndon Johnson, manteve o uso do termo. A Ordem Executiva 11246 estabelecia que as empresas contratadas pelo governo não deveriam discriminar seus empregados e tinham de estabelecer "ações afirmativas de modo que os candidatos a vagas fossem selecionados e os empregados tratados da mesma forma, independentemente da raça, credo, cor ou origem nacional". Esse mesmo decreto criou um departamento chamado *Office of Federal Contract Compliance*, associado à Secretaria do Trabalho. "Em maio de 1968, esse órgão expediu diretrizes contendo as expressões fatais 'objetivos e cronogramas' e 'representação'. Porém, ainda não eram cotas", afirma Sowell.

"No entanto", prossegue ele, "por volta de 1970, durante o governo Nixon, novas diretrizes fizeram referência a 'procedimentos orientados para resultados' (...). Requereu-se dos empregadores confessarem 'deficiência na utilização' de minorias e de mulheres sempre que a paridade estatística não pudesse ser conseguida em todas

---

[26] SOWELL, Thomas. *Ação afirmativa ao redor do mundo.* Op. cit., p. 124.

as categorias de empregos, como o primeiro passo para a correção de tal situação (...). A 'ação afirmativa' estava agora decisivamente transformada num conceito numérico, fosse ele chamado de 'objetivo' ou de 'cotas'".[27] Ou seja, diferentemente do que vem sendo propagado no Brasil, as ações afirmativas como políticas de preferência são um produto posterior à luta dos direitos civis, e que, inclusive, contrariam a idéia de uma sociedade *color-blind*, a qual o líder negro Martin Luther King tanto defendia e que está enraízada no caráter nacional americano, nos fundamentos de igualdade e liberdade.

Wilson afirma que, "com o estabelecimento de uma legislação promotora de oportunidades iguais no mercado de trabalho e a autorização de programas de ações afirmativas, o Estado ajudou a abrir portas para os negros mais privilegiados, os quais já tinham o nível de educação necessário para ingressar nos melhores postos de trabalho dos Estados Unidos. No entanto, tais programas não confrontaram as barreiras econômicas impessoais impostas aos negros das classes mais baixas, os quais de fato não conquistaram posições no serviço público e nas grandes empresas. E as tentativas do Estado em eliminar tradicionais barreiras raciais, por meio de programas como ações afirmativas, tiveram como efeito não-intencional uma crescente desigualdade dentro da comunidade negra".[28]

De fato, segue Sowell, "durante o período de 1967 a 1992 – a maior parte do qual na era da ação afirmativa –, os 20% do topo da lista de negros de maior renda tiveram suas receitas acrescidas quase na mesma proporção de seus equivalentes brancos, enquanto os 20% últimos tiveram seus rendimentos *reduzidos* numa proporção duas vezes maior que seus equivalentes brancos". A taxa de famílias negras pobres caiu apenas um ponto percentual durante os anos 1970, de 30% para 29%. Entre 1940 e 1960, época da migração negra do Sul, então segregado, para o Norte, essa taxa caiu 40 pontos. De 87%, passou para 47%, caindo mais 17% durante os anos 1960, quando os direitos civis foram garantidos a todos. Porém, pondera o economis-

---

[27] SOWELL, Thomas. *Ação afirmativa ao redor do mundo*. Op. cit., p. 125.
[28] WILSON, Willian Julius. Op. cit., p. 19.

ta, no que se refere ao período entre 1967 e 1992, "nem os ganhos nem as perdas podem ser levianamente atribuídos à ação afirmativa, mas tampouco pode a ação afirmativa arrogar-se responsabilidade por um progresso dos negros de baixa renda, quando, na realidade, estes negros recuaram em seus ganhos".[29]

No final dos anos 1970, as metas numéricas foram declaradas inconstitucionais pela Suprema Corte Americana por entender que elas violavam o princípio do mérito. No entanto, outros tipos de ações afirmativas persistem e distorções do sistema continuaram a ocorrer, como por exemplo, nos contratos governamentais destinados a empresas cujos donos são membros de minorias, um tipo de ação afirmativa pouco conhecido no Brasil. Não por isso eles são, necessariamente, desfavorecidos, até mesmo porque muitos não passam de "laranjas", testas-de-ferro de pessoas bastante abastadas, privilegiados que conquistam mais privilégios.

5.3. Experiências nacionais na educação

No Brasil, no que se refere às políticas com base em cor ou raça, podem-se identificar três tipos de ação afirmativa no Ensino Superior. A primeira estabelece a reserva de vagas considerando a proporção, registrada pelo IBGE, de pretos, pardos e indígenas na unidade da federação onde determinado curso será oferecido. A segunda compreende cotas para os indivíduos que também se autodeclaram em uma dessas categorias, mas numa proporção diferente, geralmente inferior àquela computada no conjunto da população. Por fim, há o sistema de pontos adicionais nas provas do vestibular, concedidos também em virtude da cor ou da raça.

Todos esses sistemas de inclusão podem incluir outros critérios de seleção, de modo a satisfazerem as metas estabelecidas com sua criação. O mais utilizado é a natureza da instituição de ensino, em que o candidato que cursou o Ensino Médio em instituições públicas é privilegiado. Geralmente, o objetivo é fazer um recorte socioeco-

---

[29] SOWELL, Thomas. Op. cit., p. 120-121.

nômico acompanhado do fator racial, beneficiando, assim, os pretos, pardos e indígenas menos abastados, mas não necessariamente pobres ou mais pobres. Isso, com base naquilo que foi visto no *capítulo 3*, talvez seja uma ação bastante limitada, já que muitos dos indivíduos que se classificam nessas categorias sequer devem chegar a concluir o Ensino Médio, pré-requisito para a admissão na universidade.

No que se refere à reserva de vagas, pode haver uma inversão de prioridades, de modo que o critério socioeconômico sobreponha-se ao racial. Isso ocorre, por exemplo, quando o fato de um candidato ter sido aluno de uma escola pública durante o Ensino Médio torna-se a variável principal no programa de ação afirmativa. É o caso da proposta da Lei de Cotas, citada no *capítulo 3*, que prevê a reserva de 50% das vagas de instituições de Ensino Superior federais para egressos de escolas públicas de Ensino Médio. Dentro desse universo, aí sim seriam consideradas as proporções de pretos, pardos e indígenas da unidade da federação onde cada uma das tais instituições está. No sistema de pontos, tal sobreposição fica clara quando há um acréscimo maior da nota, em virtude do tipo de escola na qual o candidato cursou o Ensino Médio, do que com base na autodeclaração racial.

Quanto aos critérios de seleção, algumas instituições adotaram o "tribunal racial", que consiste na avaliação, com base em fotos, por parte de uma banca, de quem seria negro e, portanto, apto para concorrer a uma vaga na universidade, pelo sistema de ações afirmativas. Outras universidades e faculdades pedem para se comprovar a raça por meio de documentos. Uma das que fazem uso de fotos é a Universidade de Brasília (UnB), que emprega o método desde 2004, quando teve início o programa de ações afirmativas na instituição. Em 2007, no vestibular do meio do ano, o "tribunal" da UnB aceitou Alan Teixeira da Cunha como candidato autodeclarado pardo e, portanto, concorrente nos 20% das vagas destinadas a minorias. Seu irmão gêmeo univitelino (idêntico) Alex, porém, teve sua inscrição negada pela banca, que o classificou como branco. Ele recorreu e, após intensa repercussão nacional do caso, foi incluído nas cotas. Nenhum dos dois foi aprovado no processo seletivo. Em decorrência desse fato, a UnB decidiu, em 2007, abandonar o uso de fotos para classificar racialmente os candidatos, convocando aqueles aprovados para uma entrevista perante uma banca à qual caberá decidir se o estudante deve ser admitido na instituição pelo sistema de cotas.

Até o fim de 2007, segundo levantamento do Laboratório de Políticas Públicas da Universidade do Estado do Rio de Janeiro (Uerj), 51 instituições públicas de Ensino Superior, entre universidades, faculdades e centros universitários, ofereciam programas de ação afirmativa em seus respectivos vestibulares. Dessas, 33 (ou 65% das que possuem cotas e demais bonificações) consideravam o critério racial em seus respectivos programas. Além disso, o Programa Universidade para Todos (ProUni), que contempla estudantes de baixa renda com bolsas integrais e parciais em universidades e faculdades privadas, distribui seus benefícios com base na proporção de pretos, pardos e indígenas em cada uma das unidades da federação. A seguir, será apresentada uma breve descrição e análise de dois exemplos de ação afirmativa no Brasil: o da Universidade Federal de São Paulo (Unifesp), que se enquadra no segundo tipo, e o da Universidade Estadual de Campinas (Unicamp), um dos poucos no qual não há cotas, mas sim pontuação adicional.

5.3.1. Unifesp

Após cerca de meia hora de entrevista, o pró-reitor de graduação da Unifesp, professor Luiz Eugênio Mello, abriu um livro com fotos dos formandos de uma turma recente. Ele folheava as páginas para me mostrar a baixa proporção de negros na universidade. "Olha, aqui não tem nenhum negro", disse ele, para minha supresa em relação a uma das fotos. Afinal, um dos estudantes tinha, a meu ver, traços africano-subsaarianos. Em vigor desde o vestibular de 2005, o sistema de ação afirmativa da instituição criou em cada um dos cursos 10% a mais de vagas para alunos que tenham cursado o Ensino Médio em escola pública e que se autodeclarem pretos, pardos ou indígenas. Porém, analisa o pró-reitor, "A questão é muito menos de raça e muito mais de extrato socioeconômico. No Brasil, a questão principal é em qual faixa de salário mínimo a renda do indivíduo está. Não tenho dúvida de que a proporção de negros e mulatos que ganham menos de um salário mínimo é muito maior que a de brancos e orientais (amarelos)".

De fato, as duas cotistas da universidade que aceitaram nos dar seu depoimento tiveram mais limitações relacionadas à sua origem social do que com sua aparência física. Camila Santos, aluna do curso de Biomedicina, se declara parda, mas não se considera negra, pois é fruto de uma união inter-racial. O pai, diz a estudante, conforme consta em sua certidão de nascimento, é negro. Sua mãe, já falecida, era branca. Egressa de uma escola técnica estadual, cujo nível de ensino é reconhecidamente superior ao das demais instituições públicas de Ensino Médio, Camila estudou em colégios particulares até o Ensino Fundamental. Como seu pai perdeu o emprego que tinha, ela não teve outra escolha que não fosse entrar numa escola pública. Apesar de ter curso superior, ele trabalha como vidraceiro.

Camila conta ter sido "complicado" ingressar na Unifesp. "O vestibular daqui exige bastante mesmo. Passei na lista de espera. Fiquei em quinto lugar, nas cotas. Duas pessoas desistiram. Um deles passou na USP, onde não tem cota", destaca a aluna do curso de Biomedicina, que também foi aprovada na USP em primeira chamada, mas no curso de Informática Biomédica, em Ribeirão Preto, e na Unesp, para estudar Fisioterapia. Porém, Camila acabou optando mesmo pela Unifesp, pois poderia permanecer na cidade de São Paulo e, assim, continuar perto de seu pai. Foi o segundo ano que tentou ingressar na universidade. No primeiro, quando havia acabado de concluir o Ensino Médio, conseguiu aprovação apenas numa universidade particular da capital paulista. Depois, fez um ano de cursinho comunitário.

Ela concorda com a existência de ações afirmativas para egressos de escolas públicas por acreditar que essas medidas sejam mais justas do que aquelas que consideram a raça. Afinal, lembra Camila, "muita gente [independentemente da cor ou raça] teve um ensino público muito pobre. Dizem que esse negócio de cotas é só tapar o sol com a peneira, mas, pelo menos, é uma ajuda. Porém, não é só isso que tem que fazer. Teria que mudar lá na base", afirma, referindo-se à necessidade de implementação de um ensino público universal de qualidade. "Eu tenho medo de que, daqui para frente, se continuar esse negócio de cotas, o pessoal comece a ir para a escola pública por opção, porque vai achar mais fácil entrar na universidade."

Apesar de se declarar parda – o que, para alguns teóricos, seria decorrência de alguma situação discriminatória –, Camila acredita nunca ter sofrido discriminação racial. Porém, lembra que, quando era criança e ingressou na escola, por volta dos cinco anos de idade, teve alguma "insegurança" porque "as professoras, as crianças mais bonitinhas, todo mundo era branquinho, com olhinho claro. Já eu tinha o cabelo mais enroladinho. Moreninha, ia para a praia e ficava torrada", recorda. "Depois, na adolescência, nunca tive nenhum problema", afirma, destacando que seu pai, por ser bem-resolvido quanto ao fato de ser negro, ensinou a ela a necessidade de ter confiança em si, ao contrário do que ocorre com alguns membros da família dele, "autopreconceituosos", nas palavras de Camila. "Quando acontece alguma coisa [errada em suas vidas], elas dizem 'ah, é só porque sou negro'", conta a estudante.

No entanto, ela reconhece que a sociedade valoriza mais as pessoas com aparência mais próxima ao tipo europeu, pelo menos na esfera profissional, quando se procura trabalho. Por exemplo, ela diz que uma mulher branca acaba tendo vantagem sobre uma negra, numa situação como essa. "As pessoas têm uma imagem de beleza mais virada para o branco, acham que ele é mais bonito. Isso é algo cultural da sociedade em que a gente vive. Então, acho que, em função disso, acaba tendo discriminação", opina. "Mas, atualmente, isso está mudando bastante. O pessoal está começando a achar a mulher negra mais bonita", pondera a aluna, destacando que um preto pode sofrer mais discriminação do que um pardo. "Acho que a pessoa que é negra, mais escura, acaba sofrendo um pouco mais de [discriminação], pois, quanto mais escura, mais longe fica do padrão branco."

Uma de suas colegas do curso de Biomedicina, a também cotista Adriana Pereira de Souza, tem uma história bastante similar, pautada mais pela origem social do que pela raça ou suposta identidade cultural. "Às vezes, os próprios negros têm vergonha de ser negros. Já vi isso. Quanto mais escuro, mais problemático", opina Adriana, que, assim como Camila, também tem o pai negro e a mãe branca e se declara parda. E Adriana considera-se negra? "Ah, acho que meio a meio [branca e negra]. Não sei como falar", responde. A estudante também diz que nunca sofreu discriminação em virtude da raça ou da cor. Para ela, é difícil afirmar que brancos e negros de uma mesma faixa de renda não tenham condições idênticas de competição na sociedade, em especial no mercado de trabalho. "Como ainda não passei por isso [procurar emprego], não posso dizer com certeza que realmente não há igualdade. Por exemplo, meu pai, que não tem faculdade e é analista de sistemas, consegue coisas que muita gente com curso superior não consegue. Não sei se o mercado de trabalho é tão discriminatório assim", reflete.

Assim como o pai, sua mãe, que é dona de casa, estudou apenas até o Ensino Médio. Adriana mora com a família na zona Leste de São Paulo e, diferentemente de Camila, sempre estudou no sistema público de ensino, "péssimo", em suas palavras. Antes de conseguir ingressar na Unifesp, em primeira chamada, ela fez o vestibular da instituição três vezes. Em todas as ocasiões, ficou muito longe da nota de corte. "Foi uma surpresa passar aqui. Eu fiz dois anos de cursinho [comercial]. No terceiro ano, já não dava mais para pagar. Então, eu estudei em casa e aí eu passei", conta Adriana, que também tentou Biologia na USP, mas não obteve aprovação.

Ela concorda com as políticas de ação afirmativa. "Não posso discordar estando aqui [numa universidade, através do sistema de cotas]", afirma, ressaltando, porém, que acha "errado" os programas que utilizam critérios raciais. Afinal, diz Adriana, "não só os pardos e os negros [pretos] têm dificuldade de entrar [na universidade], mas [os egressos] de escola pública como um todo". Sua visão *color-blind* talvez esteja relacionada às suas experiências pessoais e de sua família. Tal como ela, nenhum de seus parentes parece ter passado por experiências discriminatórias. "Do lado da minha mãe, é tudo loirinho, de olhos azuis. E eu tenho mais contato com eles. Do lado do meu pai, eu não posso dizer [que tenham sofrido discriminação]", conta.

As colegas, porém, têm opiniões divergentes quanto ao conceito de raça. Enquanto Camila diz que ser negro vai além da cor da pele, envolvendo também costumes e tradições, para Adriana a classificação racial se limita à aparência. "Acho que eles fazem essa percepção mais pela cor mesmo, pois, no Brasil, você não tem como separar, por questões de tradição, um negro de um branco", afirma a estudante. Ao contrário do que ocorre na família de Camila, na de Adriana ninguém conserva traços culturais africanos. "Meu pai é católico, mas, na família dele, bem próximo, tem pessoas que praticam umbanda", conta Camila.

Isso remete à velha questão: quem é negro no Brasil? Para respondê-la, a Unifesp já adotou dois critérios. "No primeiro ano [vestibular 2005], a gente pediu para que os candidatos aprovados pelo sistema de cotas provassem descendência. No segundo ano, a gente pediu a autodeclaração. Quanto à descendência, isso é complicado: Até onde ela vá [para determinar se o indivíduo pertence a determinado grupo racial]? Pai, avô, bisavô, trisavô? Quanto à autodeclaração, o que impede, e isso de fato aconteceu, que uma pessoa que tenha em seus documentos o registro branco, mas, dias antes de se matricular, vá lá e se declare pardo ou mulato? Nada impede e isso aconteceu com mais de um aluno. E como se resolve isso? É complicado. Aí, o sujeito traz a mãe e o pai e diz: 'Olha, eles são negros'. Nessa hora, é difícil definir critérios que sejam adequados, e que permitam um filtro que seja limpo, tranqüilo, que não esbarre em questões jurídicas. E não posso olhar para uma pessoa e dizer 'acho que você é mulato, você, acho que é branco, você, acho que é negro, você, acho que é oriental'", diz o pró-reitor.

Como Camila e Adriana ingressaram na primeira turma de cotistas, em 2005, ambas tiveram que comprovar ter ascendência negra. Camila apresentou uma cópia da certidão de nascimento do pai, enquanto Adriana levou o certificado de reservista do seu, emitido pelas forças armadas. São documentos onde consta a cor ou a raça dos indivíduos, geralmente heteroatribuída, ou seja, segundo a percepção alheia. No vestibular 2006, a Unifesp deixou de exigir comprovação da ascendência africana para que os aprovados no sistema de cotas conseguissem matrícula, por causa da dificuldade de determiná-la. "Se já era difícil definir [racialmente] um indivíduo, quanto mais o passado dele, pessoas que, muitas vezes, já morreram ou mal dispõem de uma fotografia, a qual pode ser escurecida, esbranquiçada. [O sistema] era muito mais tênue e menos adequado", justifica o pró-reitor, que também concorda com o fato de que se tratava de algo pouco condizente com a realidade racial brasileira, em que os indivíduos são classificados por sua aparência e não pela ancestralidade.

Porém, o fim dessa exigência ampliou ainda mais as chances de haver oportunismo racial por parte de alguns candidatos. "Nós consideramos a cor como determinante ao acesso à universidade. No caso dos negros, associado à perspectiva histórica, a escravidão. Mas, e um hindu? Poderia dizer que ele é negro, em termos da cor da pele. Ou então, que ele é mulato, ou pardo. A gente teve um hindu neste ano [2006]. O nome dele é hindu, o sujeito tem ancestralidade hindu, como se pôde ver na origem dos pais dele, mas nasceu no Brasil. E ele entrou através das cotas", relata o professor. Sem dúvida, é uma situação muito específica, mas ela ilustra as nuances da classificação racial no Brasil. Por outro lado, "este ano [2006], teve uma menina negra oriunda de ensino privado, onde ela tinha sido bolsista integral", conta o pró-reitor. Apesar de ter se inscrito no sistema de cotas e obtido aprovação, "o sistema não permitiu que ela ingressasse, pois, afinal de contas, ela não tinha estudado em escola pública. Se eu tivesse o critério socioeconômico, ela poderia entrar. Mas, talvez, o fato de ela ter estudado em escola não-pública tenha dado vantagens competitivas para ela, de modo a entrar pelo sistema universal", pondera o pró-reitor.

No entanto, o caso do candidato hindu realmente parece ter sido algo isolado. Segundo Camila, todos os beneficiados do sistema parecem ser afro-descendentes. "Na segunda turma [que ingressou em 2006], não consegui ainda ver todos, mas, até onde vi, sempre tem um traço: ou a cor da pele, ou o tipo do cabelo, ou o nariz. Eles sempre têm algum traço. Não tem nenhum loirinho", constata. Eis um indício de que, sob o ponto de vista da reparação histórica e do aumento da diversidade da instituição, a Unifesp vem obtendo sucesso com a sua iniciativa, sem, no entanto, acirrar os ânimos entre grupos raciais distintos dentro da instituição. As alunas entrevistadas declararam nunca terem sido discriminadas na universidade, nem mesmo em virtude da condição de cotistas.

O pró-reitor também afirma que a reação da comunidade acadêmica ao sistema foi muito boa, sem o registro de qualquer conflito devido às cotas. Isso talvez ocorra porque: 1) provavelmente, tal como as cotistas entrevistadas, os demais não sejam vistos ou se considerem negros, mas mestiços, fazendo com que seja difícil identificar os cotistas entre o corpo de alunos da universidade; 2) não obstante isso, a discriminação e o preconceito ocorrem de maneira escamoteada, assim como no restante da sociedade; e 3) o fato de os cotistas terem desempenho idêntico aos alunos que ingressaram pelo sistema universal desarma argumentos contrários às cotas. "Senti a mesma dificuldade que todo mundo", conta Camila. "Depois, eu e alguns cotistas acabamos passando, nas notas, os candidatos universais", constata ela. "No começo, achava que sim [que tinha dificuldade nas matérias]. Mas, vendo os não cotistas, acho que a dificuldade foi a mesma", diz Adriana.

A Unifesp não forneceu informações socioeconômicas sobre os cotistas. Ainda que as entrevistas com Camila e Adriana tenham tido um caráter jornalístico – já que foram realizadas sem qualquer metodologia científica –, elas apontam para algumas características dos alunos beneficiados pelo programa de ação afirmativa que talvez expliquem seu bom desempenho na universidade: 1) a persistência para ingressar num curso superior gratuito e 2) a preparação num cursinho, o qual deve ter corrigido algumas deficiências da formação escolar e de capital cultural. Essas hipóteses são corroboradas no caso da Unicamp, analisado a seguir.

5.3.2. Unicamp

O Programa de Ação Afirmativa e Inclusão Social (Paais) da Unicamp prioriza a questão social em relação à racial. Mais do que uma medida antidiscriminação ou de caráter reparatório, esse sistema procura diversificar o corpo discente da universidade e, até mesmo, aumentar a qualidade dos alunos e, conseqüentemente, do ambiente acadêmico. Segundo o professor Leandro Tessler, presidente da Comissão Permanente para os Vestibulares (Comvest), a noção de reparação histórica foi desconsiderada na elaboração do programa. "Se discute muito a questão da dívida histórica para com os negros. O próprio Estatuto da Igualdade Racial fala da necessidade de resgatar essa dívida. Mas não devemos nada, até mesmo porque essa dívida não é recuperável. Afinal, não podemos ressuscitar os antigos escravos, que já estão mortos (...)", defende o professor Tessler. "Parte do sucesso do programa de ação afirmativa da Unicamp deve-se ao fato de ele olhar para frente."

O Paais consiste na atribuição, na segunda fase do vestibular, de 30 pontos adicionais para candidatos que tenham cursado o Ensino Médio em instituições públicas e mais 10 pontos para aqueles que preenchem essa condição e se autodeclaram pretos, pardos ou indígenas. Ele foi aplicado pela primeira vez no exame que selecionou os ingressantes em 2005. Nesse ano, já foi possível perceber os efeitos do programa. No exame anterior, a proporção de alunos oriundos de escolas públicas entre os inscritos era maior do que aquela de aprovados (31,36% contra 27,97%). Em 2005, passou a ser praticamente a mesma (34,11% contra 34,10%).[30]

"Inclusão social nunca foi um problema muito explícito aqui na Unicamp", afirma o professor Tessler. "Acredito que nosso vestibular seja não-excludente e temos razões para acreditar que isso se deve à forma dos exames." Ao contrário do consagrado modelo com perguntas de múltipla escolha, o exame de admissão da Unicamp possui provas dissertativas tanto na primeira como na segunda fase, sendo que a redação corresponde à metade dos pontos em disputa na etapa inicial e tem caráter eliminatório. "As questões são elaboradas de forma a privilegiar leitura, reflexão, raciocínio e expressão, mais do que o conhecimento acumulado", explica o presidente da Comvest. "O vestibular daqui não busca os candidatos com maior conhecimento, mas com maior talento, com potencial para ter uma carreira importante dentro da universidade", diz.

Talvez seja por isso que os estudantes egressos de escolas públicas que ingressam nessa universidade tenham, em média, um bom desempenho. Uma pesquisa realizada entre o corpo discente da universidade mostra que, predominantemente, a boa performance de um aluno es-

---

[30] UNICAMP. "Perfil Socioeconômico dos Candidatos e Ingressantes." Disponível em: <www.comvest.unicamp.br>. Acesso em: 19 maio 2006.

tava relacionada à natureza da instituição na qual ele havia cursado o Ensino Médio. "A pergunta que a gente fez é: qual o fator determinante para o desempenho do estudante na Unicamp", relata o professor Tessler. Para isso, os cerca 15 mil estudantes de gradução da universidade foram divididos em seis grupos, cada um com aproximadamente 2.500 pessoas, conforme as notas obtidas em seus respectivos cursos. De acordo com ele, "aconteceu o que a gente esperava: o pessoal que tira notas mais elevadas no vestibular está no melhor sextil. No sextil mais baixo, nenhum fator saltou aos olhos. Ter estudado em escola pública parece um pouquinho, mas também é nesse sextil que há maior evasão. Nos demais sextis, o fator relacionado ao bom desempenho é o indivíduo ter estudado em escola pública. Não tenho a menor dúvida de que dois candidatos que têm uma pontuação muito próxima devem ser indistinguíveis", afirma Tessler.

Com base nos resultados da pesquisa, ele e um colega seu, o professor Renato Pedrosa, perceberam que o vestibular não dizia tudo sobre a capacidade de um candidato em cursar uma universidade, e que, com um sistema de pontos adicionais, poderiam melhorar ainda mais o nível dos estudantes, já que era provável que muitos com um bom potencial acadêmico não eram aprovados por pouca diferença nas notas. Após uma série de estudos, chegaram à conclusão de que seria suficiente a adição de 30 pontos para os egressos de escola pública e de 10 pontos em função do pertencimento a uma raça ou a um grupo de cor. Os dois docentes encaminharam a proposta à comissão criada especificamente para debater a implantação de ações afirmativas na universidade.

"De uns anos para cá, eu venho defendendo muito fortemente o fator étnico nos programas de ação afirmativa e defendi isso nessa comissão", relata o professor Tessler. "Na minha proposta, davam-se 10 pontos 'étnicos' independentemente da natureza da escola", prossegue. Mas negros e indígenas que tiveram condições de cursar (e cursaram) escolas particulares merecem receber ações afirmativas? Para o docente, a resposta é sim e não. "Sim, porque o Brasil é um país racista." Embora reconheça que tais indivíduos já compõem uma elite negra, Tessler argumenta que "a gente precisa de um pouco mais de diversidade mesmo dentro do movimento negro", que, a seu ver, usa uma "tática de guerrilha", ora respaldando algumas pessoas como ele, que defendem ações afirmativas num formato diferente daquele defendido pela maioria dos militantes, ora repudiando-as. "Minha posição foi majoritariamente rechaçada pela comissão", conta.

Assim, tal comissão propôs ao Conselho Universitário um programa de ação afirmativa com pontuação adicional para a escola pública. "Para minha surpresa, o conselho, quase que por unanimidade, aprovou os 30 pontos para alunos de escola pública e os 10 referentes à etnia, só que estes ficaram vinculados ao fato de o candidato ter estudado em escola pública." Segundo Tessler, a adição dos pontos ocorre somente na segunda fase, de modo a favorecer apenas os alunos que tenham passado pelo crivo da primeira fase, dos quais se espera que sejam os mais talentosos do ensino público. Em média, tal acréscimo contribui para que se aumente em 6% a nota original obtida pelo vestibulando. "Antes, esses caras não entravam por muito pouco. Eles entram com uma força, uma garra, que acabam tendo desempenho melhor. E não é em curso pouco concorrido: é em Medicina. A média dos alunos de escola pública beneficiados pelo Paais é maior", afirma Tessler.

Infelizmente, nem todos os membros da comunidade acadêmica da Unicamp devem conhecer esses dados. Afinal, as estudantes de enfermagem Paula Cesário e Kátia de Souza, que ingressaram na universidade através do Paais, já foram discriminadas em virtude de terem sido beneficiadas pelo programa. "A gente já passou por uma situação muito difícil. No nosso curso mesmo, alunas que vieram de escola particular trataram as pessoas que entram pelo Paais como se elas fossem incapacitadas para acompanhar o curso", conta Paula. "Elas falaram que os alunos oriundos de escola pública diminuiriam o nível do ensino, e que eles iriam prejudicar o curso", completa Kátia. "Não sei se a pontuação ajudou, mas, se eu não tivesse feito cursinho, eu não teria passado nunca", acredita ela.

Dentre as categorias do IBGE, Kátia escolhe a cor parda. Na inscrição para o vestibular, a estudante também declarou pertencer a essa categoria racial. "A pontuação contribuiu para que eu fosse aprovada, mas acredito que não apenas essa pontuação tenha ajudado, pois não há ajuda para passar da primeira para a segunda fase", analisa Paula, que ingressou em 2006 na Unicamp e recebeu pontos adicionais por ter cursado o Ensino Médio em escola pública e por ter se declarado preta.

"Na minha casa, a renda média deve girar em torno de R$ 1.300, que sustenta quatro pessoas", conta Paula, que já morava em Campinas. "Meu pai é marceneiro, trabalhador autônomo. Já a minha mãe é tecelã. Tenho uma irmã de 15 anos. Minha casa é própria. Mas, comparado à renda média dos alunos da Unicamp, meu nível socioeconômico é bastante baixo", diz Kátia. Assim como os demais alunos ingressantes pelo Paais que comprovam não ter condições financeiras de se manter, ela e Paula recebem uma bolsa-trabalho e, por não ser da cidade, Kátia ainda teve direito a uma vaga na moradia estudantil.

Ao contrário das cotistas da Unifesp, ambas dizem que se declarariam negras a entrevistadores do censo, caso essa categoria existisse. Isso talvez ocorra porque elas acreditam ter passado por experiências nas quais teriam sido vítimas de racismo. "Já fui discriminada várias vezes", afirma Paula. "Quando ia procurar um trabalho, em vez de olharem minha competência, olhavam minha cor. Certa vez tentei uma vaga de secretária e não me aceitaram por causa da minha cor. Não foram explícitos. Contornaram a situação para que não chegassem ao ponto de dizer que era racismo", relata. "Olha, dizer que nunca fui discriminada seria mentira, porque, no Brasil, a maioria da população é preconceituosa. Mas nunca foi explícito. Nunca chegaram e falaram para mim. Mas acredito que já deve ter acontecido. Como nunca trabalhei, nunca fui procurar serviço, não sei", reflete Kátia. No entanto, na Unicamp, elas dizem não ter sido vítimas de racismo. "Acho que a gente não chegou a sofrer discriminação", diz Paula. "No meu caso, como sou mestiça, há pessoas que acham que eu não sou negra. Então, não sei também", pondera Kátia, que tem a pele mais clara e cabelos lisos.

Em relação à cultura negra, porém, Paula e Kátia têm posições similares às de Camila e Adriana, as quais, conforme foi dito, não se classificam como negras. Embora concordem com a idéia de que raça é algo que não envolve apenas a cor e o fenótipo da pessoa, os respectivos membros das famílias das estudantes da Unicamp não praticam nenhuma tradição africana, ainda que se definam como não-brancos. "Na minha casa, acho que todo mundo se declara como pardo ou negro mesmo. Todo mundo é cristão mesmo, ninguém participa de outra coisa", afirma Kátia, numa referência às religiões de matriz afro-brasileira.

Assim, elas assumem uma postura dúbia quanto à sua identidade racial, uma postura que fica mais no uso do termo. Afinal, sem a identificação com um pretenso grupo e, conseqüentemente, com as pretensas causas que ele defende, os indivíduos beneficiados pelas ações afirmativas vão cuidar da sua própria vida, sem qualquer preocupação com "os irmãos" que lhes foram impostos. De fato, Tessler é contra a classificação imposta. "É horrível isso. Não acho isso uma boa idéia. Eu quero olhar para frente, não quero olhar para trás." Perguntado se não se trata de uma posição paradoxal, já que ele defende as ações afirmativas baseadas em raça, o professor responde que quer "acabar com o racismo, não com as raças. Acho ótimo que sejamos uma sociedade multicultural, com diferentes visões".

Diferentemente da Unifesp, a Unicamp jamais exigiu dos aprovados através de seu programa de ação afirmativa qualquer documento que comprovasse sua classificação racial. Aqueles que receberam pontos adicionais por terem cursado o Ensino Médio apenas em instituições públicas tinham que apresentar algum comprovante oficial onde esse fato estivesse registrado. "Foi decidido, quando da implementação do Paais, que nós não deveríamos estabelecer o tribunal racial da Unicamp", conta o professor Tessler. "Se uma loirinha entra na Medicina tendo se declarado afro-descendente, ela vai entrar sabendo que roubou. Esses pontos que a gente dá em função da raça é para quem se sente preto ou pardo, ou para quem acha que precisa disso como mecanismo de ação afirmativa. Nada impede que todos os candidatos ao vestibular da Unicamp se declarem pretos ou pardos. Se isso acontecer, não vou levantar um dedo, não vou lá conferir. A gente não pode, não deve, de forma alguma, julgar, classificar racialmente um indivíduo", defende o docente, reconhecendo, no entanto, que o sistema dá margem ao oportunismo racial.

Por outro lado, aponta Tessler, tal oportunismo é limitado pela concessão de pontos étnicos apenas àqueles pretos, pardos e indí-

genas que cursaram todo o Ensino Médio em escola pública. Todavia, apontam alguns críticos das ações afirmativas sociais que
consideram a natureza da escola de Ensino Médio do candidato,
pode haver um estímulo à migração do sistema privado para o público, de alunos cujas famílias possuem condições socioeconômicas elevadas.

"Será que a classe média não vai para a escola pública? Tomara.
Por quê? Acho muito importante ter gente que cobre melhorias da
escola", defende Tessler, lembrando que a maioria da população que
atualmente é atendida pelo sistema público de Ensino Básico encara
tal serviço como um favor do Estado ou do governo, e não um direito. Muitos críticos rebatem esse argumento, dizendo que as demandas por melhoria das condições de ensino do sistema público não
necessariamente ocorrerão, já que as famílias de classe média teriam
à sua mão recursos que permitiriam compensar imediatamente as
deficiências de formação às quais seus jovens estariam sujeitos. Ao
contrário dos mais pobres, elas possuem um capital cultural bastante
elevado. "Antes do Paais, a maioria já era filho de graduado", conta o
professor Tessler. Nesse caso, diz ele, o fato de a mãe do candidato ter
completado o Ensino Superior é mais determinante do que se o pai
dele tiver o mesmo nível de escolaridade (*gráfico 5.1*).

Gráfico 5.1
Escolaridade da mãe dos aprovados – Unicamp, 2005 (em %)

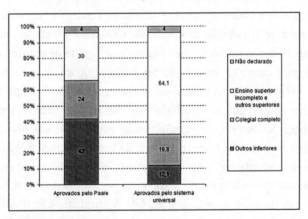

Fonte: UNICAMP. Op. cit.

Além do mais, tais famílias poderiam pagar bons cursinhos para que seus filhos tivessem uma preparação melhor para o vestibular, aumentando as suas chances de ingressar numa universidade pública, gratuita e de qualidade. De qualquer forma, não há indícios suficientes para afirmar que isso já esteja ocorrendo ou possa vir a ocorrer, mas o fato é que a grande maioria dos ingressantes do Paais já fez cursinho (*gráfico 5.2*).

Gráfico 5.2
Perfil dos alunos do Paais – Unicamp, 2005 (em %)

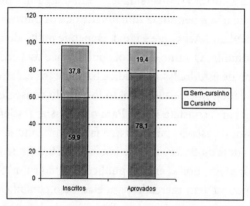

Fonte: UNICAMP. Op. cit.

Entre esses ingressantes, estão Paula e Kátia. Esta última, aliás, no início desta seção, já havia dito que só passou por causa do cursinho, indicando que ele foi capaz de amenizar as deficiências do ensino público. Dos problemas que Kátia teve em sua vida escolar, ela menciona a "falta de professores competentes, de interesse dos alunos e de bibliotecas". "Eu prestei vestibular três vezes. Fiz Cursinho da Poli e, no ano passado, eu fiz COC [ambos são comerciais]. Tentei seis universidades. Além da Unicamp, passei na Faculdade de Medicina de São José do Rio Preto (Famerp) e fiquei na lista de espera da Unifesp, sempre em enfermagem", relata.

"Comigo foi diferente. Eu estudei numa escola bastante antiga, bem estruturada: tem laboratórios, mas está deficiente. Poderia melhorar, mas não tive tanta dificuldade quanto a Kátia", reconhece

Paula que, mesmo assim, enfrentou muitos percalços para chegar à universidade. "Eu já havia tentado outras vezes, sempre para o curso de Medicina [mais concorrido e cujos aprovados têm, em média, um nível socioeconômico bastante elevado]. Este ano [2006] decidi tentar Enfermagem. Não foi fácil o caminho, mas também não é impossível. Fiz cursinho por dois anos, na Cooperativa do Saber, um cursinho comunitário. Prestei Enfermagem não apenas na Unicamp, mas também na Unifesp e na Unesp. Nesta última fiquei na lista de espera."

O cursinho também parece fornecer alguns conhecimentos necessários para cursar a universidade. "Tenho algumas dificuldades, mas acho que não é nenhuma dificuldade que os outros alunos [em geral] não tenham. Acho que é igual. Depende muito do aluno. Tem que estudar muito. O aluno de escola pública não está acostumado a ter um ritmo de estudo. Isso prejudica bastante [os egressos da rede, na universidade]. Mas, estudando, todo mundo consegue aprender da mesma forma", constata Kátia. Para o professor Tessler, os candidatos egressos de escolas públicas que fazem cursinho têm um diferencial. "Há dois motivos para que isso ocorra: um é que, realmente, o cursinho o ajuda, pois o ensino público está tão ruim! Se as coisas existem, é porque tem mercado para elas. Se o cursinho fosse uma coisa inócua, ninguém iria pagar. Em segundo lugar, o candidato que vai fazer cursinho é o que quer entrar. Mas os cursinhos comunitários têm um efeito muito menor que os cursinhos comerciais." Segundo Tessler, isso fica muito claro nas provas. O aprendizado obtido nos cursinhos comunitários acaba tendo um efeito positivo maior nos exames de disciplinas não-exatas.

De qualquer forma, com o Paais, diz o professor, acaba-se por favorecer o ingresso da elite da escola pública na universidade. No entanto, ele minimiza o fato de estudantes de escolas técnicas, cuja qualidade é melhor do que as convencionais, aproveitarem, em tese, mais o programa de ação afirmativa da Unicamp. Tessler também refuta a concessão dos benefícios a bolsistas de escolas particulares. "Não dá para entrar nesse nível de detalhamento. O sistema se fragiliza se ele se desmoralizar [com exceções e minúcias]", argumenta. "Além do que, mesmo dando essa pontuação para os pretos (pardos e indígenas) de escola pública, estamos trocando pretos de escola pública ou privada por brancos de escola pública. É grave. Isso não invalida o programa de ação afirmativa, mas talvez a gente tenha que mexer [desde que o mérito não fique comprometido]", constata Tessler.

Segundo Edward Telles, programas que têm como foco alunos de escolas públicas, como o Paais, podem acabar por aumentar o número de negros nas universidades, já que sua grande maioria estuda em escolas públicas. Porém, como Tessler reconhece, há o risco também de que estudantes brancos de Ensino Médio beneficiem-se mais de tal mecanismo, ampliando as desigualdades raciais. Afinal, eles tendem a ter melhor desempenho que pretos e pardos, argumenta Telles, em virtude de vários fatores, entre os quais o fato de que "escolas públicas de predominância branca são mais bem equipadas que as de predominância negra".[31]

Aqui, o autor, talvez influenciado pela experiência americana, deixa subentendido que tal distribuição de verbas entre as escolas varia de acordo com a cor ou a raça da maioria dos alunos de cada uma delas. Na verdade, são as escolas da periferia das grandes cidades e as das regiões menos abastadas do Brasil que acabam tendo pior qualidade, em virtude, provavelmente, de serem recentes, não contando com a tradição dos grupos escolares mais antigos, geralmente localizados nas áreas urbanas das cidades mais desenvolvidas do interior e nas áreas centrais dos maiores centros urbanos. Acontece que, por razões socioeconômicas, mais negros moram em áreas pouco assistidas pelo Estado, apesar de que, até onde se sabe, uma família de classe média com indivíduos pretos e/ou pardos, no Brasil, não é impedida, através de mecanismos típicos dos EUA (como conluios entre corretores de imóveis ou repulsa de vizinhos), de viver num bairro correspondente à seu padrão de vida. Isso não, significa, porém, que os negros de classe média estejam livres do preconceito e da discriminação racial no local onde vivem. Ainda assim, mesmo não-intencionalmente, acaba havendo, nas cidades brasileiras, uma segregação residencial baseada em raça.[32]

[31] TELLES, Edward. Op. cit., p. 276.
[32] Mais detalhes estão no capítulo 6 (Segregação Racial) do livro de Edward Telles.

De fato, argumenta Telles, "embora a ação afirmativa baseada em classe certamente beneficie as minorias, não afetaria outros mecanismos de discriminação racial, como a baixa auto-estima e a ansiedade nos negros, resultante das constantes alusões à sua inferioridade, feitas pela cultura vigente. No Brasil, há também o caso dos poucos pretos e mulatos de classe média que seriam excluídos dos programas baseados em classe, quando apenas acabaram de chegar à classe média, onde freqüentemente são tratados como estranhos".[33] Porém, esses pretos e mulatos, ou, como quer o IBGE, pardos, têm condições de superar parte da discriminação que sofrem, já que a classe tende a importar mais que a raça nas macroestruturas sociais. De qualquer forma, a Unicamp vem se tornando menos branca e mais filhos de pais com apenas o Ensino Médio entram na universidade (*gráfico 5.3*). Nota-se que a proporção de pardos beneficiados pelo Paais é maior, o que, mais uma vez, sugere diferenças entre eles e os pretos no que se refere ao capital cultural e ao nível de discriminação recebido.

As beneficiárias do Paais por nós entrevistadas têm consciência de que o problema do acesso à universidade é mais amplo, não obstante as iniciativas para amenizá-lo, entre elas o próprio programa de ação afirmativa da Unicamp. "O problema está na base da educação. Se mudarem apenas [o acesso à] na faculdade, vão abranger um número muito pequeno de pessoas. Se há uma melhoria já no Ensino Fundamental, isso ajuda bastante pessoas que ficam excluídas no meio do caminho", constata Paula. Kátia faz eco à posição da amiga: "Acho que, primeiramente, deveria haver uma melhora do Ensino Fundamental e do Médio, para depois reservarem [na Universidade] 50% das vagas para alunos de colégio público, mas para aqueles que tenham condições de entrar na universidade".

[33] *Idem*, p. 277.

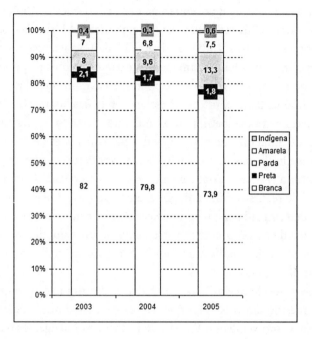

Fonte: UNICAMP. Op. cit.

Tessler, porém, tem outra visão. "Outra coisa que eu acho muito errada nesse projeto de cotas e mesmo na discussão, na universidade, a respeito disso, é que não é possível, não é razoável, não há razão para que a distribuição étnica na universidade reproduza a distribuição étnica na sociedade." Afinal, prossegue o professor, "é uma universidade de pesquisa, uma instituição meritocrática". Ecoando, ainda que indiretamente, às desigualdades entre os pertencentes ao grupo branco, ele cita o exemplo das pessoas de origem judaica, que, proporcionalmente, têm maior presença na universidade do que na sociedade. Assim, se fosse seguido o critério de proporcionalidade na população, conclui Tessler, seria permitido admitir pouquíssimos judeus nos bancos universitários.

5.4. Experiências nacionais no mercado de trabalho

Ainda que haja ações afirmativas, nem todos os indivíduos discriminados conseguirão enfrentar o racismo com o "diploma na mão". Mesmo Edward Telles, para quem os fatores histórico-estruturais não explicam sozinhos as desigualdades raciais, reconhece que ações afirmativas beneficiam mais os extratos médios da população alvo dessas políticas. Aos mais pobres, bastariam medidas universais de qualidade para que tivessem condições, as mais idênticas possíveis, para competir, por exemplo, no mercado de trabalho? O contexto atual diz que não. Há evidências suficientes de que pretos, pardos e indígenas enfrentam barreiras nas microrrelações de poder, sobretudo verticais. Com base em experiências pessoais, um profissional de recursos humanos, por exemplo, ao selecionar candidatos para determinada empresa, pode considerar alguns como negros e, em virtude de preconceitos pessoais ou de uma política velada da companhia, desclassificá-los, ainda que tenham qualificação suficiente para a vaga.

Segundo Marcelo Paixão, pode haver discriminação contra negros mesmo em profissões que não exigem altos níveis de escolaridade, como vendedor. Em vez de indivíduos inteligentes ou bem qualificados, muitas vezes requer-se "boa aparência" para exercer essa função.[34] Aliás, como já mencionado, "aparência" talvez seja a categoria que mais bem camufla o preconceito racial no Brasil. Mais do que cor ou raça, ela é "nativa", nos termos já explicados. A condição da aparência como variável determinante da escolha entre um branco e um negro para ocupar uma posição no comércio ficou clara numa pesquisa realizada pelo Instituto Sindical Interamericano pela Igualdade Racial (Inspir). Constatou-se que, em lojas de *shoppings centers*, apenas 15% dos funcionários são negros, enquanto eles perfazem pouco mais de 25% da população paulista. Uma diferença não muito grande, mas, "em alguns centros de compras, como o Iguatemi e o Shopping Pátio Higienópolis [localizados em áreas nobres da

[34] PAIXÃO, Marcelo. Op. cit., p. 151.

capital paulista], esse índice é inferior a 2%", conta Ricardo Patah, presidente do Sindicato dos Comerciários de São Paulo.

Além dessa pesquisa, ele conta que outro levantamento deixou a entidade bastante preocupada quanto à situação do negro no comércio. Numa pesquisa sobre massa salarial, realizada pelo Dieese, "ficamos estarrecidos porque foi constatado que o negro, no comércio, recebe 54,5% do salário do branco, quase a metade". Assim, diz Patah, "iniciamos um processo para tentar minorar esse problema, através da conscientização da sociedade em geral e da inclusão (do negro). Começamos a buscar parceiros para isso. Encontramos a Camisaria Colombo. Elas foram sensibilizadas a participar de atividades de ação afirmativa, principalmente com as lojas dentro de *shoppings centers*".

Em dezembro de 2003, a rede, que vende roupas masculinas, assinou um acordo com o sindicato comprometendo-se a ter pelo menos 20% de negros entre seus funcionários. "Desde então, a participação de negros na mão-de-obra da rede subiu de 18% para 25%. Desse total, 33% respondem por cargos de gerência."[35] A Camisaria Colombo não respondeu aos pedidos de entrevista para este trabalho. Um número bastante expressivo, considerando que há a tendência de que, devido à discriminação e, sobretudo, às diferenças educacionais, negros ocupem posições inferiores nas hierarquias das empresas. "Por isso", diz Patah, "a necessidade de qualificação, para que as pessoas possam ter acesso a todo e qualquer tipo de cargo; chegar até a ter um negro diretor da empresa". Segundo ele, "nossa idéia é que exista, realmente, a igualdade. Uma democracia com efetiva cidadania só ocorre quando são respeitadas as diversidades, de forma que todos tenham oportunidade. À medida que há discriminação, a ascensão das pessoas é limitada".

Além da Camisaria Colombo, pelo menos outras seis empresas, entre elas duas grandes redes populares de móveis e eletroeletrônicos, adotaram a cota de 20%. Houve também aceitação do projeto,

---

[35] SILVA, Cleide. "Sindicatos pedem cota para negros." *O Estado de S. Paulo*, 29 de julho de 2005, p. B5.

por parte das grandes redes de supermercados com unidades na capital paulista. Segundo Ricardo Patah, "há uma divulgação muito grande para conscientizar os trabalhadores das lojas onde os acordos foram firmados, de modo que nossos próprios companheiros verifiquem o cumprimento ou não desses acordos". Isto é, os próprios comerciários vêem se há um aumento na contratação de negros. O critério para preencher as cotas é a autodeclaração, afirma o presidente. Porém, por se tratar de um processo cuja seleção depende da decisão subjetiva de algumas pessoas, é provável que a heteroclassificação exerça um papel relevante. Por outro lado, pode ser útil a uma empresa registrar que vem cumprindo as metas, independentemente de contratar *negros de fato*. Afinal, numa sociedade sem uma linha de cor claramente definida, como identificá-los?

Segundo Patah, os resultados vêm sendo positivos "porque deixamos claro que a inclusão do negro não significa o desemprego do branco. Nas convenções e nos acordos, há parágrafos bastante claros, que dizem que estamos buscando uma oportunidade para todo mundo, e que não vamos incluir o negro para excluir o branco". "Quando nós voltarmos a discutir a questão de cotas com as lojas, vamos tentar aumentá-las de 20% para 30%", diz ele, referindo-se à necessidade de equiparar as cotas às proporções dos grupos na composição populacional.

"Se você cria mecanismos de preferência racial no emprego, certamente vai ter um certo número de pessoas de cor mais escura empregadas", afirma Demétrio Magnoli. "O preço disso é explicar aos brancos pobres, que disputam empregos no comércio e ganham pouco, que não vai ser contratado porque o vizinho dele, do mesmo bairro periférico, da mesma favela, com a pele um pouco mais escura, vai ser contratado. Se vão combater o preconceito assim, você está semeando a guerra de raças, porque o problema do racismo, não é que ele existe. Existe racismo em qualquer lugar do mundo. Em todo lugar, existe preconceito em alguma medida. Onde existem seres humanos, existe, em alguma medida, racismo. O problema é quando isso se transforma num movimento popular. São 19 milhões de brancos que vivem abaixo da linha de pobreza, uma base imensa para um movimento popular racista. Isso se cria rapidinho quando há privilégios no emprego", alerta. "Quando você cria cotas no mercado de trabalho para combater um fator periférico na contratação, um mal muito maior é criado, enquanto não vai fazer diferença sob o ponto de vista das desigualdades sociais. Os pobres vão continuar pobres, os ricos vão continuar ricos. As desigualdades de renda vão continuar lá", conclui Magnoli, já que as razões estruturais que as provocam não necessariamente serão atacadas. Dessa forma, o racismo na contratação deve ser combatido, diz ele, por meio de educação, campanhas e ações policiais, no caso de se comprovar racismo, com a aplicação da legislação que criminaliza a prática.

Quanto à ultima proposição, infelizmente ela parece ineficaz, haja vista a dificuldade em provar a existência de discriminação racial, devido ao caráter escamoteado desta no Brasil. Por isso, outros fatores que envolvem mérito podem ser usados para justificar a não-contratação, por exemplo, de um preto ou pardo com qualificações suficientes para ocupar um cargo, ao mesmo tempo que, de fato, os fatores em questão tenham sido as reais causas para a opção por uma outra pessoa, a qual preenchia igualmente os requisitos da vaga.

Aliás, seriam neutros tais requisitos que excluem os menos escolarizados – a maioria negra – e calcados no mérito de fato? Haveria práticas cujos resultados, discriminatórios no sentido apresentado no *capítulo 1,* seriam não-intencionais? "Não acredito que não exista nada que não seja intencional", diz Eliana Custódio, da ONG Geledés. Já Thiago Thobias, da Educafro, denuncia a existência de "exigências absurdas" em processos seletivos para empresas, o que acaba por deixar muitos negros, ainda que com qualificação suficiente para as vagas em questão, fora da disputa por elas. "O ideal tem sido a conscientização das empresas de recrutamento, de todo o mercado de trabalho, além de metas pontuais nas novas contratações e a criação de metas", defende Tobias.

Uma das grandes empresas brasileiras a criar um comitê de diversidade é o banco Itaú. O órgão existe desde 2004 e tem ações voltadas não apenas para negros, mas também para outros grupos discriminados. Como resultado da iniciativa, a proporção de pretos e pardos entre os funcionários do banco saltou de 5%, em 2003, para 15% em 2004. Em 2005, esse percentual chegou a 24% e, um ano depois, a 27%. O programa, diz o Itaú, não compreende cotas por cor ou raça. Mas, por exemplo, se há dois bons candidatos a uma vaga, é dada preferência ao negro. De acordo com o banco, o critério usado é sempre a autodeclaração.

Mas as ações de "responsabilidade social" têm seus limites na macroestrutura social, na qual pretos e pardos são a maioria dos indivíduos com baixa qualificação. Aliás, o próprio setor público vem afrontando tais limites, ao determinar cotas em alguns concursos públicos, justamente um dos poucos lugares onde o mérito prevalecia, e que, por isso, permitiu a ascensão social de muitos negros.

5.5. Conclusão

Gostemos ou não, concordemos ou discordemos das políticas de ação afirmativa brasileiras, elas têm um mérito: colocaram em pauta o racismo e a desigualdade sociorracial no Brasil, temas incômodos, em torno dos quais havia consensos formados. Felizmente, hoje eles não existem mais. Tais consensos, porém, podem dar lugar a outros igualmente perigosos, como o discurso que afirma haver uma etnia negra oprimida pelo grupo branco. Acompanhado por políticas de preferência racial, tal pensamento pode conduzir o país à polarização, tão ruim quanto a apatia predominante no auge da *democracia racial como mito*.

"Não, não vejo que haverá esse acirramento", opina o professor Fernando Conceição. "Nós, que estudamos a sociedade brasileira, diríamos que haverá manifestações individualizadas e localizadas de acirramento do preconceito. Isso já existe, sempre existiu na sociedade brasileira. A índole do brasileiro não nos permite prever que aqui se repetirá o que ocorreu nos Estados Unidos ou no Sul dos Estados Unidos, quando o governo começou a desmantelar a segregação racial lá, a reação organizada dos brancos. A índole da sociedade brasileira não nos permite dizer isso, que se formarão Ku Klux Klans aqui, para organizar os brancos e impedir que os negros tenham acesso à universidade ou que se façam sessões de linchamento.

Essas manifestações existirão, mas vão ser muito localizadas, como sempre existiu na sociedade brasileira. Haverá grupos recalcitrantes que não vão aceitar mudança alguma em seus privilégios. Mas serão manifestações individuais", ressalta. "O brasileiro, como diria Sérgio Buarque de Holanda, é um homem cordial. No final, vão acabar fazendo algum arranjo", analisa o docente.

De fato, a maioria das reações jurídicas contra as ações afirmativas em universidades consiste em legítimos mandados de segurança individuais, impetrados por estudantes preteridos por determinadas instituições por causa do sistema de cotas – raciais ou sociais. Porém, a questão já chegou ao Supremo Tribunal Federal (STF) em 2004, numa Ação Direta de Inconstitucionalidade (ADI) impetrada pela Confederação Nacional dos Estabelecimentos de Ensino contra as cotas na UERJ. Até fevereiro de 2008, a corte aguardava um parecer da Procuradoria Geral da República para julgar o caso. No mês anterior, o Ministério Público Federal chegou a obter liminar – depois cassada – suspendendo a reserva de vagas por raça e para egressos de escolas públicas na Universidade Federal de Santa Catarina (UFSC). Em todos os casos, as petições ou decisões judiciais evocavam, entre outros argumentos, o princípio da igualdade, determinado pela Constituição Federal".

Edward Telles também discorda de que as ações afirmativas baseadas em raça possam polarizar o Brasil, ao enfatizar duas categorias (brancos e negros), tal como ocorreu (e ocorre) nos EUA. Ele argumenta que, apesar do passado escravista e da persistente discriminação, não houve separação entre raças. Assim, não seria agora que isso iria ocorrer. Até mesmo porque, como argumenta Thiago Thobias, "dividir o que já está dividido é complicado. Temos que dividir o bolo mais amplo, de empregabilidade, de educação e de participação". Para ele, "a situação do negro brasileiro é extremamente pior do que a do negro americano, porque aqui nós enfrentamos a chamada democracia racial, além dos mais de 300 anos de escravidão, enquanto nos Estados Unidos é preto de um lado, branco de outro e acabou. É declarado. O inimigo é visível. Aqui, o nosso inimigo não é claro, não é visível". Por isso, a necessidade de reconstruir a identidade e proporcionar às pessoas direitos coletivos, os quais fomentariam tal identidade. Porém – talvez sejam casos isolados –, duas das alunas "cotistas" entrevistadas dizem se considerarem pardas, mas não negras. Entendem que esse termo aplica-se mais à raça, ou seja, algo que está além da cor da pele ou da aparência, englobando as tradições culturais, com as quais não se identificam.

Mas, mesmo sem a reconstrução da identidade, haveria a elevação do nível socioeconômico de alguns indivíduos, como tais cotistas. Sobre as críticas aos resultados de tais políticas nos EUA, onde muitos dizem que, apesar das ações afirmativas, a maioria das minorias fica nos extratos inferiores da população, produzindo apenas uma elite. Eliana Custódio acha que se trata de uma "grande bobagem". "Se outros grupos têm, dentro de seu grupo, uma elite formada, por que não pode haver, dentro do grupo negro, ou indígena, ou latino, uma elite também? Há isso entre os orientais, na comunidade judaica. Há isso dentro de outras raças e etnias e é algo que não é questionado. E por que, quando se fala do negro, ele tem que ficar pobre; todos têm que ser iguais, em vez de dar possibilidade a alguns construírem uma outra vida?", questiona. Afinal, eles serviriam de bons exemplos para os demais negros.

"A ação afirmativa provoca uma auto-estima: a pessoa passa a dizer para si: 'eu posso, eu tenho condições'", analisa Thobias. Segundo ele, graças a iniciativas como o ProUni, "hoje, na escola pública, o aluno pede matéria para o professor, porque, até então, ele sabia que, ao terminar o Ensino Médio, ia para a fábrica, ia virar camelô, ia continuar a ser pedreiro, ou ia trabalhar no comércio, pertinho da casa dele. As bolsas são uma auto-estima tremenda para o jovem negro. A mãe que entrou na universidade e antes, quando saía do emprego, ia para casa para fazer faxina. E a filhinha, olhando isso, queria brincar de panelinha. Agora, sua mãe sai do emprego, vai para a universidade e volta para casa para fazer tarefa. E a criança fica lá, acompanhando a mãe. Então, é um exemplo tremendo que se tem". Pode-se, portanto, entender isso como uma estratégia para aumentar o capital cultural dos indivíduos menos favorecidos.

Porém, estratégia melhor ainda para atingir esse objetivo seria dar igualdade de condições a todos. "Como a gente pode pensar em cotas se a gente ainda não resolveu o problema da educação? Uma vez que há igualdade na educação há igualdade de oportunidades e cada um resolve o seu problema de acordo com seu talento", diz Ali Kamel. Ainda assim, o acesso ao Ensino Superior seria um problema. Conforme dito, em média, as experiências têm mostrado que, em universidades e faculdades, os beneficiados por ações afirmativas possuem desempenho igual ao dos demais alunos, questionando os métodos de seleção e as concepções de mérito. Estes, portanto, deveriam *privilegiar mais o raciocínio, a capacidade analítica, do que o acúmulo de conhecimento.*

Por sua vez, Demétrio Magnoli vê outro problema: a insuficiência de vagas nas instituições públicas, de modo que nem todos aqueles com desempenho suficiente acabam por ser aprovados. "O que acontece com os vestibulares é que se perdeu o sentido da diferença entre os aprovados e os selecionados. Antes, os alunos prestavam os vestibulares e eram aprovados ou não. Depois, eles entravam ou não, em função do número de vagas existentes. E isso gerava uma figura chamada excedente. Naquela época, já eram dezenas de milhares. Hoje seriam centenas de milhares. O excedente é o que foi aprovado pela nota do vestibular, teve a nota mínima ou mais, mas não recebeu a vaga. Para que esse movimento perdesse o sentido, se parou de aprovar as pessoas no vestibular. O candidato sai do vestibular esperando a nota de corte da carreira, o que tem a ver com o número de vagas existentes, não com o conhecimento medido. Então, não é verdade que os vestibulares não avaliam nada", conclui. Mas, pondera ele, "é verdade que, quando um aluno tira 73 e outro 72, numa prova de 100 questões, não se pode dizer que o que tirou 73 é melhor que o que tirou 72. Dependendo da composição de perguntas da prova, o resultado poderia ter sido diferente, isso para não falar das condições que cada um tinha no dia do exame. Mas é óbvio que existem diferenças entre quem tirou 72 e quem acertou 35", exemplifica.

Independentemente disso, há aquele contingente que não seria beneficiado por mudanças nas políticas universais. Como alguns diriam, "eles não podem esperar" por resultados de longo prazo. Assim, seriam dignos de receber ações afirmativas, mas no sentido original do conceito, políticas para garantir *direitos universais, resumidos, ao nosso ver, no propósito de dotar todos de condições, as mais idênticas possíveis, de competitividade.* No caso do acesso ao nível superior, cursinhos gratuitos mantidos pelo poder público poderiam suprir essa função. Já no que se refere ao mercado de trabalho, é necessário que empregadores sejam convencidos a não discriminar candidatos a uma vaga. Nas grandes empresas, uma saída é discutir a questão do racismo nos departamentos de recursos humanos. O *quadro 5.1* resume as diferentes concepções de ações afirmativas, uma tentativa de síntese do que foi visto até agora.

Quadro 5.1
Tipos de ação afirmativa

Tipo de ação afirmativa	Princípios	Possíveis efeitos	Tempo dos resultados	Exemplos na educação e no mercado de trabalho
Nivelamento das condições de competitividade	Corrigir eventuais desvios das políticas universais, com base na capacidade individual	Manutenção do mérito	Longo prazo	Cursinhos públicos voltados para os mais carentes
Ajuda aos discriminados	Corrigir eventuais desvios das instituições, com base no grupo sociorracial	Ampliação da noção de mérito (experiências de vida)	Médio prazo	Pontuação adicional, relevando o critério econômico
Promoção da diversidade	Representar nas instituições a composição racial da sociedade	Risco de clivagem racial, benefício sobretudo dos mais bem colocados	Rápido	Cotas, metas numéricas, pontuação adicional
Reparação histórica	Compensar as pessoas pelo sofrimento de seus ancestrais	Racialização	Rápido	Cotas, metas numéricas, pontuação adicional

Fonte: elaboração própria, com base em: EDLEY JR, Christopher. *Not all black and white: affirmative action and american values.* New York: Hill and Wang, 1996, p. 164; ROBERTS, Lance. Op. Cit., p. 151.

Esses tipos podem estar combinados entre si. De qualquer forma, qualquer política específica, ainda que com base em classe, dá margem à emergência de minorias, como ocorreu nos Estados Unidos

– desde mulheres até obesos[36] –, que passam a reivindicar direitos restritos e políticas de preferência para si. Não obstante necessidades específicas, são grupos, na maioria das vezes, sem um passado comum, até o momento em que os indivíduos que os compõem viram algo que compartilhavam e decidiram se unir e lutar por uma (suposta) causa comum. Com base no que foi visto no *capítulo 4*, sobre diferenças dentro do grupo branco, por que duvidar que, a longo prazo, os descendentes de alemães – por exemplo, cuja renda média é a mais baixa de todo o grupo – possam constituir uma minoria oprimida por povos latinos?

Afinal, há hoje quem acredite numa clivagem racial tão profunda que estaria sobreposta ao abismo social existente na sociedade brasileira. São os mesmos que dizem que a oposição a políticas de ações afirmativas baseadas em raça somente pode ocorrer por parte de indivíduos que temem perder supostos privilégios, como se na discussão não houvesse princípios a serem defendidos. E a filiação a tais princípios não obedece a supostas vinculações biológicas (inatas) ou sociais (historicamente construídas). Ademais, outros indivíduos, ainda que não-pertencentes a minorias étnico-raciais ou grupos de cor, também sofrem discriminação em virtude de padrões estéticos vigentes na sociedade em que vivem, embora em intensidade menor que aquela sofrida, nos casos brasileiro e americano, por pessoas cujo fenótipo remete ao africano-subsaariano. Daria conta o Estado de lidar com tal nível de profundidade na microfísica do poder?

Não importa, argumentariam, pois, conforme pesquisa publicada em julho de 2006 pelo jornal *Folha de S. Paulo*, 65% aprovam as cotas raciais. Porém, 87% dizem que as medidas devem ser sociais, evidenciando que a percepção é que se trata de um problema de desigualdade de oportunidades em virtude da renda. Tal percepção deve estar fundada numa realidade independente de qualquer ideologia, seja ela a democracia racial, seja ela a clivagem racial. Quanto

---

[36] BERBIER, Mitch. "Why are there so many minorities?" *Contexts*, v. 3, n. 1, p. 38-44, 2003, p. 38.

ao apoio às cotas raciais, isso decorre provavelmente da ausência de noção do que isso representa: a refundação do Estado e da nação brasileira numa lógica birracial, a ênfase numa oposição existente, mas que pode ser corrigida por meio de outros caminhos. Afinal, é possível deixarmos de ser *racism-blind* (cegos ao racismo) sem que, necessariamente, tenhamos que abandonar princípios *color-blind* (cegos à cor ou raça das pessoas).

As conclusões que se seguem não são totalizantes. Elas advêm de um recorte, o qual, sem dúvida, se complementa com outras análises. O desafio brasileiro – assim como o de qualquer sociedade democrática – reside em impedir que o preconceito propicie atitudes discriminatórias tanto no macro quanto no micronível das relações sociais, as quais inevitavelmente, mesmo em sistemas igualitários, possuem, em algumas circunstâncias, diferenças hierárquicas e, por isso mesmo, relações de poder.

No que se refere ao macronível, há, no Brasil, igualdade formal. Todavia, o que é de direito nem sempre é de fato: a formalidade deve ser convertida em realidade. Enquanto isso não ocorrer, existirá o que alguns chamariam de discriminação não-intencional das macroestruturas contra indivíduos considerados de determinado grupo, mas não em função desse fator, e sim pelo fato de dependerem dos serviços públicos. Todos os pretos e pardos das camadas mais baixas somente ganhariam condições de competitividade para ascender socialmente através de políticas universais, aquelas relacionadas a direitos sociais básicos, como educação e saúde de qualidade, contrapartida do Estado aos impostos pagos pelos cidadãos. Essa é, indubitavelmente, a mais justa maneira de se corrigirem erros do passado, uma vez que não são privilégios para alguns indivíduos.

Satisfeita essa condição, restaria, portanto, impedir a discriminação intencional no micronível, sobretudo nas relações verticais. O exemplo mais claro desse processo é a procura por trabalho. Afinal, mesmo num ambiente de crescimento econômico e no qual estivessem com maiores condições de competitividade, os mais pobres, notadamente pretos e pardos, ainda assim enfrentariam limitações. Isso porque, no caso dos negros, independentemente da classe, há a discriminação racial. Já as camadas sociais inferiores tendem a ter, como um todo, menos relacionamentos com os indivíduos mais influentes, que controlam o acesso a postos de trabalho na iniciativa privada. Tal situação agrava-se numa sociedade como a brasileira, permeada pelo apadrinhamento e pela "cordialidade".

Porém, esses vícios históricos podem ser superados com determinação, com um pacto que reúna as forças políticas do país, comprometidas com o desenvolvimento integral da nação e com a sua indivisibilidade; onde o interesse nacional prevaleça, de modo a garantir a liberdade individual, gerando uma conjuntura que lance as bases filosóficas e materiais para um *universalismo de fato e de direito*. "Mesmo que não seja igual na prática, os cidadãos são iguais na lei. É essa igualdade legal que os defensores das ações afirmativas acham que é ruim, sem perceber e, às vezes, percebendo que a igualdade legal é o trampolim para a redução das desigualdades sociais. É só com base na idéia legal de que todos somos iguais que podemos defender escola pública de qualidade para todos", analisa Demétrio Magnoli, para quem a ação afirmativa é uma política compensatória num quadro político ultraliberal: o Estado, sem poder corrigir as imperfeições do mercado, daria compensações aos grupos afetados por elas. "Não existe democracia onde a minha fala de negro não tem o mesmo peso da fala do branco. Então, a gente quer estabelecer a democracia efetiva, de participação; a gente quer estabelecer a igualdade material, a qual a Constituição busca atingir", defende Thiago Thobias.

Para tanto, é preciso tratar os *desiguais como desiguais, sob um discurso que, ainda que indiretamente, naturaliza as desigualdades, ou procurar superá-las, com respeito à diversidade e à individualidade*? São dois projetos em confronto: um *multiculturalista* e outro *universalista, com respeito à diversidade, mas cujo amálgama é solidificado em uma cultura comum*. Conforme dito, pode-se criticar o processo pelo qual a formação de uma cultura comum brasileira ocorreu, mas é impossível fechar os olhos para essa realidade que, nos tempos atuais, se sobrepõe a quaisquer identidades com base em ancestralidade, seja esta européia, africana, indígena ou asiática. Assim, estão lançadas as bases para um caminho original, tendo como base os pontos positivos da matriz luso-brasileira, menos isolacionista do que a tradição anglo-saxã, originalmente fundamentada no *contrato individual*, mas que, ao incorporar indivíduos de diversas nações e etnias em seu seio, assumiu *um caráter segmentador, que ecoa na tradição corporativista latina.*

O referido caminho original, que bebe da fonte da segunda perspectiva universalista da democracia liberal, citada na p. 15, pode ser um exemplo para um mundo que cada vez mais tem dificuldades em lidar com fluxos migratórios. Basta ver os acontecimentos nos (*banlieue*) subúrbios franceses, no fim de 2005, ocorridos menos por motivos religiosos e mais em virtude da dificuldade dos jovens imigrantes e descendentes de árabes e africanos-subsaarianos de se integrarem na sociedade de um país que lhes garante cidadania, embora na maioria das microrrelações sociais sejam identificados como estrangeiros. Outro exemplo são os persistentes distúrbios raciais nos Estados Unidos, casos isolados que voltam a eclodir de tempos em tempos, mostrando as tensões do projeto multicultural, tensões silenciosas que existem no Brasil, como nas ações judiciais impetradas por brancos preteridos nos vestibulares e nos comentários típicos do racismo à brasileira acerca dos cotistas.

Portanto, o grande desafio, além de corrigir as desigualdades sociais e raciais, é fazê-lo sem acirrar tensões existentes e sem produzir novas, o que tende a ocorrer quando identidades construídas com base em raça são enfatizadas. A experiência americana corrobora isso. O estopim existe: se não somos racialistas, pois não gostamos de falar de raça, somos racistas, sim, ainda que não percebamos.

O caminho sugerido para tanto, porém, tal como qualquer outro sistema democrático, não é totalizante – eis a contradição desse regime: ao garantir a liberdade, dá margem para que seus próprios pressupostos, como o respeito à diversidade e à tolerância, sejam violados. Assim, a liberdade gera distorções à medida que o exercício da preferência dos indivíduos nem sempre se dá em bases éticas, ficando restrito apenas à escolha individual, o campo da moral, sem o qual, no entanto, não haveria transformações sociais. Sem tal exercício, não há liberdade. O exercício das opções individuais também está relacionado à existência de assimetrias de informação entre as pessoas: se elas não existissem, o homem estaria preso a determinadas opções e tampouco teria preconceitos ou estereótipos. Estes também são fruto da ignorância em relação ao desconhecido. Para não ser surpreendido por ele, formula-se um imaginário prévio, com base em experiências sociais, as quais não necessariamente são percebidas corretamente ou repetidas em todos os contextos em que se lida com o sujeito ou objeto sobre o qual tal imaginário foi projetado.

Todas as opções têm efeitos colaterais, mas *a democracia racial como projeto* foi abandonada sem ser testada em sua plenitude, a qual corresponderia ao oferecimento de políticas universais de qualidade. Renunciar a isso é reconhecer a capacidade do Estado apenas como de ser garantidor de privilégios, sejam eles de classe, raça ou etnia. As tentações para que tal renúncia ocorra são grandes, num contexto como o atual, no qual está em voga o estado mínimo, confundido com o estado fraco, enquanto, na verdade, ele pode ser enxuto e forte, à medida que concede isonomia aos atores sociais.

São dois os pilares desse caminho, o qual deve vir no bojo de um projeto de nação que contemple as condições materiais para a construção dessa trilha:

1) *Universalização dos direitos sociais*, de modo a completar a redemocratização, a fase de socialização, ou seja, ampliação das garantias e redução das desigualdades. Segundo Simon Schwartzman, em *As Causas da Pobreza*, há três gerações de políticas sociais: ampliação dos direitos, redistribuição dos gastos e melhoria da qualidade. Embora o autor não diga isso, pressupõe-se que tal melhoria seja universal – a educação pública requer isso urgentemente, para romper o círculo da negritude e da pobreza com a concessão de oportunidades iguais. O desafio é superar a tradição corporativista. A his-

tória mostra que a ampliação de direitos sociais se deu em períodos autoritários, como a Era Vargas, sob a forma de concessão às massas, enquanto na democracia, os avanços no setor foram lentos ou, como a política assistencialista encarnada pelo Bolsa Família mostra, com um viés igualmente clientelista.

A macroestrutura social desenvolveu-se de modo a excluir aqueles que na microestrutura são considerados não-brancos e próximos ao fenótipo negro e/ou indígena, com maior tolerância, conforme razões históricas já apontadas, para com os detentores do último. Mas, no caso brasileiro, a macroestrutura não agiu, no pós-abolição, de modo a excluir intencionalmente os negros, pois, ao fazer isso, a dita "elite" estaria dando um tiro no próprio pé, seja porque havia (e há) indivíduos com ancestralidade africana e/ou indígena entre seus membros, seja pelas possibilidades de levantes contra ela, se houvesse uma segregação racial com base na lei.

Por isso, pode-se concluir que uma microestrutura social, onde há predominantemente discriminação racial – possível a partir de uma série de concepções relacionadas à aparência dos indivíduos, que residem no imaginário coletivo e são parte de uma macroestrutura social –, contribui para delinear uma situação de desigualdade social imposta pela mesma macroestrutura social, só que em suas esferas oficiais, ligadas principalmente ao aparato estatal e que, em suas ações, são cegas à raça dos indivíduos, já que a lei garante igualdade a todos, embora não preveja nenhuma medida para corrigir as desigualdades anteriores à sua existência e que permanecem mesmo após o início da vigência dessa garantia. Desigualdades estruturais precisam ser combatidas com medidas do mesmo nível e com algumas emergenciais que dêem iguais condições de competição, como programas de formação complementar, ainda que sob a pena de se tornarem perpétuas, uma vez que passam a ser moeda de troca com fins eleitorais. De qualquer forma, todas as experiências de ações afirmativas devem ser avaliadas para que tenham seus efeitos ponderados, sem paixões.

2) *Combate ao preconceito, à discriminação e ao racismo*: a questão reside no entendimento, por parte da sociedade, de que: 1) indiví-

duos não-brancos não são inferiores biologicamente e podem, culturalmente, compartilhar valores predominantemente ocidentais; 2) e, ainda que não compartilhassem valores do Ocidente, esses mesmos indivíduos não podem ser considerados inferiores, pois a todas as culturas é devido o mesmo respeito, desde que respaldem os valores democráticos de coexistência numa sociedade complexa. Porém, *a prática de determinada cultura não deve garantir, numa democracia, nenhum direito adicional a nenhum indivíduo, tampouco levar-lhe ônus.* No caso brasileiro, essa proposta é ainda mais válida, já que a discriminação ocorre em função de um atributo individual (aparência), o qual pressupõe uma série de valores (um capital simbólico-cultural) teoricamente inferiores. É um caminho utópico? Talvez. Mas, se for uma meta buscada com afinco, certamente terá resultados excelentes.

Na história e na sociedade (e no que se escreveu sobre a história e a sociedade), há uma confusão entre os conceitos de cidadão e branco. Afinal, negros eram os escravos. Segundo diversas fontes, nem mesmo um preto forro era negro. Poderia ser um pardo. Tal processo persistiu mesmo após a escravidão. Assim, para serem cidadãos de fato, e não apenas de direito, os negros assumiam como único caminho o branqueamento físico, seja disfarçando sua aparência, seja através das gerações, com o casamento interracial. Porém, o branqueamento cultural, se considerada a equivalência entre o conceito de branco e cidadão, era inevitável, já que se tratava do único referencial disponível para a reumanização do negro.

Também, há a predominância da cultura (em seu sentido amplo) européia na nossa formação e na de outras nações que já foram colônias, simplesmente por se tratar da cultura do colonizador. Em nosso caso, em nossa *macrocultura* – que é uma cultura plural –, não temos outro referencial civilizatório em nossas histórias e tradições senão o luso-tropicalismo e toda a carga sincrética que ele carrega. Ao contrário de outros povos colonizados, não tínhamos uma civilização prévia ao colonizador e ampla. Eis a idéia de que seríamos um povo sem caráter, tão bem expressa na figura de Macunaíma, concebida por Mário de Andrade. O PNDH de 1996 previa a criação da categoria negra, mas poucos se reconheceram como tal na PME de 1998. Isso contradiz, inclusive, o argumento de muitos intelectuais, de que a afirmação progressiva da negritude encontraria eco entre as pessoas. No entanto, quase dez anos depois, com a crescente racialização da sociedade e a condenação dos "Michael Jackson" – pessoas (supostamente) branqueadas –, talvez essa realidade tenha mudado.

Com as atuais políticas, pode-se construir uma coesão com base na raça. Porém, questionáveis são seus custos políticos e sua eficácia. Os "brancos", como setores argumentam, perderiam o poder. Mas experiências de outros países mostram que não necessariamente a maioria dos negros deixaria de ser pobre. A chamada "elite" apenas tornar-se-ia mais diversa do que é na aparência, tendo sua identidade mantida. Os vínculos entre os homens não se dão pelo sangue, senão pelas idéias que compartilham. Graças às suas experiências, é provável que os negros brasileiros das classes superiores não percebam aqueles negros menos abastados como seus "irmãos". Assim, a promoção de um indivíduo com base num direito coletivo tende a beneficiar mais a pessoa do que grupo ao qual ela pertence. Tal como o movimento negro pretende, vínculos podem ser traçados no plano cultural ou histórico-estrutural, dando espaço a uma nova construção histórica: uma sociedade multirracial aos moldes da concepção multiculturalista do mundo anglo-saxão.

Dessa forma, com o processo educativo proposto, *os padrões estéticos deixariam de ser predominantemente europeus em alguma esferas*. Ações nesse sentido devem ser feitas, mas sem imposições legais como cotas. Uma alternativa são as atividades de sensibilização, isto é, a discussão, nas empresas que compõem a indústria cultural e na esfera pública, de como o racismo influencia tais padrões estéticos sem que, muitas vezes, isso seja percebido.

Políticas públicas que tenham como foco os pretos e pardos mais pobres também dificilmente atingiriam seu público alvo. Conforme dito, há indícios suficientes de que aqueles que assim se classificam (seja no cotidiano, seja apenas no censo, por uma imposição oficial) não se vejam como pertencentes a um grupo negro e/ou afro-descendente. Certamente, a origem do problema tem um cunho claramente racial, *o racismo como processo*: são os quase quatro séculos de escravidão negra, a qual redundou em macroestruturas existentes até hoje, notadamente o racismo à brasileira.

A manutenção dessa estrutura – inclusive pelas práticas discriminatórias que constituem o *racismo como fato* –, porém, faz com que pretos e pardos sejam vistos, por muitos, como naturalmente inferiores e permaneçam, em sua maioria, nas classes sociais menos abastadas. Isso decorre da existência de políticas públicas universais de péssima qualidade e do crescimento econômico relativamente baixo dos quase últimos 30 anos, além de outros fatores políticos e estruturais que compõem o pacto de mediocridade. Tal conjuntura impede a elevação do padrão de vida dos mais pobres, uma vez que as condições de competição com indivíduos das classes mais altas, em sua maioria brancos, acaba ocorrendo em bases desiguais.

Não obstante, a questão estritamente racial emerge nas *microestruturas sociais*, cujas normas de conduta estão cristalizadas em virtude da macroestutura produtora e reprodutora de racismo. Assim, *havendo ônus para alguns indivíduos em virtude de sua condição social, como as manifestadas em termos raciais*, é nas relações verticais ocorridas no micronível que as políticas de ações afirmativas, *entendidas como a concessão de igualdade de competição*, devem ser concentradas, pois nelas há margem para *discriminações diretas*, ou seja, a discriminação de fato, fruto do racismo que permeia a sociedade. O maior exemplo de discriminação micronível está no mercado de trabalho: os indivíduos podem ser preteridos em virtude de seu fenótipo/raça.

Mas como políticas públicas podem interferir na "microfísica do poder", a ponto de alterar as diretrizes que a influencia? Certamente, persuadindo e permitindo (isto é, por meio de um projeto não-imposto, não uma grande narrativa incontestável, mas a concessão de ferramentas para que o homem possa, da melhor forma, usufruir sua liberdade) as pessoas a mudarem sua conduta, isto é, a atualizarem seus valores, algo que tanto o multiculturalismo quanto o universalismo formal demonstram-se incapazes de fazer. Tal persuasão só produziria efeitos a longo prazo, o que não faz com que ações visando a essa estratégia de convencimento deixem de ser válidas.

Outra parte do caminho está em eliminar as contradições entre o discurso da democracia racial (a inexistência de preconceito e de discriminação) e a ação necessária para atingi-la (a eliminação do racismo), sobretudo através de *políticas universalistas de fato*, fomentadas através de um credo comum à nação, o de que todos temos os mesmos direitos e deveres. Afinal, o multiculturalismo elimina, até certo ponto, a *discriminação*, mas não o preconceito, base de processos de diferenciação.

A *democracia racial como meta*, por outro lado, quando transcende o plano simbólico, pode diminuir a discriminação através do combate (efetivo) do preconceito, o qual pode ocorrer através de ações afirmativas – estas entendidas como medidas para fazer cumprir o princípio da igualdade de oportunidades, sem prejuízo do mérito, mas pelo contrário, valorizando-o – nos campos em que a discriminação direta ocorre, como no mercado de trabalho privado, por meio da discussão sobre o racismo entre recrutadores; na educação, com mudanças no vestibular e com cursos preparatórios gratuitos para alunos de escolas públicas, independentemente da cor ou da raça, pois, conforme visto, o fato de um candidato ter feito cursinho ou não determina em boa parte suas chances de sucesso no vestibular; ou do ensino da história e cultura africanas nas escolas, não para que as crianças ditas afro-descendentes possam ter sua identidade afirmada ou com o objetivo de propagar alguma suposta verdade, mas para que todos os brasileiros, independentemente de sua ancestralidade, tenham contato com um dos pilares de sua nacionalidade, a qual, não obstante suas imperfeições, traz em si características que impõem a ela um espírito cosmopolita.

Para implementar essas metas, é necessário um projeto de nação, de inserção do Brasil de maneira competitiva na ordem internacional, que rompa o pacto de mediocridade vigente, evidente sobretudo na economia, mas com repercussões em outras esferas. Eis o desafio imposto aos brasileiros: *a concretização de um projeto de nação, fundamentado na liberdade individual e na democracia, a qual, quando atingir sua plenitude, não vai trazer consigo o adjetivo racial, indício de diferença e não de diversidade, será somente democracia.*

Tabela anexa 1
Variação do Índice Gini e do PIB *per capita* em relação ao ano anterior – Brasil, 1981-2000

Ano	Índice Gini	Variação	PIB *per capita* (R$)	Variação
1979	0,593	-	2.424	-
1981	0,584	1,5%	2.422	-0,1%
1982	0,591	-1,2%	2.390	-1,3%
1983	0,596	-0,8%	2.272	-4,9%
1984	0,589	1,2%	2.346	3,3%
1985	0,598	-1,5%	2.480	5,7%
1986	0,588	1,7%	2.616	5,5%
1987	0,601	-2,2%	2.659	1,6%
1988	0,616	-2,5%	2.611	-1,8%
1989	0,636	-3,2%	2.648	1,4%
1990	0,614	3,5%	2.492	-5,9%
1991	0,63	-2,6%	2.478	-0,6%
1992	0,583	7,5%	2.428	-2,0%
1993	0,604	-3,6%	2.509	3,3%
1995	0,601	0,5%	2.690	7,2%
1996	0,602	-0,2%	2.723	1,2%
1997	0,602	0,0%	2.774	1,9%
1998	0,6	0,3%	2.741	-1,2%
1999	0,594	1,0%	2.726	-0,5%
2000	0,65	-9,4%	2.807	3,0%

OBS: Dados não disponíveis para 1994. Para 1991 e 2000, o Índice Gini foi calculado com base nos censos do IBGE, enquanto nos outros anos foram utilizados dados da PNAD. Considerando os valores de 2003 em R$. No caso do Índice Gini, as variações foram multiplicadas por -1, de modo que os percentuais positivos expressem redução da concentração de renda. Quanto mais próximo de zero o índice, menor a concentração de renda.

Fonte: PNUD – Programa das Nações Unidas para o Desenvolvimento. "Atlas de Desenvolvimento Humano no Brasil." Brasília: PNUD, 2004. Disponível em: <http://www.pnud.org.br>. Acesso em: 20 set. 2004. IPEADATA. "Indicadores Sociais." Rio de Janeiro: IpeaData, 2004. Disponível em: <http://www.ipeadata.gov.br>. Acesso em: 20 nov. 2004.

Tabela anexa 2

População negra – Brasil, 2002 (em %)*

Unidade da Federação	Participação na população
Rondônia	64,77
Acre	71,12
Amazonas	71,28
Roraima	81,00
Pará	72,25
Amapá	72,86
Tocantins	75,76
Região Norte	**71,52**
Maranhão	73,01
Piauí	76,60
Ceará	65,73
Rio Grande do Norte	56,66
Paraíba	62,32
Pernambuco	61,15
Alagoas	68,74
Sergipe	75,23
Bahia	76,91
Região Nordeste	**69,29**
Minas Gerais	48,47
Espírito Santo	53,06
Rio de Janeiro	38,35
São Paulo	27,91
Região Sudeste	**36,12**
Paraná	22,27
Santa Catarina	10,49
Rio Grande do Sul	13,90
Região Sul	**16,73**
Mato Grosso do Sul	46,13
Mato Grosso	58,97
Goiás	55,05
Distrito Federal	55,16
Região Centro-Oeste	**54,34**
Brasil	**46,06**

* Soma dos que se declaram pretos e pardos.

Fonte: PNAD. Op. cit.

Tabela anexa 3
Índice de Desenvolvimento Humano Municipal (IDH-M) – Brasil, 2000*

Unidade da Federação	IDH-M Geral	IDH-M Negros	IDH-M Brancos	Relação IDH-M Negros/IDH-M Brancos
Rondônia	0,735	0,706	0,772	0,915
Acre	0,697	0,681	0,740	0,920
Amazonas	0,713	0,698	0,766	0,911
Roraima	0,746	0,741	0,794	0,933
Pará	0,723	0,704	0,768	0,917
Amapá	0,753	0,741	0,784	0,945
Tocantins	0,710	0,684	0,761	0,899
Maranhão	0,636	0,615	0,687	0,895
Piauí	0,656	0,632	0,712	0,888
Ceará	0,700	0,667	0,749	0,891
Rio Grande do Norte	0,705	0,666	0,754	0,883
Paraíba	0,661	0,623	0,708	0,880
Pernambuco	0,705	0,671	0,749	0,896
Alagoas	0,649	0,610	0,716	0,852
Sergipe	0,682	0,656	0,731	0,897
Bahia	0,688	0,666	0,738	0,902
Minas Gerais	0,773	0,722	0,813	0,888
Espírito Santo	0,765	0,721	0,810	0,890
Rio de Janeiro	0,807	0,758	0,842	0,900
São Paulo	0,820	0,761	0,839	0,907
Paraná	0,787	0,718	0,804	0,893
Santa Catarina	0,822	0,740	0,832	0,889
Rio Grande do Sul	0,814	0,740	0,825	0,897
Mato Grosso do Sul	0,778	0,731	0,818	0,894
Mato Grosso	0,773	0,737	0,813	0,907
Goiás	0,776	0,740	0,809	0,915
Distrito Federal	0,844	0,799	0,885	0,903
Brasil	0,766	0,703	0,814	0,863

*Sem dados disponíveis por região do país.

Fonte: PNUD. Op. cit.

Tabela anexa 4

Proporção de negros e brancos de classe média – Brasil, 2002

Unidade da Federação	Proporção de habitantes que estão na classe média (em %)	Proporção de brancos que estão na classe média (em %)	Proporção de negros que estão na classe média (em %)	Relação entre a proporção de negros que estão na classe média e a proporção de brancos que estão na classe média	Parcela da classe média que é composta por negros (em %)	Relação entre a parcela da classe média que é composta por negros e a parcela da população composta por negros
Rondônia	10,33	16,75	6,81	0,41	42,73	0,66
Acre	11,43	18,61	8,62	0,46	53,63	0,75
Amazonas	6,30	10,60	4,53	0,43	51,32	0,72
Roraima	7,92	14,29	6,60	0,46	67,50	0,83
Pará	7,99	13,86	5,49	0,40	48,42	0,67
Amapá	6,67	9,45	5,72	0,61	62,42	0,86
Tocantins	5,37	11,71	3,30	0,28	46,58	0,61
Região Norte	7,74	13,48	5,40	0,40	49,79	0,70
Maranhão	2,55	4,20	2,00	0,48	57,30	0,78
Piauí	3,79	7,84	2,57	0,33	51,85	0,68
Ceará	6,50	11,54	3,86	0,33	39,00	0,59
Rio Grande do Norte	6,04	10,07	2,98	0,30	27,98	0,49
Paraíba	4,84	8,48	2,64	0,31	34,03	0,55
Pernambuco	7,05	12,67	3,43	0,27	29,33	0,48
Alagoas	3,73	8,67	1,49	0,17	27,54	0,40
Sergipe	5,84	9,34	4,64	0,50	59,71	0,79
Bahia	5,86	12,93	3,88	0,30	51,32	0,67
Região Nordeste	5,77	11,07	3,43	0,31	40,96	0,59
Minas Gerais	10,22	15,28	4,89	0,32	23,25	0,48
Espírito Santo	12,87	20,35	6,24	0,31	25,75	0,49
Rio de Janeiro	16,18	21,67	7,26	0,34	17,17	0,45
São Paulo	18,13	21,84	7,42	0,34	11,43	0,41
Região Sudeste	14,86	19,98	6,26	0,31	16,18	0,45
Paraná	14,17	16,64	4,64	0,28	7,28	0,33
Santa Catarina	14,28	15,49	4,09	0,26	3,00	0,29
Rio Grande do Sul	15,86	17,57	5,92	0,34	5,47	0,39
Região Sul	15,05	16,92	5,16	0,30	5,65	0,34
Mato Grosso do Sul	12,31	17,96	5,11	0,28	19,14	0,41
Mato Grosso	11,87	18,71	7,39	0,40	36,76	0,62
Goiás	9,78	14,57	5,83	0,40	32,82	0,60
Distrito Federal	25,33	36,36	16,33	0,45	35,56	0,64
Região Centro-Oeste	14,59	21,46	8,78	0,41	32,72	0,60
Brasil	11,11	17,10	5,10	0,30	23,11	0,50

*Proporção de indivíduos que vivem em famílias com renda *per capita* familiar entre 3 e 20 salários mínimos.

Fonte: PNAD. Op. cit.

Tabela anexa 5

Proporção de jovens entre 14 e 18 anos no Ensino Médio – Brasil, 2002

Unidade da Federação	Total (%)	Negros (%)	Brancos (%)	Relação entre a proporção de negros e a proporção de brancos
Rondônia	27,97	22,35	40,38	0,55
Acre	24,76	21,79	33,33	0,65
Amazonas	28,09	26,63	31,80	0,84
Roraima	30,91	27,86	45,83	0,61
Pará	23,58	22,22	27,24	0,82
Amapá	35,37	33,64	41,67	0,81
Tocantins	26,07	23,63	34,75	0,68
Região Norte	26,27	24,14	32,32	0,75
Maranhão	14,81	13,54	20,30	0,67
Piauí	12,93	10,51	21,85	0,48
Ceará	25,86	23,38	31,29	0,75
Rio Grande do Norte	23,85	19,48	30,65	0,64
Paraíba	16,50	10,65	27,95	0,38
Pernambuco	22,93	19,65	28,62	0,69
Alagoas	14,72	11,43	23,15	0,49
Sergipe	20,41	16,98	33,10	0,51
Bahia	22,08	20,09	29,07	0,69
Região Nordeste	21,30	18,45	28,56	0,65
Minas Gerais	32,71	28,07	37,98	0,74
Espírito Santo	35,15	30,02	42,09	0,71
Rio de Janeiro	33,27	27,04	37,93	0,71
São Paulo	44,09	37,96	46,67	0,81
Região Sudeste	37,40	30,78	42,22	0,73
Paraná	36,55	30,43	38,74	0,79
Santa Catarina	41,06	26,67	43,15	0,62
Rio Grande do Sul	36,85	21,79	39,96	0,55
Região Sul	37,47	26,37	40,18	0,65
Mato Grosso do Sul	28,72	19,90	37,98	0,52
Mato Grosso	30,07	25,69	39,93	0,64
Goiás	30,22	26,97	35,99	0,75
Distrito Federal	38,37	37,12	44,13	0,84
Região Centro-Oeste	31,82	26,50	38,98	0,68
Brasil	29,69	23,25	37,63	0,62

Fonte: PNAD. Op. cit.

Tabela anexa 6
Proporção de jovens entre 17 e 25 anos no Ensino Superior – Brasil, 2002 (em %)

Unidade da Federação	Total (%)	Negros (%)	Brancos (%)	Relação entre a proporção de negros e a proporção de brancos
Rondônia	7,04	3,65	13,50	0,27
Acre	6,32	5,18	8,98	0,58
Amazonas	6,71	4,44	12,77	0,35
Roraima	2,46	1,67	6,82	0,25
Pará	6,55	4,17	12,04	0,35
Amapá	4,19	3,12	7,38	0,42
Tocantins	7,28	4,04	18,14	0,22
Região Norte	6,42	4,06	12,36	0,33
Maranhão	3,43	2,66	5,93	0,45
Piauí	4,37	3,72	6,90	0,54
Ceará	7,07	4,72	11,64	0,41
Rio Grande do Norte	5,64	2,55	9,75	0,26
Paraíba	5,66	3,11	10,02	0,31
Pernambuco	5,71	2,45	11,44	0,21
Alagoas	3,85	2,38	7,54	0,32
Sergipe	6,13	5,54	7,63	0,73
Bahia	4,78	3,00	11,52	0,26
Região Nordeste	5,40	3,31	10,50	0,32
Minas Gerais	8,03	3,15	13,06	0,24
Espírito Santo	11,92	5,44	19,58	0,28
Rio de Janeiro	11,70	4,46	16,79	0,27
São Paulo	10,74	2,78	13,96	0,20
Região Sudeste	10,11	3,51	14,57	0,24
Paraná	11,05	3,07	13,40	0,23
Santa Catarina	11,95	4,55	12,89	0,35
Rio Grande do Sul	14,55	4,41	16,41	0,27
Região Sul	12,93	3,80	14,83	0,26
Mato Grosso do Sul	10,99	4,39	17,05	0,26
Mato Grosso	8,17	4,53	14,54	0,31
Goiás	9,39	5,33	14,81	0,36
Distrito Federal	14,85	8,20	24,03	0,34
Região Centro-Oeste	10,89	5,83	17,62	0,33
Brasil	8,55	3,79	13,92	0,27

Fonte: PNAD. Op. cit.

Tabela anexa 7

Relação entre pardos, pretos e negros de 17 a 25 anos, no Ensino Superior,
e na sociedade, por faixa salarial – Brasil, 2002

Faixa Salarial	Pardos			Pretos			Negros (Pardos + Pretos)		
	Socie-dade	Univer-sidade	Rela-ção	Socie-dade	Univer-sidade	Rela-ção	Socie-dade	Univer-sidade	Rela-ção
Até 1SM	56,86%	35,65%	0,63	7,16%	2,93%	0,41	64,03%	38,57%	0,60
1SM-2SM	38,71%	28,53%	0,74	6,08%	3,32%	0,55	44,79%	31,86%	0,71
2SM-3SM	30,58%	22,45%	0,73	4,40%	2,27%	0,52	34,97%	24,73%	0,71
3SM-5SM	25,19%	19,13%	0,76	2,71%	1,72%	0,64	27,90%	20,85%	0,75
5SM-10SM	17,73%	14,62%	0,82	2,08%	1,62%	0,78	19,81%	16,25%	0,82
10SM-20-SM	11,54%	10,02%	0,87	1,86%	1,43%	0,77	13,40%	11,46%	0,86
Total	46,82%	21,37%	0,46	6,23%	2,16%	0,35	53,05%	23,53%	0,44

Fonte: PNAD. Op. cit.

Referências Bibliográficas

ARAÚJO, Joel Zito. "A força de um desejo: a persistência da branquitude como padrão estético audiovisual." *Revista USP*, São Paulo, n.69, p. 72-79, mar. 2006.

ARENDT, Hannah. *Origens do Totalitarismo*. São Paulo: Companhia das Letras, 1989.

BANTON, Michael. Race: Perspective One. In : CASHMORE, Ellis (Org.). *Dictionary of Race and Ethnic Relations*. 4ª ed. London and New York: Routledge, 1996, p. 264-265.

BERBIER, Mitch. "Why are there so many minorities?" *Contexts*, v.3, n.1, p. 38-44, 2003.

BERGHE, Pierre van der. "Race: Perspective Two." In: CASHMORE, Ellis (Org.). *Dictionary of Race and Ethnic Relations*. 4ª ed. Routledge: London and New York, 1996, p. 267.

BOBBIO, Norberto; METTUCCI, Nicola; PASQUINO, Gianfranco. *Dicionário de Política*. 5ª ed. São Paulo: Imprensa Oficial/UnB, 2004.

BOULLE, Pierre. *François Bernier and the Origins of the Modern Concept of Race*. s/d., p. 11-27.

BRASIL. "Constituição Federal." Disponível em: <*www.senado.gov.br*>. Acesso em: 30 out. 2006.

BRESSER-PEREIRA, L-C. "Macunaíma e Emília na Terra do Amanhã." *Folha de S. Paulo*, 22 Ago 2004, Caderno Mais!

CARDOSO, Fernando Henrique. *Capitalismo e Escravidão no Brasil Meridional: o Negro na Sociedade Escravocrata do Rio Grande do Sul*. Rio de Janeiro: Paz e Terra, 1977, 303 p.

CARVALHO, José Murilo de. *Cidadania no Brasil: o Longo Caminho*. Rio de Janeiro: Civilização Brasileira, 2004, 236 p.

CASHMORE, Ellis. Ethnicity. In : _____(Org.). *Dictionary of Race and Ethnic Relations*. 4ª ed. Routledge: London and New York, 1996, p. 119-125.

COSTA-PINTO, L. *O Negro no Rio de Janeiro: Relações de Raças numa Sociedade em Mudança*. 2ª ed. Rio de Janeiro: Editora UFRJ, 1998, 308 p.

D'ADESKY, Jacques. *Pluralismo étnico e multiculturalismo: racismos e anti-racismos no Brasil*. Rio de Janeiro: Pallas, 2001, 182 p.

DAMATTA, Roberto. *O que faz o brasil, Brasil?* Rio de Janeiro: Rocco, 1986, 126 p.

EDLEY JR, Christopher. *Not all black and white: affirmative action and american values*. New York: Hill and Wang, 1996.

ESPING-ANDERSEN, Gosta. "As Três Economias Políticas do Welfare State." *Lua Nova*, São Paulo, n.24, set. 1991.

FERNANDES, Florestan. *A Integração do Negro à Sociedade de Classes*. São Paulo: FFLCH/USP, 1964.

FOWERAKER, J.; LANDMAN, T.; HARVEY, N. *Governing Latin America*. Cambridge: Polity, 2003, 243 p.

FREYRE, Gilberto. *Casa Grande e Senzala: Formação da Família Brasileira sob o Regime de Economia Patriarcal*. vol. 1. 8ª ed. Rio de Janeiro: José Olympio, 1954.

FURTADO, Celso. *Formação Econômica do Brasil*. 17ª ed. São Paulo: Companhia Editora Nacional, 1980, 250 p.

GOIS, Antônio; TAKAHASHI, Fábio. "Metade dos docentes já foi xingada por aluno." *Folha de S. Paulo*, 1 maio 2006. p. C-1.

_____; SOARES, Pedro. "Escolaridade maior eleva fosso entre negro e branco." *Folha de S. Paulo*, 18 nov. 2006, p. B-13.

GOMES, Nilma. "Uma dupla inseparável: cabelo e cor de pele." In: BARBOSA, Lúcia; SILVA, Petronilha; SILVÉRIO, Valter (Orgs.). *De Preto a Afro-Descendente: Trajetos de pesquisa sobre relações étnico-raciais no Brasil*. São Carlos: EdUfscar, 2003, p. 137-150.

GUIMARÃES, Antonio Sérgio. *Classes, Raças e Democracia*. São Paulo: 34, 2002, 232 p.

_____. "Democracia Racial." Disponível em: <*http://www.fflch.usp.br/sociologia/asag*>. Acesso em: 20 abr. 2006, 20 p.

GUTMANN, Amy. "Introdução." In: TAYLOR, Charles (Org.). *Multiculturalismo: examinando a política do reconhecimento*. Lisboa: Instituto Piaget, 1994, p. 21-43.

HARRIS, Marvin *et al.* "Who are the whites?: imposed census categories and the racial demography of Brazil." *Social Forces*, n.2, v.72, dez. 1993.

HASENBALG, Carlos. *Discriminação e Desigualdades Raciais no Brasil*. 2ª ed. Belo Horizonte: Editora UFMG; Rio de Janeiro: Iuperj, 2005, 316 p.

HOLANDA, Sérgio Buarque de. *Raízes do Brasil*. São Paulo: Companhia das Letras, 2001.

HONORATO, Fabiana. "MPE investiga omissão da cor em certidões." *A Tribuna*, 13 ago. 2006, p. A-10.

IANNI, Octávio. *Raças e Classes Sociais no Brasil*. 3ª ed. São Paulo: Brasiliense, 1987, 360 p.

IBGE. "Estatísticas da população." Disponível: <*www.ibge.gov.br*>. Acesso em: 30 out. 2006.

IPEA. *Desigualdade Racial: Indicadores Socioeconômicos – Brasil, 1991-2001*. Rio de Janeiro: Ipea, 2004, Cd-Rom.

IPEADATA. "Indicadores Sociais." Rio de Janeiro: IpeaData, 2004. Disponível em: <*http://www.ipeadata.gov.br*>. Acesso em: 20 nov. 2004.

KAMEL, Ali. *Não somos racistas: uma reação aos que querem nos transformar numa nação bicolor*. Rio de Janeiro: Nova Fronteira, 2006, 143 p.

LIPSITZ, George. "The Possessive Investment in Whiteness: Racialized Social Democracy." In: CALLAGHER, Charles. *Rethinking the Color Line*. 2ª ed. New York: McGraw Hill, 2004.

MALLOY, J. "Authoritarianism and Corporatism in Latin America: The Model Pattern." In: CAMP, R. *Democracy in Latin America: Patterns and Cycles*. Wilmington, Del.: Scholarly Resources, 1996.

MARSHALL, T. S. *Cidadania, Classe Social e Status*. Rio de Janeiro: Zahar Editores, 1967.

MAGGIE, Yvonne. "Aqueles a quem foi negada a cor do dia: as categorias cor e raça na cultura brasileira." In: MAIO, Marcos; SANTOS, Renato (Orgs.). *Raça, Ciência e Sociedade*. Rio de Janeiro: Fiocruz-CCBB, 1996, p. 225-234.

_____. "Uma nova pedagogia racial." *Revista USP*, São Paulo, n. 68, p. 112-129, dez. 2005.

MUNANGA, Kabengele. *Rediscutindo a mestiçagem no Brasil: identidade nacional versus identidade negra*. Belo Horizonte: Autêntica, 2004, 152 p.

_____. "Algumas considerações sobre 'raça', ação afirmativa e identidade negra no Brasil: fundamentos antropológicos." *Revista USP*, São Paulo, n.68, p. 46-57, dez. 2005.

NOGUEIRA, Oracy. *Preconceito de Marca: as Relações Raciais em Itapetininga*. São Paulo: Edusp, 1998.

O'DONNELL, Guillermo. "Tensions in the Bureaucratic-Authoritarian State and the Question of Democracy." In: KLARÉN, P; BOSSERT, T. (Orgs.). *Promise of development: theories of change in Latin America*. Boulder: Westview Press, 1986.

_____; SCHIMITTER, P; WITHEAD, L. *Transitions from Authoritariam Rule: Tentative Conclusions about Uncertain Democracies*. Baltimore: The John Hopkins University Press, 1986.

OMI, Michael; WINANT, Howard. *Racial Formation in the United States: From the 1960s to the 1990s*. 2ª ed. New York: Routledge, 1994, 228 p.

ONU. "Convenção Internacional sobre a Eliminação de Todas as Formas de Discriminação Racial." Disponível em: <*www.senado.gov.br*>. Acesso em: 12 nov. 2006.

OSÓRIO, Rafael. "O sistema classificatório de "cor ou raça" do IBGE." In: BERNARDINO, Joaze; GALDINO, Daniela (Orgs.). *Levando a raça a sério: ação afirmativa e universidade*. Rio de Janeiro: DP&A, 2004, p. 85-136.

PAIXÃO, Marcelo. *Desenvolvimento Humano e Relações Raciais*. Rio de Janeiro: DP&A, 2003, 160 p.

PATTON, Sandra. *Birth Marks: Transracial Adoption in Contemporary América*. New York: New York University Press, 2000.

PEELER, John. *Building Democracy in Latin America*. Boudler: Lynne Rienner, 2004.

PENA, Sérgio; BORTOLINI, Maria Cátira. "Pode a genética definir quem deve se beneficiar das cotas universitárias e demais ações afirmativas?" *Estudos avançados*, v.18, nº 50, São Paulo, 2004.

PETRUCELLI, José Luis. *A Cor Denominada: Um estudo do suplemento da PME de Julho/98*. Rio de Janeiro: IBGE, 2000.

PIERSON, Donald. *Brancos e Pretos na Bahia*. São Paulo: Companhia Editora Nacional, 1971.

PIOVESAN, Flávia. "Ações afirmativas e direitos humanos." *Revista USP*, São Paulo, n.69, p. 36-43, mar. 2006.

PNAD – *Pesquisa Nacional por Amostragem Domiciliar 2002*. Rio de Janeiro: IBGE, 2003. Cd-Rom.

PNUD – *Programa das Nações Unidas para o Desenvolvimento*. Atlas de Desenvolvimento Humano no Brasil. Brasília: PNUD, 2004. Disponível em: <*http://www.pnud.org.br*>. Acesso em: 20 set. 2004.

POWER, Timothy; ROBERTS, J. "A New Brazil? The Changing Sociodemographic Context of Brazilian Democracy." In: POWER, Timothy; KINGSTONE, P. *Democratic Brazil: Actors, Institutions and Processes.* Pittsburgh: University of Pittsburgh Press, 2000, p. 236-262.

RIBEIRO, Carlos Antonio Costa. "Classe, Raça e Mobilidade Social no Brasil." Disponível em: <*www.iuperj.br/site/carloscr/textos/raca.pdf*>. Acesso em: 7 maio 2007.

RIBEIRO, Darcy. "Sobre a mestiçagem no Brasil." In: SCHWARCZ, Lilia; QUEIROZ, Renato (Org.). *Raça e Diversidade.* São Paulo: Edusp, 1996, p. 187-211.

RISÉRIO, Antonio. *Os movimentos negros e a utopia brasileira.* São Paulo: Editora 34, 2007, 440 p.

ROBERTS, Lance. "Understanding Affirmative Action." In: BLACK, W.E.; WALKER, M.A (Org.). *Discrimination, Affirmative Action and Equal Opportunity.* The Fraser Institute, 1981, p. 147-181.

ROCKEFELLER, Steven. "Comentário." In: TAYLOR, Charles (Org.). *Multiculturalismo: examinando a política do reconhecimento.* Lisboa: Instituto Piaget, 1994, p. 105-115.

SANTOS, Hélio. "Uma visão sistêmica das estratégias aplicadas contra a discriminação racial." In: MUNANGA, Kabengele (Org.). *Estratégias e políticas de combate à discriminação racial.* São Paulo: Edusp, 1996, p. 113-132.

SANTOS, Wanderley Guilherme dos. *Cidadania e Justiça: a política social na ordem brasileira.* Rio de Janeiro: Campus, 1979.

SCHWARCZ, Lilia. "Na boca do furacão." *Revista USP,* São Paulo, n. 68, p. 6-9, dez. 2005.

SCHWARTZMAN, Simon. *As Causas da Pobreza.* Rio de Janeiro : Editora FGV, 2004, 208 p.

SENADO FEDERAL. "Estatuto da Igualdade Racial." Disponível em: <*www.senado.gov.br*>. Acesso em: 20 jun. 2006.

SILVA, Cleide. "Sindicatos pedem cota para negros." *O Estado de S. Paulo,* 29 de jul. 2005, p. B5.

SILVA, Nelson do Valle. "Morenidade: modo de usar." *Estudos Afro-Asiáticos,* 30, p. 79-95, dez. 1996.

SILVA JR, Hédio. *Direito de Igualdade Racial: Aspectos Constitucionais, Civis e Penais.* São Paulo: Juarez de Oliveira, 2002.

_____. "Ação afirmativa para negro(as) nas universidades: a concretização do princípio constitucional da igualdade." In: GONÇALVES E SILVA, Petronilha; SILVÉRIO, Valter. *Educação e ações afirmativas: entre a injustiça simbólica e a injustiça econômica.* Brasília: MEC, 2003, p. 101-113.

SILVÉRIO, Valter Ribeiro. "Negros em movimento: a construção da autonomia pela afirmação de direitos." In: BERNARDINO, Joaze; GALDINO, Daniela. *Levando raça a sério: ação afirmativa e universidade.* Rio de Janeiro: DP&A, 2004, p. 39-69.

SKIDMORE, Thomas. *Preto no Branco: Raça e Nacionalidade no Pensamento Brasileiro.* São Paulo: Paz e Terra, 1976, 332 p.

SKRENTNY, John David. *The Ironies of Affirmative Action: Politics, Culture and Justice in America.* Chicago: Chicago University Press, 1996.

SMITH, John. *The Politics of Racial Inequality: a Systematic Comparative Macro-Analysis from the Colonial Period to 1970.* Westport, CN: Greenwood Press, 1987.

SOARES, Reinaldo da Silva. *Negros de classe média em São Paulo: estilo de vida e identidade negra.* São Paulo, 2004. Tese (Doutorado em Antropologia Social) – Faculdade de Filosofia, Letras e Ciências Humanas (FFLCH), Universidade de São Paulo (USP).

SOWELL, Thomas. "Weber and Bakke, and the Pressupositons of 'Affirmative Action". In: BLACK, W.E.; WALKER, M.A (Org.). *Discrimination, Affirmative Action and Equal Opportunity.* The Fraser Institute, 1981, p. 37-61.

_____. *Ação Afirmativa ao Redor do Mundo: Estudo Empírico.* Rio de Janeiro: UniverCidade Editora, 2004, 170 p.

SPERO, J.; HART, J. *The Politics of the International Economic Relations.* Belmont: Thomson-Wadsworth, 2003.

STEPAN, Alfred. "Paths toward Redemocratization: Theoretical and Comparative Considerations." In: O'DONNELL, G.; SCHIMITTER, P.; WITHEAD, L. *Transitions from Authoritarian Rule: Comparative Perspectives.* Baltimore: The John Hopkins University Press, 1986, p. 75.

TAYLOR, Charles. "A Política de Reconhecimento." In: _____(Org.). *Multiculturalismo: examinando a política do reconhecimento.* Lisboa: Instituto Piaget, 1994, p. 79.

TELLES, Edward. *Racismo à brasileira: uma nova perspectiva sociológica.* Rio de Janeiro: Relume-Dumará, 2004.

TODD, Roy. "Multiculturalism." In : CASHMORE, Ellis (Org.). *Dictionary of Race and Ethnic Relations.* 4ª ed. Routledge: London and New York, 1996, p. 244-245.

TURRA, Cleusa; VENTURI, Gustavo. *Racismo Cordial: a mais completa análise sobre preconceito de cor no Brasil.* São Paulo: Ática, 1995.

UNICAMP. "Perfil Socioeconômico dos Candidatos e Ingressantes." Disponível em: <*www.comvest.unicamp.br*>. Acesso em: 19 maio 2006.

WAGLEY, Charles. "The Concept of Social Race in the Americas." In:_____. *The Latin American tradition: essays on the unity and the diversity of Latin American Culture.* New York: Columbia University Press, 1965.

WILSON, William Julius. *The Declining Significance of Race: Blacks and Changing American Institutions.* Chicago: The University of Chicago, 1978, 256 p.